POR UMA NOITE

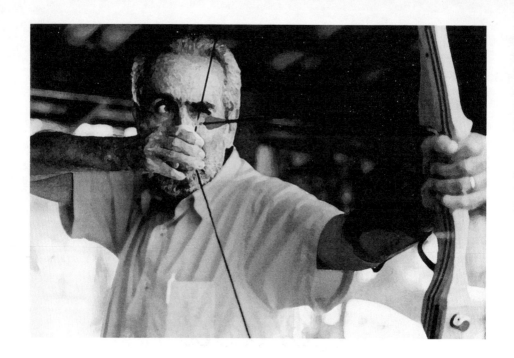

O Arqueiro

GERALDO JORDÃO PEREIRA (1938-2008) começou sua carreira aos 17 anos, quando foi trabalhar com seu pai, o célebre editor José Olympio, publicando obras marcantes como O menino do dedo verde, de Maurice Druon, e Minha vida, de Charles Chaplin.

Em 1976, fundou a Editora Salamandra com o propósito de formar uma nova geração de leitores e acabou criando um dos catálogos infantis mais premiados do Brasil. Em 1992, fugindo de sua linha editorial, lançou Muitas vidas, muitos mestres, de Brian Weiss, livro que deu origem à Editora Sextante.

Fã de histórias de suspense, Geraldo descobriu O Código Da Vinci antes mesmo de ele ser lançado nos Estados Unidos. A aposta em ficção, que não era o foco da Sextante, foi certeira: o título se transformou em um dos maiores fenômenos editoriais de todos os tempos.

Mas não foi só aos livros que se dedicou. Com seu desejo de ajudar o próximo, Geraldo desenvolveu diversos projetos sociais que se tornaram sua grande paixão.

Com a missão de publicar histórias empolgantes, tornar os livros cada vez mais acessíveis e despertar o amor pela leitura, a Editora Arqueiro é uma homenagem a esta figura extraordinária, capaz de enxergar mais além, mirar nas coisas verdadeiramente importantes e não perder o idealismo e a esperança diante dos desafios e contratempos da vida.

OS MISTÉRIOS DE BOW STREET
· LIVRO 1 ·

Cortesã
POR UMA NOITE

LISA KLEYPAS

Título original: *Someone to Watch over Me*

Copyright © 1999 por Lisa Kleypas
Copyright da tradução © 2021 por Editora Arqueiro Ltda.

Todos os direitos reservados.
Nenhuma parte deste livro pode ser utilizada ou reproduzida sob quaisquer meios existentes sem autorização por escrito dos editores.

tradução: Ana Rodrigues

preparo de originais: Sheila Til

revisão: Livia Cabrini e Tereza da Rocha

diagramação: Abreu's System

capa: Renata Vidal

imagem de capa: © Drunaa / Trevillion Images

impressão e acabamento: Lis Gráfica e Editora Ltda.

CIP-BRASIL. CATALOGAÇÃO NA PUBLICAÇÃO
SINDICATO NACIONAL DOS EDITORES DE LIVROS, RJ

K72c   Kleypas, Lisa
Cortesã por uma noite / Lisa Kleypas ; [tradução Ana Rodrigues]. – 1. ed. – São Paulo : Arqueiro, 2021.
272 p. ; 23 cm.   (Os mistérios de bow street ; 1)

Tradução de: Someone to watch over me
Continua com: amante por uma tarde
ISBN 978-65-5565-077-8

1. Romance americano. I. Rodrigues, Ana. II. Título. III. Série.

20-67275   CDD: 813
                                                                      CDU: 82-31(73)

Leandra Felix da Cruz Candido – Bibliotecária – CRB-7/6135

Todos os direitos reservados, no Brasil, por
Editora Arqueiro Ltda.
Rua Funchal, 538 – conjuntos 52 e 54 – Vila Olímpia
04551-060 – São Paulo – SP
Tel.: (11) 3868-4492 – Fax: (11) 3862-5818
E-mail: atendimento@editoraarqueiro.com.br
www.editoraarqueiro.com.br

Para minha mãe, que tornou este livro possível ao tomar conta do meu filho Griffin todos os dias enquanto eu escrevia.

Este trabalho feito com tanto amor incluiu preparar pelo menos duzentos sanduíches de pasta de amendoim cortados em quadrados, trocar cerca de quatrocentas fraldas e assistir a horas sem fim de *Thomas e seus amigos*.

Obrigada, Mimi. Em meu nome e no do Griffin.

CAPÍTULO 1

No instante em que Grant Morgan viu a mulher ele soube que, apesar da beleza, ela não podia ser a esposa de ninguém.

Ele seguia o barqueiro através da névoa, com a umidade fria agarrando-se a sua pele e formando gotas no casaco de lã. Mantinha as duas mãos enfiadas nos bolsos enquanto o olhar inquieto escrutinava ao seu redor. O Tâmisa ganhava uma aparência escura e oleosa ao brilho mortiço dos lampiões pendurados nos blocos maciços de granito perto do atracadouro. Duas ou três pequenas barcas de passageiros cruzavam o rio, oscilando como brinquedos na água. Ondas geladas batiam nos degraus e contra um muro na margem. O vento invernal soprava contra o rosto e as orelhas de Grant e se insinuava para dentro de seu colarinho. Ele reprimiu um tremor enquanto fitava as águas escuras e agitadas. Ninguém conseguiria sobreviver muito mais do que vinte minutos no rio num dia daqueles.

– Onde está o corpo? – perguntou Grant, franzindo o cenho com impaciência.

Levou a mão ao bolso interno do casaco para encontrar o relógio.

– Não tenho a noite toda – emendou.

O barqueiro do Tâmisa cambaleou ao virar a cabeça para olhar, irritado, para o homem que o seguia. Uma bruma cinza e amarelada os cercava, obrigando-o a estreitar os olhos para enxergar melhor.

– O senhor é o Morgan, não é? O Sr. Morgan em pessoa... Nossa, ninguém vai acreditar quando eu contar. Um homem que protege o próprio rei... Imaginava que o senhor estivesse acima de um serviço sujo como este.

– Infelizmente, não estou – resmungou Grant.

– Por aqui, senhor... E cuidado ao pisar. Os degraus ficam escorregadios demais perto da água, ainda mais em uma noite úmida como esta.

Grant trincou os dentes e desceu até alcançar o corpo pequeno e encharcado que jazia sobre os degraus do atracadouro. Em seu trabalho como patrulheiro, ele via cadáveres com frequência, mas vítimas de afogamento com certeza estavam entre as visões mais desagradáveis. O corpo tinha sido deixado de bruços, mas era claramente feminino. A mulher estava jogada, os braços afastados como os de uma boneca de pano abandonada por uma criança descuidada, a saia do vestido embolada ao redor das pernas.

Grant se agachou ao lado do corpo, segurou a mulher pelos ombros com as mãos enluvadas e começou a virá-la. Mas recuou na mesma hora, surpreso, quando ela começou a tossir e a vomitar água salgada, o corpo em espasmos.

O barqueiro deu um gemido de susto atrás de Grant, então se aproximou.

– Achei que estivesse morta – comentou o homem, a voz falhando de espanto. – Podia jurar que era um cadáver!

– Idiota – murmurou Grant.

Por quanto tempo aquela pobre mulher ficara exposta ao frio enquanto o barqueiro mandara chamar um patrulheiro da central da Bow Street para investigar o caso? Suas chances de sobrevivência seriam muito maiores se ela tivesse recebido cuidados médicos imediatamente depois de ter sido encontrada. Agora, não seriam nada boas.

Grant virou a mulher e pousou a cabeça dela em seu colo, os longos cabelos ensopando a calça dele. A pele dela parecia acinzentada à luz mortiça e havia um inchaço na lateral da cabeça. Mesmo assim, as feições delicadas e marcantes eram reconhecíveis. Grant sabia quem ela era.

– Meu Deus – sussurrou ele.

Grant tinha como lema nunca se surpreender com nada, mas encontrar Vivien Rose Duvall ali, daquele jeito... era inconcebível.

Ela entreabriu os olhos, a expressão embotada ao se dar conta da proximidade da morte. Mas Vivien não era o tipo de mulher que cedesse sem lutar. Ela gemeu e esticou a mão, roçando a frente do colete dele em uma tentativa febril de se salvar. Grant entrou em ação na mesma hora – passou os braços ao redor de Vivien e a ergueu no colo. Ela era uma mulher pequena e leve, mas a saia encharcada fazia seu peso quase dobrar. Grant a apoiou no peito e deixou escapar um grunhido de desconforto quando a água salgada e gelada ensopou as roupas dele também.

– Vai levá-la para a Bow Street, Sr. Morgan? – perguntou o barqueiro, com seu sotaque carregado, e apressou o passo para conseguir acompanhar Grant, que subia dois degraus de cada vez. – Acho que devo ir também e deixar meu nome com sir Ross. Fiz um favor a alguém, não é? Encontrei a dama antes que ela morresse. Não aceitaria nenhum agradecimento, é claro... simplesmente ter feito a coisa certa já é o bastante... mas pode haver uma recompensa, não é mesmo?

– Encontre o Dr. Jacob Linley – disse Grant, apressado, interrompendo as especulações gananciosas do homem. – Ele costuma estar no café do Tom a esta hora da noite. Diga-lhe que vá até a minha casa, na King Street.

– Não posso – protestou o barqueiro. – Tenho que trabalhar, o senhor sabe. Ora, ainda posso ganhar 5 xelins esta noite.

– Será pago quando levar Linley até a King Street.

– E se eu não conseguir encontrá-lo?

– Você *vai* chegar com ele à minha casa em meia hora – falou Grant, irritado. – Caso contrário, mandarei confiscar seu barco e ainda lhe conseguirei uma estadia de três dias em uma cela de prisão. Essa motivação é suficiente?

– Sempre achei que o senhor fosse um homem bom – comentou o barqueiro. – Até conhecê-lo pessoalmente. O senhor não é nada como escrevem nos jornais. Passei horas nas tavernas enquanto as pessoas liam os seus feitos em voz alta...

Ele se afastou, o desapontamento evidente em seu corpo pequeno e robusto.

A boca de Grant se curvou em um sorriso sombrio. Sabia muito bem como suas façanhas eram descritas nos jornais. Os editores e repórteres exageravam suas realizações a ponto de ele parecer super-humano. As pessoas o viam como uma lenda, não como um homem normal, com defeitos.

Ele tornara seu trabalho de patrulheiro altamente rentável e ganhava uma fortuna ao recuperar bens roubados de bancos. De vez em quando Grant também atuava em outros tipos de casos – já localizara uma herdeira sequestrada, servira na guarda pessoal de um rei em visita à cidade, rastreara assassinos –, mas os bancos eram sempre seus clientes preferidos. A cada caso resolvido, mais conhecido ele ficava, até que se tornara assunto das conversas em todos os cafés e tavernas de Londres.

Para a surpresa de Grant, a aristocracia o acolhera em seu seio adornado de joias e clamava por sua presença nos eventos sociais. Dizia-se que o sucesso de um baile estava garantido se a anfitriã pudesse escrever "O Sr. Morgan estará presente" na parte de baixo do convite. Ainda assim, apesar de toda a popularidade de Grant entre a nobreza, estava claro para todos que ele não pertencia ao grupo. Era mais uma figura decorativa do que um membro aceito nos altos círculos sociais que frequentava. As mulheres ficavam empolgadas com a ideia de ele ser um personagem potencialmente perigoso, e os homens desejavam sua amizade para parecerem, eles mesmos, mais corajosos e vividos.

Grant tinha consciência de que nunca seria acolhido naquele meio, a não ser da forma mais superficial. E nunca teria a confiança da aristocracia... Afinal, sabia demais sobre os segredinhos sujos de seus membros, sobre suas vulnerabilidades, seus medos e desejos.

Uma rajada de vento frio o envolveu, fazendo a mulher em seus braços gemer e tremer. Grant segurou mais firme a carga incômoda, deixou a margem do rio e atravessou a rua de paralelepípedos coberta de lama e esterco. Seguiu por um pátio pequeno com barris cheios de água parada, um chiqueiro fétido e um carrinho com as rodas quebradas. Covent Garden tinha diversos pátios como aquele, de onde pardieiros sombrios e tortuosos se espalhavam em uma teia doentia. Qualquer cavalheiro em seu juízo perfeito ficaria apavorado ao se aventurar naquela área da cidade cheia de antros de ladrões, prostitutas, valentões e criminosos que matariam por poucos xelins. Mas Grant dificilmente poderia ser descrito como um cavalheiro, e o submundo londrino não o assustava.

A cabeça da mulher balançou contra o ombro dele. Grant sentiu a respiração fraca, o hálito frio em seu queixo.

– Ora, Vivien – murmurou ele –, já houve um tempo em que eu a quis nos meus braços... mas não era bem isso que eu tinha em mente.

Achava difícil acreditar que carregava a mulher mais desejada de Londres em meio às barracas decadentes e aos estábulos abertos de Covent Garden. Açougueiros e vendedores ambulantes paravam para fitá-los com curiosidade, enquanto prostitutas se aventuravam das sombras.

– Aqui, rapaz – chamou uma mulher de rosto encovado, que mais parecia um espantalho. – Tenho uma bela tigela de creme fresco para você!

– Outra hora – respondeu Grant em tom sarcástico, ignorando o grasnado ansioso da dama da noite.

Ele atravessou o lado noroeste da praça e chegou à King Street, onde os prédios decrépitos davam lugar a uma harmoniosa fileira de casas geminadas, cafés e uma ou duas editoras. Era uma rua limpa e próspera, de residências com fachada arcada habitadas pela classe alta da cidade. Grant havia comprado ali uma casa elegante e arejada de três andares. A agitação da central da Bow Street ficava a uma curta distância, mas ao mesmo tempo parecia bem longe da serenidade de seu lar.

Grant subiu às pressas os degraus da entrada e deu um sonoro chute na porta da frente, de mogno. Como não houve resposta, se afastou e chutou de novo. Então, de repente, a governanta surgiu, já protestando contra o tratamento que o patrão estava dando ao painel de madeira encerada.

A Sra. Buttons era uma mulher de feições agradáveis, com cerca de 50 anos, boa de coração, mas contida, determinada e com convicções religiosas muito fortes. Não era segredo que ela desaprovava a profissão de Grant e que abominava a violência física e a corrupção com que ele lidava no cotidiano. Ainda assim, a governanta recebia sem reclamar a ampla gama de visitantes do submundo que apareciam na casa, tratando todos com um misto de educação e reserva.

Como os outros patrulheiros da central da Bow Street que trabalhavam sob o comando de sir Ross Cannon, Grant acabara tão imerso no mundo do crime que às vezes se questionava até que ponto ele mesmo era diferente dos homens que perseguia. A Sra. Buttons certa vez lhe dissera que tinha esperança de que ele algum dia aceitasse a luz da verdade cristã.

– Estou aquém de qualquer salvação – retrucara Grant, com animação.

– É melhor que dirija suas atenções para um objetivo mais alcançável, Sra. Buttons.

Ao ver a carga encharcada nos braços do patrão, o rosto normalmente impassível da governanta demonstrou seu espanto.

– Santo Deus! – exclamou ela. – O que aconteceu?

Os músculos de Grant começavam a sentir o cansaço causado pelo esforço de carregar a mulher por tanto tempo.

– Um quase afogamento – disse ele sem maiores explicações e passou pela governanta em direção à escada. – Vou levá-la para meu quarto.

– Mas como? Quem? – reagiu a Sra. Buttons em um arquejo enquanto fazia um esforço visível para se recuperar. – Ela não deveria ser levada a um hospital?

– É uma conhecida minha – falou Grant. – Quero que seja examinada por um médico particular. Só Deus sabe o que fariam com ela em um hospital.

– Uma conhecida – repetiu a governanta, apressando-se para acompanhar os passos rápidos de Grant.

Estava claro que a mulher ardia de curiosidade, mas não faria mais perguntas.

– É uma dama da noite, na verdade – disse Grant, em tom sarcástico.

– Uma dama da... e o senhor a trouxe para cá... – falou a Sra. Buttons, com ar de desaprovação. – O senhor se superou mais uma vez.

Um breve sorriso curvou os lábios de Grant.

– Obrigado.

– Não foi um elogio. Sr. Morgan, não prefere que eu mande preparar um dos quartos de hóspedes?

– Ela vai ficar no meu quarto – afirmou Grant de uma forma que não admitia discussão.

A Sra. Buttons franziu o cenho e orientou uma criada a secar as poças deixadas no chão de mármore âmbar da entrada.

A casa, com suas longas janelas, mobília no estilo de Thomas Sheraton e tapetes artesanais ingleses, era o tipo de lugar em que Grant nunca sequer sonhara morar. Era uma realidade muito distante do apartamento em que vivia quando pequeno: três cômodos para um vendedor de livros de classe média, a esposa e oito filhos. Ou da sucessão de orfanatos e reformatórios que vieram depois que o pai de Grant foi posto na prisão por suas dívidas e a família se dilacerou.

Grant acabou nas ruas, até que um peixeiro de Covent Garden se compadeceu dele e lhe deu um trabalho fixo e um catre para dormir à noite. Enrodilhado perto do calor do fogão na cozinha, Grant sonhava com algo melhor, embora seus sonhos nunca tivessem tomado uma forma precisa até o dia em que ele deparou com um patrulheiro da central da Bow Street.

O patrulheiro estava fazendo a ronda no mercado cheio que ocupava a praça e pegou um ladrão que havia roubado um peixe. Grant arregalara os olhos ao ver o patrulheiro em seu colete vermelho, armado com pistolas e alfange. Aos olhos do menino, o homem parecia maior, mais elegante e poderoso do que as pessoas comuns. Grant soubera na mesma hora que sua única esperança de escapar da vida que tinha era tornar-se um patrulheiro. Assim, aos 18 anos, ele se candidatara a integrar o pelotão que fazia a ronda noturna das ruas. Um ano depois, fora promovido à ronda diurna e, alguns meses mais tarde, escolhido por sir Ross Cannon para tomar parte em seu seleto grupo de seis patrulheiros de elite.

Para provar seu valor, Grant mergulhara no trabalho com uma dedicação inesgotável, tratando cada caso como uma vingança pessoal. Ele fazia o que fosse necessário para capturar um culpado. Certa vez chegara a atravessar o Canal da Mancha atrás de um assassino, que prendera na França. Com sucesso após sucesso, Grant começara a cobrar somas exorbitantes por seus serviços particulares, o que só fez com que eles fossem mais disputados.

Ele seguira o conselho de um cliente rico que lhe devia um favor e investira em empresas têxteis e de navegação. Era também dono de metade de um hotel e comprara várias propriedades no lado oeste de Londres. Com alguma sorte e determinação, Grant chegara mais longe do que qualquer um teria previsto. Aos 30 anos, poderia se aposentar com uma fortuna confortável se desejasse. Mas ele não conseguia se afastar do trabalho da Bow Street. A emoção da caçada e a sedução do perigo eram necessidades fortes, quase físicas, que ele parecia nunca satisfazer. Não se dava o trabalho de tentar entender por que não conseguia se acomodar e levar uma vida normal, mas tinha certeza de que a resposta não seria um elogio a seu caráter.

Grant chegou ao quarto e pôs Vivien sobre a enorme cama de dossel com grinaldas entalhadas na cabeceira e nos pés. A maior parte da mobília, inclusive a cama, fora feita sob medida para acomodar as proporções dele. Grant era um homem alto e grande para o qual a parte de cima dos batentes das portas e as vigas nos tetos costumavam se mostrar um risco frequente.

– Ah, a colcha! – exclamou a Sra. Buttons ao ver as roupas de Vivien ensoparem o veludo grosso bordado em seda dourada e azul. – Ficará arruinada!

– Então comprarei outra – disse Grant.

Ele flexionou os braços exaustos e despiu o casaco encharcado, que largou no chão. Então se inclinou na direção da silhueta imóvel de Vivien com a intenção de remover as roupas dela o mais rápido possível. Puxou a frente do vestido, mas os botões e os ganchos permaneceram teimosamente agarrados à lã encharcada. Grant deixou escapar um palavrão.

Ainda reclamando do estrago que estava sendo feito à colcha de veludo, a Sra. Buttons tentou ajudá-lo, mas logo se afastou com um suspiro de frustração.

– Acho que teremos que cortar as roupas. Devo pegar a tesoura?

Grant fez que não com a cabeça e enfiou a mão na bota direita. Em um movimento fluido, nascido do longo hábito, pegou uma faca de cabo de madrepérola com uma lâmina afiada de quase um palmo.

A governanta arquejou ao ver o patrão começar a cortar a lã grossa do corpete do vestido como se fosse manteiga.

– Meu Deus – balbuciou.

Grant se concentrou na tarefa.

– Ninguém maneja uma faca tão bem quanto um ex-peixeiro de Covent Garden – comentou ele, sarcástico, enquanto abria as laterais do vestido para revelar a roupa de baixo de linho branco de boa qualidade.

A camisa de baixo de Vivien também estava, naturalmente, encharcada e colada à pele muito branca, deixando entrever os contornos rosados dos bicos dos seios. Embora Grant já tivesse visto inúmeros corpos femininos, algo na seminudez de Vivien o fez hesitar. Ele se esforçou para afastar a sensação inexplicável de estar violando algo – alguém – suave e virginal. O que era absurdo, levando-se em conta o fato de que Vivien Duvall era uma cortesã.

– Sr. Morgan – disse a governanta, torcendo as pontas do grande avental branco –, se preferir, posso pedir a uma das criadas que me ajude a despir a Srta...

– Duvall – completou Grant, em voz baixa.

– A despir a Srta. Duvall.

– Eu mesmo cuidarei de nossa hóspede – murmurou Grant. – E posso apostar que muitos homens já tiveram o privilégio de ver a Srta. Duvall nua. Ela seria a primeira a dizer "Faça o que tem que ser feito e o recato que se dane".

Além do mais, depois de todo o esforço que fizera naquela noite, ele achava que tinha direito àquele pequeno prazer.

– Sim, senhor.

A Sra. Buttons o encarou com uma expressão pensativa, como se Grant não estivesse se comportando da forma habitual. E talvez não estivesse mesmo. Uma sensação estranha o dominou, o frio do lado de fora se misturando ao calor que ardia em seu íntimo.

Com uma fisionomia inescrutável, Grant continuou a cortar as roupas molhadas, passando a faca por uma manga e então pela outra. Quando levantou a parte superior do corpo delgado de Vivien e arrancou dele a lã molhada, alguém entrou pela porta entreaberta e arquejou alto.

Era Kellow, o valete dele, um jovem muito sério com uma calvície prematura e óculos redondos firmemente posicionados sobre o nariz. Os olhos arregalados quase saltaram das órbitas quando ele deparou com o patrão parado empunhando uma faca acima de uma mulher seminua e inconsciente.

– Meu santo Deus!

Grant se virou para encarar o valete com uma expressão feroz.

– Tente ser útil, certo? Pegue uma das minhas camisas. E algumas toalhas. E, pensando bem, chá e conhaque. Agora, *rápido*.

Kellow ia dizer algo, mas pareceu pensar melhor e foi pegar o que fora pedido. Desviou os olhos da mulher na cama, entregou uma camisa limpa à Sra. Buttons e saiu do quarto às pressas.

A crescente necessidade de Grant de vestir e aquecer Vivien superou qualquer desejo de vê-la nua. Ele teve apenas um breve vislumbre do corpo enquanto enfiava os braços dela pelas mangas longas da camisa, com a ajuda da governanta. Mas o cérebro dele gravou aquela imagem para ser saboreada mais tarde.

Vivien não era perfeita, mas a promessa de deleite era capturada em suas imperfeições. A cintura era fina e elegante, como costumava ser nas mulheres pequenas, seus seios eram belos e redondos, e os joelhos, macios com covinhas. A barriga lisa levava a um triângulo de pelos ruivos provocantes apenas um tom mais escuro do que os cachos da cor do pôr do sol de seus cabelos. Não era de espantar que ela fosse a cortesã mais bem-paga da Inglaterra. Era sedutora, bela, apetitosa... o tipo de mulher que qualquer homem iria querer manter na cama por dias seguidos.

Eles cobriram Vivien com lençóis e mantas pesadas, e a Sra. Buttons envolveu os cabelos ressecados do sal em uma das toalhas que Kellow levara.

– É uma mulher muito bonita – comentou a governanta, o rosto se suavizando em uma expressão relutante de pena. – E jovem o bastante para mudar de vida. Espero que Deus decida poupá-la.

– Ela não vai morrer – apressou-se em dizer Grant. – Não vou permitir.

Ele tocou a testa de Vivien, que parecia feita do marfim mais puro, e com o polegar ajeitou uma mecha de cabelo dentro da toalha. Com cuidado, pousou um pano sobre o ferimento na têmpora.

– Embora, pelo visto, alguém vá ficar desapontado com o fato de ela estar viva – emendou ele.

– Perdão, senhor, mas não estou entendendo... ah!

A governanta arregalou os olhos quando as pontas dos dedos de Grant roçaram com delicadeza o pescoço de Vivien, mostrando os hematomas ao redor.

– Parece que alguém tentou...

– Estrangulá-la – completou Grant sem rodeios.

– Quem faria uma coisa dessas? – perguntou-se a Sra. Buttons em voz alta, a testa franzida em uma expressão de horror.

– O mais comum, em assassinatos de mulheres, é que o culpado seja o marido ou o amante – ponderou ele, e torceu os lábios em um sorriso amargo. – As mulheres parecem sempre temer os estranhos, quando normalmente são os homens conhecidos que mais lhes fazem mal.

A governanta balançou a cabeça diante daquela horrível verdade, se levantou e alisou o avental.

– Se desejar, senhor, mandarei buscar um unguento para os hematomas e arranhões da Srta. Duvall e esperarei no andar de baixo pela chegada do médico.

Grant assentiu, mal se dando conta da saída da governanta enquanto fitava o rosto inexpressivo de Vivien. Com toda a delicadeza, ele ajeitou o pano na testa dela. Então acariciou a curva pálida do rosto com a ponta de um dedo e deixou escapar um murmúrio bem-humorado.

– Jurei que você se arrependeria do dia em que me fez de tolo, Vivien. Mas a oportunidade chegou muito mais cedo do que eu esperava.

CAPÍTULO 2

Ela acordou em um pesadelo de frio e dor. O mero ato de respirar era um fardo para os pulmões. A garganta e o peito ardiam como se tivessem sido esfregados por dentro. Quando tentou falar, emitiu um som rouco, como um balido, e se encolheu de agonia.

– Ah...

Mãos fortes a ajeitaram melhor na cama e enfiaram um travesseiro embaixo da sua cabeça e do pescoço, depois afastaram uma mecha solta na testa dela. Uma voz firme chegou aos seus ouvidos:

– Não tente falar agora. Tome, isto vai ajudar.

Ela sentiu a borda de uma colher quente contra os lábios e se retraiu. Mas o homem ao seu lado persistiu: passou a mão grande ao redor da sua nuca e levou de novo a colher à sua boca. Os dentes dela bateram no metal, o corpo dominado por um tremor incontrolável. Ela engoliu uma colherada de chá quente bem doce, embora o movimento dos músculos da garganta fosse pura agonia.

– Muito bem. Tome outra.

Ela se forçou a engolir uma segunda colherada e uma terceira. Sua cabeça foi pousada de volta no travesseiro e uma pilha de mantas lhe cobriu os ombros. Só então ela tentou abrir os olhos.

Franziu o rosto, incomodada com o brilho de um lampião próximo. Um estranho se inclinava sobre dela, só metade do rosto sob a luz. Era um homem bonito, de cabelos escuros, sem qualquer traço de jovialidade. Tinha a pele bronzeada e ligeiramente castigada, a sombra da barba escurecendo seu maxilar. As linhas bem marcadas do rosto eram complementadas por um nariz longo, uma boca generosa e olhos verdes vívidos. Um olhar estranho, cínico, perceptivo, que parecia fitar sua alma.

– Morrer...? – perguntou ela em um grunhido rouco.

Doía falar, se mexer, respirar. Como se agulhas geladas a espetassem de dentro para fora e um torno enorme lhe comprimisse os pulmões, tornando quase impossível inspirar. Pior de tudo era o tremor violento de cada músculo, espasmos que sacudiam seus ossos, suas juntas, até ela temer se desintegrar. Se ao menos conseguisse ficar parada por um momento...

Quando tentou se manter rígida, o tremor só se intensificou. Estava se despedaçando, afundando, se afogando.

– Não, você não vai morrer – disse ele, baixinho. – E o tremor vai parar daqui a pouco. Acontece com frequência em casos como o seu.

Casos como o dela? O que tinha acontecido? Por que ela estava ali? Seus olhos inchados se encheram de lágrimas de confusão e ela mordeu o lábio para não chorar.

– Obrigada – falou, em um arquejo, embora não soubesse exatamente o que estava agradecendo ao homem.

Ela buscou a mão dele, porque precisava de um toque humano para se tranquilizar. Grant se aproximou e sentou na beirada da cama, seu peso afundando o colchão, e envolveu os dedos dela com a mão grande. O calor da pele masculina e a vitalidade ardente daquele toque a surpreenderam.

– Por favor, não solte – sussurrou ela, e se agarrou a ele como se fosse sua tábua de salvação.

O rosto masculino formidável se suavizou sob a luz do lampião. Um brilho zombeteiro cintilou nos olhos verdes insondáveis.

– Não consigo suportar as lágrimas de uma mulher. Se continuar a chorar, irei embora.

– Vou parar – disse ela, mordendo o lábio com mais força.

Porém as lágrimas continuaram a escorrer, e o estranho praguejou baixinho.

Ele a envolveu na massa de cobertas e a puxou para si com todo o cuidado, abraçando os membros trêmulos. A jovem arquejou de alívio. Ele era tão forte, e seus braços eram tão firmes... Ela apoiou a cabeça no ombro dele, sentiu o linho da camisa. Sua visão se encheu com os detalhes do rosto masculino: a pele bronzeada e lisa, a orelha bem desenhada, as mechas castanho-escuras sedosas e curtas, ignorando a moda.

– Estou com t-tanto frio... – balbuciou ela, a boca próxima do ouvido dele.

– Ora, um mergulho no Tâmisa sem dúvida provocaria isso – comentou ele, em tom irônico. – Ainda mais nesta época do ano.

Ela sentiu o hálito dele contra a testa, um sopro quente, e foi invadida por uma sensação desesperada de gratidão. Não queria sair daquele abraço nunca mais. Sentiu a língua grossa quando tentou umedecer os lábios rachados.

– Quem é você?

– Não se lembra?

– Não, eu...

Pensamentos e imagens se esquivavam de seus esforços de capturá-los. Não conseguia se lembrar de nada. Havia um vazio em todas as direções, um enorme vácuo que a confundia.

Ele afastou a cabeça dela, os dedos quentes envolvendo sua nuca. Um leve sorriso curvou os cantos de sua boca.

– Grant Morgan.

– O que a-aconteceu comigo? – perguntou a mulher, num esforço para pensar além da dor e dos tremores que a confundiam. – Eu e-estava na água...

Então se lembrou de algo frio e salgado queimando-lhe os olhos e a garganta, bloqueando os ouvidos, paralisando seus membros, que se debatiam. Ela perdera a batalha em busca de ar, sentira os pulmões explodirem, se sentira afundar como se mãos invisíveis a puxassem para baixo.

– A-alguém me tirou de lá. Foi você?

– Não. Um barqueiro a encontrou e mandou chamar um patrulheiro. Por acaso, eu era o único disponível esta noite – falou ele, a mão acariciando lentamente as costas da mulher. – Como você acabou dentro do rio, Vivien?

– Vivien? – repetiu ela, em uma confusão desesperada. – Por que me chamou assim?

Houve um momento de silêncio que a apavorou. Grant Morgan esperava que ela reconhecesse aquele nome... *Vivien*... Ela se esforçou para associar alguma imagem ou significado a ele. Só encontrou o vazio.

– Quem é Vivien? – perguntou ela.

Sua garganta dolorida pareceu se apertar até ela mal conseguir produzir um som.

– O que está acontecendo comigo?

– Calma – disse ele. – Não sabe o próprio nome?

– Não... eu não sei... não consigo me lembrar de *nada*... – falou ela, e estremeceu, soluçando, assustada. – Ah... vou vomitar.

Morgan agiu com uma rapidez impressionante: pegou uma tigela de louça na mesa de cabeceira e a aproximou da cabeça dela. Espasmos secos sacudiram o corpo da mulher. Quando cessaram, ela se deixou cair no braço dele e tremeu incontrolavelmente. Ele a deitou no colo, a cabeça contra a coxa firme.

– Me ajude – pediu ela com um gemido.

Dedos longos correram gentilmente pela lateral do rosto dela.

– Está tudo bem. Não há nada a temer.

Por incrível que parecesse, embora estivesse claro que nada estava bem e que havia muito a temer, a voz dele a confortou, assim como seu toque, sua presença. As mãos dele se moviam com ternura pelo corpo dela, acariciando os membros trêmulos.

– Respire – disse ele, a palma da mão desenhando círculos no meio do peito dela.

E, de algum modo, ela conseguiu inspirar com força. Imaginou vagamente se aquela era a sensação de quando espíritos celestes visitavam os que sofriam... Sim, o toque de um anjo provavelmente seria daquele jeito.

– Minha cabeça está doendo – reclamou, a voz como um grasnado. – Eu me sinto tão estranha! Será que enlouqueci? Onde estou?

– Descanse – disse ele. – Vamos esclarecer tudo mais tarde. Agora, apenas descanse.

– Diga seu nome de novo – pediu ela em um sussurro rouco.

– Meu nome é Grant. Você está na minha casa... e está a salvo.

De algum modo, mesmo no estado lamentável em que se encontrava, ela sentiu a hesitação do homem em relação a ela, o desejo dele de permanecer distante, sem maior envolvimento. Ele não queria ser gentil com ela, mas não conseguia evitar.

– Grant – repetiu ela, e levou a mão quente dele ao peito, pressionando-a com força contra o coração. – Obrigada.

Ela percebeu que ele ficou quieto e que, sob a cabeça dela, a coxa dele se enrijeceu. Exausta, fechou os olhos e adormeceu no colo dele.

~

Grant apoiou a cabeça de Vivien nos travesseiros e a aconchegou sob as cobertas. Estava se esforçando para compreender o que acontecia. Tinha ajudado mulheres em apuros inúmeras vezes. Àquela altura, já não era mais capaz de se comover com uma dama em perigo. Era melhor para as pessoas para quem trabalhava, e também para si mesmo, manter-se eficiente e impassível e fazer o que era necessário. Grant não chorava havia anos. Nada conseguia penetrar o muro que se formara ao redor do coração dele.

Entretanto Vivien, com toda a sua beleza avariada e com aquela doçura imprevista, o afetara mais do que ele teria acreditado ser possível. Grant não conseguia ignorar a sensação de prazer primitivo ao vê-la na casa dele... na cama dele.

Sentiu a palma da mão vibrar com as batidas do coração dela, como se capturasse o ritmo da força vital de Vivien. Desejou muito ficar ali com ela, abraçá-la. Não por paixão, mas por querer lhe dar calor e proteção.

Correu as mãos pelo rosto, depois pelos cabelos curtos, então se levantou com um grunhido. Que diabo estava acontecendo com ele?

A lembrança de quando ele e Vivien se conheceram, dois meses antes, ainda estava fresca em sua memória. Grant a vira em um baile de aniversário oferecido por lorde Wentworth para a amante. O baile recebera vários membros da parcela da sociedade formada por prostitutas de luxo, apostadores e dândis que não se encaixavam na aristocracia, mas se consideravam muito acima das classes trabalhadoras. Como a posição de Grant na sociedade era impossível de ser definida por quem quer que fosse, ele era convidado para eventos de todas as camadas sociais, da mais alta à mais baixa. Convivia com os moralmente conservadores, com os eticamente questionáveis e com os abertamente corruptos. Não pertencia a lugar nenhum e, ao mesmo tempo, pertencia a todos.

O salão de baile, com um trabalho em gesso requintado que mostrava gravuras de Netuno, de sereias, peixes e golfinhos, era o cenário perfeito para Vivien. Ela mesma parecia uma sereia em seu vestido de seda verde colado a cada curva do corpo. O decote profundo e a bainha do vestido eram arrematados em cetim branco e tule verde-escuro, e as mangas eram meros sussurros de tule nos ombros. Não escapara à atenção de Grant ou de qualquer outro homem que Vivien havia reduzido o volume da saia para que ficasse mais justa às pernas e ao quadril, sem se incomodar com o clima frio do lado de fora.

O primeiro olhar para ela fora como um soco no estômago. Vivien não tinha uma beleza clássica, mas era vibrante como uma chama, com uma combinação intrigante de doçura e malícia no rosto. Sua boca era como uma fantasia realizada: macia, cheia e indiscutivelmente sensual. Os cachos ruivos estavam presos no alto da cabeça, expondo o pescoço delicado e os ombros mais lindos que Grant já vira, que pareciam esculpidos em marfim.

Vivien sentira o olhar penetrante e olhara para trás, para Grant, os lábios vermelhos se curvando em um sorriso que provocava e convidava ao mesmo tempo.

– Ah, vejo que reparou na Srta. Duvall – dissera lorde Wentworth, surgindo ao lado de Grant com uma expressão irônica no rosto marcado por rugas. – Devo avisá-lo, meu amigo, que Vivien Duvall deixa uma trilha de corações partidos por onde passa.

– Com quem ela está? – murmurara Grant, ciente de que uma mulher de tamanha beleza não estaria disponível.

– Estava com lorde Gerard até bem recentemente. Ele foi convidado para o baile, mas recusou o convite sem mais explicações. Acredito que esteja lambendo as feridas sozinho enquanto Vivien busca um novo protetor.

Grant ficara pensativo, o que levara Wentworth a estalar a língua e prosseguir:

– Nem adianta pensar a respeito, amigo.

– Por que não?

– Para começar, ela vai exigir uma fortuna.

– E se eu puder bancá-la? – perguntara Grant.

Wentworth puxara, distraído, uma mecha dos próprios cabelos grisalhos.

– Ela gosta de homens nobres casados e... bem... um pouco mais refinados do que você, meu amigo. Sem querer ofendê-lo, é claro.

– Não me ofendi – murmurara Grant de forma automática.

Ele nunca tentara esconder a origem humilde, e chegara mesmo a fazer uso dela em algumas ocasiões.

Na verdade, muitas mulheres se sentiam atraídas pela ocupação dele e pelo fato de não pertencer a uma linhagem nobre. Era possível que Vivien Duvall apreciasse substituir seus protetores aristocráticos de mãos bem-cuidadas e maneiras arrogantes.

– Saiba que ela é perigosa – insistira Wentworth. – Dizem que, apenas quinze dias atrás, levou um pobre desgraçado ao suicídio.

Grant dera um sorriso cínico.

– Eu dificilmente poderia ser descrito como o tipo de homem que morre de amor por uma mulher, milorde.

Ele continuara a observar Vivien, que tirara um estojinho incrustado de pedras preciosas da pequena bolsa de miçangas. Ela abrira o estojo e conferira o reflexo no espelho minúsculo dentro da tampa. Com muito cuidado, levara a ponta de um dos dedos enluvados à pinta em formato de coração que havia sido estrategicamente colada no canto da boca sedutora. Era claro que ela não prestava muita atenção ao cavalheiro ao seu lado, que tentava com afinco envolvê-la na conversa. Vivien parecera se cansar das atenções dele e gesticulara em direção à longa mesa de aperitivos. O homem partira na mesma hora para preparar um prato para ela, que continuara a examinar a própria imagem no espelho.

Ao perceber a oportunidade, Grant pegara uma taça de vinho da bandeja de um garçom que passava, então se aproximara de Vivien, que fechara o estojinho e o guardara na bolsa.

— Já de volta? — perguntara ela de um jeito lânguido e entediado, sem olhar para ele.

— Seu acompanhante deveria saber que não se deixa uma mulher linda assim sozinha.

Grant vira a surpresa cintilar naqueles olhos. Então o olhar dela se dirigira à taça que ele lhe estendia. Vivien a segurara pela base artisticamente desenhada e tomara um gole delicado.

— Ele não é meu acompanhante.

A voz dela entrara pelo ouvido de Grant com a suavidade do veludo.

— Obrigada. Estou com sede.

Ela bebera de novo e erguera os olhos para encontrar os dele. Como muitas cortesãs de sucesso, Vivien tinha um modo lisonjeiro de encarar um homem, como se ele fosse o único no salão.

— O senhor estava me observando mais cedo — comentara ela.

— Não tive a intenção de ser rude.

— Ah, estou acostumada a esse tipo de olhar — dissera Vivien.

— Estou certo disso.

Ela sorrira, revelando um lampejo dos dentes muito brancos.

— Não fomos apresentados.

Grant retribuíra o sorriso.

— Devo ir buscar alguém para fazer as honras?

— Não é necessário — dissera ela e pressionara a boca de um rosa suave na borda da taça de vinho. — É o Sr. Morgan, patrulheiro da Bow Street. Trata-se apenas de um palpite, mas tenho certeza de que estou certa.

— Por que acha isso?

— O senhor se encaixa na descrição. Sua altura e seus olhos verdes o denunciam — explicara, depois torcera os lábios, pensativa. — Mas há algo mais a seu respeito... uma impressão de que não se sente tão à vontade em ambientes como este. Desconfio que preferiria estar fazendo qualquer outra coisa a ficar parado aqui, em um salão abafado, conversando sobre banalidades. E sua gravata está muito apertada.

Grant sorrira enquanto puxava um pouco o linho branco engomado preso ao redor do pescoço com um nó prático. Às vezes, o confinamento civilizado que se obtinha com colarinhos altos e gravatas rígidas era mais do que ele conseguia suportar.

– Está errada sobre uma coisa, Srta. Duvall: não há nada que eu preferisse estar fazendo a conversar com a senhorita.

– Como sabe meu nome, senhor? Alguém comentou sobre mim? Insisto em saber o que foi dito.

– Disseram que a senhorita já partiu muitos corações.

Ela rira, achando a ideia divertida, e os olhos azuis cintilaram com malícia.

– É verdade. Mas desconfio que o senhor também teve a sua cota de mulheres com corações partidos.

– É razoavelmente fácil partir corações, Srta. Duvall. Desafio maior é manter o amor de alguém, não se livrar dele.

– O senhor fala de amor com uma seriedade excessiva – comentara Vivien. – No fim das contas, é apenas um jogo.

– É? Então me diga quais são as suas regras.

– É como no xadrez. Planejo cuidadosamente a minha estratégia. Sacrifico um peão quando ele já não tem mais utilidade. E nunca revelo meus pensamentos ao oponente.

– Muito pragmática.

– Na minha posição, é preciso ser.

O brilho do sorriso provocante diminuíra ligeiramente de intensidade quando ela o encarou.

– Não estou gostando muito da sua expressão, Sr. Morgan.

A atração inicial que Grant sentira começou a se apagar quando ele se deu conta de que qualquer envolvimento com ela acabaria levando a nada. A Srta. Duvall era uma mulher manipuladora, dura, que oferecia sexo sem qualquer companheirismo. Grant queria mais do que aquilo, não importava quão bonita fosse a embalagem que ela apresentava.

Vivien examinara as feições impassíveis dele fazendo beicinho de um modo delicioso.

– Diga-me quais são as *suas* regras, Sr. Morgan.

– Tenho apenas uma – retrucara ele. – Sinceridade absoluta entre mim e minha parceira.

Uma risada alegre escapara dos lábios de Vivien.

– Isso pode ser bastante inconveniente, sabia?

– Sim, eu sei.

Confiante em seu poder de sedução, Vivien se exibia e escolhia a melhor pose diante dele, empinando os seios e descansando a mão graciosa na curva elegante do quadril. Grant sabia que deveria aproveitar para admirá-la, mas não podia evitar se perguntar por que tantas mulheres espetacularmente belas eram tão egocêntricas.

Pelo canto do olho, ele vira o acompanhante anterior de Vivien aproximar-se deles a passos rápidos e ansiosos, com um prato de iguarias nas mãos. O homem estava determinado a defender seu território, e Grant não se sentia nem um pouco inclinado a disputá-lo. Vivien Duvall não valia uma contenda em público.

Vivien acompanhara o olhar de Grant e deixara escapar um suspiro baixo.

– Convide-me para dançar antes que aquele homem tedioso volte – pedira ela em voz baixa.

– Perdoe-me, Srta. Duvall – murmurara Grant –, mas odiaria privá-lo da sua companhia. Ainda mais depois de ele ter tido tanto trabalho preparando um prato para a senhorita.

Os olhos de Vivien se arregalaram quando ela se deu conta de que estava sendo rejeitada. Suas faces e sua testa ficaram matizadas de um rosa que brigava com a cor de seus cabelos. Quando ela conseguiu replicar, seu tom saiu carregado de desprezo.

– Talvez voltemos a nos encontrar, Sr. Morgan. Mandarei chamá-lo se algum dia for importunada por um ladrão de carteiras ou um salteador.

– Por favor, faça isso – respondera ele, com toda a educação, e se afastara com uma breve mesura.

Grant pensara que o assunto estava encerrado, mas infelizmente o breve encontro dos dois não passara despercebido por outros convidados do baile. E Vivien, usando de uma artimanha mesquinha para se vingar, havia explicado a situação de um modo que deixara os fofoqueiros abafando o riso por trás das palmas das mãos. Ela insinuara delicadamente para um grupo de mexeriqueiros que o formidável Sr. Morgan lhe fizera uma oferta, que ela rejeitara. A ideia de o célebre patrulheiro da central da Bow Street tentando conquistar os favores de Vivien Duvall e fracassando tinha sido recebida com deleite por toda parte.

– Ele não é tão perigoso quanto alegam – cochichara alguém, certificando-se de que Grant ouviria – se pode ser tão facilmente descartado por uma mulher.

O orgulho de Grant sofrera conforme as mentiras deliberadas se espalhavam, mas ele conseguira guardar silêncio a respeito do assunto. Sabia que, como todo rumor, aquele acabaria mais depressa se nada fosse dito para colocar mais lenha na fogueira. Ainda assim, a menção do nome de Vivien sempre o irritava, ainda mais porque as pessoas ficavam observando sua reação. Grant fizera todo o possível para deixar clara a sua indiferença, enquanto, por dentro, prometia a si mesmo que Vivien se arrependeria das mentiras que espalhara. Era uma promessa à qual ele ainda se apegava e que estava determinado a cumprir.

Foi até a janela, afastou a cortina de damasco azul-escuro e olhou através dos longos painéis de vidro. Impaciente, deixou o olhar varrer a rua tranquila e sombreada buscando um vislumbre do Dr. Linley. Menos de um minuto depois, uma carruagem de aluguel parou diante da casa. Linley surgiu de dentro do veículo, sem chapéu, como sempre, a massa de cabelos louro-escuros cintilando sob a luz dos lampiões da rua. O médico não aparentava grande pressa, mas suas pernas davam passos largos. E ele logo se aproximou da porta da frente segurando sua maleta pesada como se estivesse vazia.

Grant esperou diante da porta do quarto e o cumprimentou com um aceno de cabeça quando ele chegou ao alto da escada acompanhado da governanta. A inteligência e a visão progressista tinham feito de Linley um dos médicos mais procurados de Londres. E certamente não prejudicava a sua popularidade o fato de ele ser um belo solteiro chegando aos 30 anos. Damas abastadas da sociedade se digladiavam pelos serviços dele, alegando que só o Dr. Linley seria capaz de curar suas dores de cabeça e aflições femininas. Grant com frequência se divertia com o desconforto de Linley ao se ver monopolizado pelas mulheres elegantes da aristocracia, o que não lhe deixava tempo para cuidar de casos mais sérios.

Os dois homens trocaram um breve aperto de mãos. Tinham apreço genuíno um pelo outro, sendo ambos profissionais que viam o melhor e o pior de que as pessoas eram capazes.

– Ora, Morgan – disse Linley de modo simpático –, é melhor ter um bom motivo para me arrastar para longe de uma xícara de café com conhaque. Qual é o problema? Você me parece muito bem.

– Tenho uma hóspede que precisa da sua atenção – falou Grant.

Ele abriu a porta e indicou o interior do quarto.

– Foi resgatada do Tâmisa há cerca de uma hora. Eu a trouxe para cá, e ela recuperou a consciência por um período de quase dez minutos. O estranho é que ela alega ter perdido a memória. Diz que não sabe o próprio nome. Isso é possível?

Linley estreitou os olhos, pensativo.

– Sim, é claro. Perda de memória é mais comum do que você pensa. Com frequência é causada pela idade ou por ingestão excessiva de bebida alcoólica...

– E quanto a um golpe na cabeça e um quase afogamento?

Os lábios do médico se uniram em um assovio silencioso.

– Pobre dama – murmurou ele. – Sim, uma vez vi um caso de amnésia causada por um ferimento na cabeça. O homem tinha sofrido um acidente em um estaleiro... uma viga caiu e o atingiu. Ele ficou inconsciente por três dias. Quando acordou, estava muito confuso. Conseguia fazer coisas como caminhar, escrever e ler, mas não reconhecia um único membro da família e não conseguia se lembrar nada do próprio passado.

– Ele recobrou a memória?

– Em cinco ou seis meses. Mas ouvi falar de outro cuja memória voltou em questão de dias. Não há como prever quanto tempo vai levar. Ou mesmo se vai voltar.

Linley passou por Grant, se aproximou da cama e pousou a valise sobre a cadeira. Quando se inclinou sobre a paciente adormecida, o médico deixou escapar um murmúrio de espanto que mal chegou aos ouvidos de Grant.

– Srta. Duvall!

– Já a atendeu antes?

Linley assentiu, parecendo perturbado. Algo na expressão do médico fez Grant supor que a consulta de Vivien fora motivada por uma aflição mais séria do que uma dor de cabeça.

– Por que motivo? – perguntou Grant.

– Sabe que não posso responder.

– Ela não consegue se lembrar de nada... Não vai fazer diferença se você me contar ou não.

27

Linley não se deixou convencer.

– Poderia sair do quarto, Morgan, enquanto examino a paciente?

Antes que Grant pudesse retrucar, Vivien se agitou e gemeu. Ela esfregou os olhos e os estreitou ao ver o rosto desconhecido do médico. Estranhamente sintonizado com Vivien, Grant percebeu o exato momento em que ela começou a entrar em pânico. Ele alcançou a cama em três passadas e segurou a mão trêmula da jovem. A força do seu toque apareceu acalmá-la.

– Grant – chamou ela, a voz rouca, o olhar buscando o rosto dele.

– O médico está aqui – murmurou Grant. – Vou esperar do lado de fora enquanto ele a examina, certo?

Um longo momento se passou antes que ela assentisse muito brevemente e soltasse a mão dele.

– Muito bem – disse Grant e ajeitou com cuidado uma mecha solta de cabelo dela atrás da orelha.

– Vocês dois parecem ter se tornado amigos depressa – comentou Linley.

– É o meu jeito com as mulheres – brincou Grant. – Elas não conseguem resistir ao meu encanto.

Linley torceu os lábios.

– Encanto? Nunca achei que você tivesse algum.

Ambos ficaram surpresos ao ouvir a voz rouca e fraca de Vivien se juntar à conversa.

– Isso é porque... o senhor não é mulher.

Grant a encarou com um sorriso relutante. Ela podia estar quase morta, mas o instinto do flerte não a abandonara. E, que Deus o ajudasse, ele estava longe de ser imune a ela.

– Apressando-se em minha defesa, é? – disse Grant, acariciando a curva do rosto dela com a ponta do dedo. – Terei que lhe agradecer mais tarde.

Um rubor se espalhou no rosto de Vivien. Grant só percebeu que havia usado um tom sedutor quando o médico lhe lançou um olhar especulativo.

Grant deixou o quarto abruptamente. Com uma expressão carrancuda, se encostou na parede do corredor.

– Maldita seja, Vivien – murmurou baixinho.

Havia achado tão fácil rejeitá-la antes, quando a considerara superficial, vaidosa e manipuladora. E não teria lhe dirigido um único pensamento não fosse pelas mentiras que ela espalhara por toda a cidade e que tanto feriram seu orgulho. Grant teria odiado Vivien se ela valesse tanto investimento emocional.

Porém havia momentos na vida de toda pessoa em que as circunstâncias a tornavam mais vulnerável, e esse momento chegara para Vivien. Ela teria mesmo perdido a memória ou estava fingindo? E se de fato estivesse com amnésia... então estaria despida de todas as defesas, de todos os desgostos e vaidades que impediam seres humanos adultos de revelarem uns aos outros quem eram de verdade. Quantos homens tiveram a oportunidade de conhecer a verdadeira Vivien? Nenhum. Grant apostaria a vida nisso.

Um cavalheiro não se aproveitaria da situação. Mas ele não era nenhum cavalheiro.

Grant prometera a si mesmo que Vivien pagaria pela brincadeira mesquinha que fizera com ele – e com juros. Agora que ela estava nos domínios dele, Grant não a deixaria partir até que seu orgulho estivesse vingado. Iria se divertir com ela pelo tempo que quisesse ou até que a memória dela voltasse. O que acontecesse primeiro.

Ele sorriu, satisfeito, e o anseio ardente no peito se amenizou.

Depois do que pareceram horas, Linley abriu a porta e o chamou de volta ao quarto. Vivien estava com uma aparência calma mas exausta, o rosto tão pálido quanto a fronha branca do travesseiro atrás da cabeça dela. Um sorriso inseguro curvou seus lábios quando viu Grant.

– E então? – perguntou ele, ao ver Linley se inclinar sobre a valise e fechá-la.

O médico levantou os olhos para ele.

– Parece que a Srta. Duvall sofreu uma concussão, embora não tenha sido grave.

Grant estreitou os olhos ao ouvir aquele termo desconhecido.

– Um golpe no crânio que afetou o cérebro – explicou Linley. – Os efeitos colaterais costumam se estender por algumas semanas, talvez um mês, e podem incluir confusão mental, náusea e fraqueza. E, neste caso em particular, amnésia.

– Como vai tratar o caso? – perguntou Grant, indo direto ao ponto.

– Infelizmente, os sintomas de uma concussão, inclusive a amnésia, devem seguir o próprio curso. Não há nada que eu possa fazer além de prescrever repouso. A longo prazo, não acho que a Srta. Duvall terá sequelas, embora deva alertá-los de que os próximos dias serão desconfortáveis. Deixei alguns frascos de pó digestivo para compensar os efeitos da água salgada que ela ingeriu e um unguento para os ferimentos e escoriações. Não encontrei evidência de ossos fraturados ou danos internos, só uma leve torção em um dos tornozelos.

O médico foi até Vivien e deu uma palmadinha carinhosa na mão dela.

– Durma – falou, gentil. – É o melhor conselho que posso lhe dar.

Linley pegou a maleta, atravessou o quarto e parou perto da porta para falar com Grant. Seus olhos cinzentos estavam sérios quando encontraram os do dono da casa.

– Há marcas de dedos ao redor do pescoço dela e sinais de luta – falou em voz baixa, para que Vivien não o escutasse. – Presumo que você vá investigar, certo?

– É claro.

– É óbvio que a amnésia da Srta. Duvall tornará o trabalho mais difícil. Não tenho grande experiência nesses assuntos, mas sei que a mente é um instrumento frágil – disse o médico, em um tom de alerta. – Recomendo que ela permaneça em um ambiente calmo. Quando se sentir melhor, talvez possa visitar alguns lugares e pessoas conhecidos, em um esforço para ajudá-la a recuperar a memória. No entanto, você poderia prejudicá-la se a fizesse se lembrar de algo para o qual não está preparada.

– Não vou fazer mal a ela – assegurou Grant, erguendo as sobrancelhas, carrancudo.

– Ora, seu talento para interrogatórios é bastante conhecido. Ouvi dizer que é capaz de arrancar uma confissão do criminoso mais insensível... E, caso esteja pensando em algum modo de forçar a Srta. Duvall a recobrar a memória...

– Já entendi – ralhou Grant, ofendido. – Por Deus do Céu! Até parece que eu saio por aí chutando cachorros e assustando criancinhas!

Linley riu diante da irritação do outro.

– Só conheço sua reputação, amigo. Boa noite. Logo lhe mandarei a conta.

– Sim, sim – concordou Grant, sem esconder a ansiedade para que o médico partisse.

– Mais uma coisa: pessoas que sofrem concussões ficam muito frágeis. Um segundo trauma na cabeça, talvez causado por uma queda, poderia ser extremamente danoso ou mesmo fatal.

– Tomarei conta dela.

– Está certo, Morgan.

O médico dirigiu um sorriso cálido a Vivien.

– *Au revoir*, Srta. Duvall. Voltarei para visitá-la em alguns dias.

A Sra. Buttons enfiou a cabeça pela porta, o olhar fixo no patrão.

– Senhor? Precisa de alguma coisa?

– No momento, nada – murmurou Grant.

Ele ficou olhando enquanto a governanta descia as escadas para acompanhar o médico até a porta.

– Qual é a sua reputação? – perguntou Vivien, a voz fraca.

Ao que tudo indicava, ela ouvira parte do que o médico dissera.

Grant seguiu na direção dela e se sentou na cadeira ao lado da cama. Juntou as pontas dos dedos, esticou as pernas e as cruzou na altura dos tornozelos.

– Também queria saber... – começou a dizer e deu de ombros, irritado. – Sou um patrulheiro. No meu trabalho, encontro pessoas que estão sempre mentindo, escondendo coisas, se esquivando de perguntas. Tenho um modo particular de ir direto à verdade, e isso deixa muita gente desconfortável.

Apesar da fraqueza, um lampejo de bom humor cintilou nos olhos azuis de Vivien.

– O senhor tem um modo particular – repetiu ela, a voz arrastada. – O que isso quer dizer?

Incapaz de se conter, ele inclinou o corpo para a frente e afastou uma mecha rebelde do rosto dela. Sorriu.

– Quer dizer que faço o que for necessário para descobrir a verdade.

– Ah – murmurou ela em meio a um bocejo, esforçando-se para permanecer acordada, mas claramente exausta. – Grant, qual é a *minha* reputação? – sussurrou.

Vivien adormeceu antes que ele pudesse responder.

CAPÍTULO 3

Grant acordou com o sol fraco da manhã começando a se insinuar pela janela. Encarou o teto azul-claro do quarto de hóspedes e se surpreendeu por um instante ao não encontrar o baldaquino cor de vinho que ficava acima da própria cama. De repente, lembrou-se dos eventos da noite anterior.

Não ouviu nenhum som vindo do quarto que Vivien ocupava e se perguntou como teria sido a noite dela. Depois de tudo por que passara, a mulher provavelmente dormiria o dia todo.

Grant cruzou as mãos atrás da cabeça e ficou deitado por mais algum tempo, ponderando o fato de Vivien estar ali, na casa dele, a apenas alguns metros de distância. Fazia tempo que nenhuma mulher dormia sob seu teto. Vivien Duvall, à mercê dele... Essa ideia o divertia imensamente. O fato de ela não se lembrar do que acontecera entre eles só deixava a situação mais interessante.

Grant deu um bocejo, sentou e coçou os pelos escuros do peito. Tocou a campainha para chamar o valete, foi até uma cadeira próxima e vestiu a roupa de baixo e a calça cinza que já estavam separadas ali. A rotina matinal dele fora estabelecida por anos de hábito. Levantava-se ao nascer do sol, fazia sua higiene e se vestia em vinte minutos, passava a meia hora seguinte devorando um café da manhã enorme e lendo o *Times* e depois partia a pé para a Bow Street. Sir Ross Cannon exigia que todos os patrulheiros se apresentassem na central até as nove da manhã, no máximo.

Em menos de cinco minutos, Kellow, o valete de Grant, apareceu com um jarro de água quente para barbeá-lo e todos os outros equipamentos necessários. Uma criada chegou na mesma hora para acender o fogo e limpar a grade da lareira.

Grant derramou água quente em uma bacia e lavou o rosto várias vezes, tentando amaciar um pouco a que devia ser a barba mais obstinada de Londres. Quando terminou de se barbear, vestiu uma camisa branca, um colete estampado cinza e uma gravata de seda preta. O uniforme oficial dos patrulheiros incluía um colete vermelho, casaco azul, calça azul-marinho e botas pretas de cano alto reluzentes de tão engraxadas. Grant detestava aquela roupa. Um homem de tamanho mediano dentro do uniforme de cores vivas – que tinha inspirado as pessoas a apelidarem os patrulheiros de "Piscos-de-peito-ruivo", como a ave – já ficava um tanto enfatuado. Em um homem da altura dele, o efeito era alarmante.

O gosto pessoal de Grant pendia para roupas escuras e bem cortadas em tons de cinza, bege e preto, que ele usava sem nenhum adorno pessoal a não ser o relógio de bolso. Ele mantinha os cabelos convenientemente curtos e às vezes se via compelido a fazer a barba duas vezes no mesmo dia, quando uma ocasião formal exigia que tirasse os pelos mais insistentes. Grant só dormia bem à noite depois de tomar banho. O cansaço físico do trabalho, para não mencionar os maus elementos com os quais costumava lidar, com frequência o fazia sentir-se sujo por dentro e por fora.

Embora ajudar os patrões a se vestirem fosse função comum entre os valetes, Grant preferia fazer isso sozinho. Achava absurda a ideia de permanecer imóvel enquanto outra pessoa o vestia. Era um homem fisicamente apto, não um menino que usasse calças curtas. Quando Grant expressara essa opinião para um de seus amigos de posição social elevada, o outro comentara em tom bem-humorado que aquela era uma das diferenças essenciais entre as classes mais baixas e a aristocracia.

– Quer dizer que só as classes mais baixas sabem passar os próprios botões pelas casas? – perguntara Grant com ironia.

– Não – respondera o amigo com uma risada. – As classes mais baixas só não têm escolha. A aristocracia, por outro lado, pode ter outras pessoas para realizar esse tipo de trabalho.

Depois de amarrar a gravata de seda preta com um nó simples, Grant ajeitou as pontas do colarinho para o alto. Então passou a escova pelos cabelos escuros desalinhados e conferiu o resultado no espelho. Quando já estendia a mão para o casaco, ouviu um som abafado a alguns cômodos de distância.

– Vivien – murmurou, e soltou o casaco na mesma hora.

Grant chegou ao quarto principal em poucas passadas e entrou sem se preocupar em bater à porta. A criada já passara por ali e um fogo baixo ardia na lareira.

Vivien tentava sair da cama sozinha, a camisa que ele emprestara embolada entre as coxas. Os cabelos longos caíam em ondas rebeldes por suas costas. Ela estava apoiada em um pé só e com pouco equilíbrio. O tornozelo torcido estava enfaixado e ainda inchado, e a dor que provocava ficou óbvia quando ela tentou dar um passo para longe da cama.

– Do que precisa? – perguntou Grant.

Vivien se sobressaltou ao ouvir o som da voz dele. Não parecia muito melhor do que na véspera: o rosto ainda estava extremamente pálido; os olhos, inchados; o pescoço, com hematomas.

– Quer ir ao banheiro? – perguntou ele.

A pergunta direta a deixou sem jeito. Um forte rubor coloriu sua pele. Uma ruiva ruborizada era algo bastante admirável, pensou Grant, com súbito bom humor.

– Sim, obrigada – murmurou ela, a voz rouca e tensa.

A mulher deu mais um passo cauteloso e oscilante.

– Se puder me dizer onde fica...

– Eu a ajudarei.

– Ah, não. Na verdade...

Vivien arquejou quando Grant a levantou nos braços, o corpo pequeno e leve contra o peito dele. Grant a carregou pela curta distância até o banheiro, duas portas depois do quarto no corredor, enquanto ela tentava puxar a camisa mais para baixo, agoniada. Ele achou aquele pudor estranho para uma cortesã. Vivien era conhecida por sua desinibição sexual e pelo estilo com que se vestia, elegante e provocante ao mesmo tempo. A vergonha não fazia parte de seu repertório. Por que parecia tão perturbada?

– Você logo estará mais forte – disse Grant. – Nesse meio-tempo, permaneça na cama e não apoie o peso no tornozelo. Se precisar de qualquer coisa, toque a sineta para chamar uma das criadas.

– Sim. Obrigada.

As mãos pequenas da jovem estavam ao redor do pescoço dele.

– Lamento perturbá-lo, senhor...

Vivien hesitou, e Grant percebeu que ela havia esquecido seu sobrenome.

– Pode me chamar de Grant – disse ele, colocando-a no chão com cuidado. – Não tem problema.

Vivien saiu do banheiro alguns minutos depois e ficou surpresa por ainda encontrá-lo ali. Ela parecia pouco maior do que uma criança usando a camisa dele com as mangas enroladas várias vezes e a barra chegando abaixo dos joelhos. Vivien ergueu os olhos para Grant e retribuiu o sorriso amigável dele com um sorriso envergonhado.

– Melhor? – perguntou ele.

– Sim, obrigada.

Grant lhe estendeu a mão.

– Deixe-me ajudá-la a voltar para a cama.

Ela hesitou, mas logo mancou na direção dele. Grant ergueu o corpo esguio mais uma vez, com cuidado, um braço nas costas dela e o outro sob os joelhos. Embora a segurasse com extrema gentileza por causa dos machucados, Vivien arquejou quando ele a apoiou contra o peito. Grant já tivera muitas mulheres nos braços, mas nenhuma tão sedutoramente delicada. Vivien tinha ossos pequenos, mas era voluptuosa, flexível e muitíssimo atraente.

De volta ao quarto, ele a deitou na cama e arrumou uma pilha de travesseiros atrás dela. Vivien puxou as cobertas para cima, até o pescoço. Apesar da condição dela, acamada, ou talvez por causa disso, Grant se viu dominado mais uma vez por uma necessidade desconcertante de aconchegá-la e acariciá-la. Logo ele, conhecido por possuir um coração de pedra ou algum outro material igualmente impermeável.

– Está com fome? – perguntou de repente.

– Não muita.

– Quando a governanta trouxer a bandeja, quero que coma alguma coisa.

Por alguma razão, o tom imperativo a fez sorrir.

– Prometo tentar.

Grant ficou paralisado diante do sorriso dela: radiante e cálido, um lampejo de magia que iluminou o rosto delicado. Aquilo era tão alheio à mulher egocêntrica que ele conhecera no baile de Wentworth que Grant se perguntou por um instante se seria realmente a mesma pessoa. Mas sim, sem dúvida, aquela era Vivien.

– Grant – chamou ela, hesitante. – Por favor, poderia me trazer um espelho?

Vivien levou as mãos ao rosto em um gesto de constrangimento.

– Não me lembro da minha aparência – explicou ela.

Ele conseguiu se forçar a afastar os olhos dela e foi até o armário no canto do quarto, onde guardava seus apetrechos de cavalheiro. Procurou nas gavetas estreitas até encontrar um estojo de madeira revestido de couro. Fora feito para guardar tesoura, lixa e outros acessórios de cuidados pessoais, com um espelho preso à parte interna da tampa. Grant voltou à beirada da cama, abriu o estojo e o entregou a Vivien.

Ela o segurou na frente do rosto, mas suas mãos ainda tremiam violentamente por causa da experiência da véspera. Grant pousou as mãos sobre as dela, para firmá-las enquanto Vivien examinava o próprio reflexo. As mãos dela estavam muito frias, os dedos, rígidos e pálidos. Ela arregalou os olhos e mal parecia respirar.

– Como é estranho não reconhecer o próprio rosto – comentou.

– Você não tem motivo para reclamar – disse Grant com a voz rouca.

Mesmo machucado, pálido e devastado, o rosto de Vivien era admirável.

– Acha mesmo?

Ela ficou olhando para o espelho sem demonstrar nenhum traço do prazer de ver a si mesma que exibira no baile.

Aquela Vivien não tinha a menor dúvida de seus muitos atrativos. Já a mulher diante dele era bem menos confiante.

– Todos acham. Você é conhecida como uma das grandes beldades de Londres.

– Não vejo por quê – falou ela, e, reparando na expressão cética de Grant, acrescentou: – Não estou buscando elogios, é só que... parece um rosto muito comum.

Vivien fez uma careta engraçada, como uma criança brincando com o próprio reflexo no espelho. E soltou uma risada trêmula.

– Não parece ser meu.

Seus olhos cintilavam como safiras, e Grant percebeu com súbito alarme que ela estava prestes a chorar.

– Não – murmurou ele. – Eu lhe disse na noite passada o que sinto sobre lágrimas.

– Sim... Você não consegue suportar as lágrimas de uma mulher – falou Vivien, secando os olhos com os dedos e deixando um sorriso hesitante curvar seus lábios. – Não imaginava que um patrulheiro pudesse ser tão sensível.

– Sensível – repetiu Grant, indignado. – Sou muito durão.

Ele pegou uma ponta do lençol e se apressou em secar o rosto dela.

– É mesmo?

Vivien deu uma fungadela e o espiou por cima da barra do lençol. Grant percebeu um sorriso se insinuar por trás das últimas lágrimas que ainda cintilavam.

– Você me parece ter o coração mole.

Grant abriu a boca para retrucar, mas se deu conta de repente de que ela estava brincando. Precisou fazer um enorme esforço para ignorar o calor inesperado que aqueceu seu peito.

– Meu coração é tão mole quanto uma pedra de moinho – informou a ela.
– Não farei mais comentários a respeito por enquanto.
Vivien fechou o estojo e balançou a cabeça, melancólica.
– Não deveria ter pedido o espelho. Estou péssima.
Grant observou os lábios secos e rachados dela com o cenho franzido. Então pegou um pequeno frasco de unguento na mesa de cabeceira e entregou a ela.
– Tente usar isto. É uma mistura especial que Linley deixou para arranhões, áreas ressecadas ou ásperas, irritações na pele...
– Devo precisar de um barril deste unguento – comentou Vivien enquanto tentava abrir a tampa de porcelana.
Grant pegou novamente o frasco e o abriu para ela. Mas, em vez de devolvê-lo, manteve-o na palma da mão e deixou o olhar percorrer Vivien.
– O tremor está melhor esta manhã – comentou em voz baixa.
Vivien enrubesceu e assentiu, parecendo embaraçada pelos tremores involuntários.
– Sim, mas ainda tenho a sensação de que nada irá me aquecer.
Ela esfregou a pele clara e ressecada dos braços.
– Estava pensando... se daria muito trabalho...
– Um banho quente?
– Isso.
O prazer da expectativa na voz dela o fez sorrir.
– Podemos providenciar. Mas você terá que se mover com todo o cuidado, e deve deixar que as criadas a ajudem. Ou eu, se preferir.
Vivien o encarou, boquiaberta.
– Eu... eu não gostaria de lhe dar esse trabalho... – balbuciou.
– Não seria trabalho nenhum – continuou Grant.
Só o brilho em seus olhos verdes traía o fato de ele estar implicando com ela.
Antes que Vivien conseguisse se conter, uma imagem apareceu em sua mente: ela dentro de uma banheira fumegante enquanto Grant banhava seu corpo nu.
– Que rubor... – observou Grant com um súbito sorriso. – Se isso não a aquecer, nada o fará.
Ele correu a ponta do dedo pelo unguento aveludado, com aroma de anis, e o levou à boca de Vivien.

– Fique parada.

Ela obedeceu, o olhar fixo no rosto de Grant enquanto ele lhe aplicava o unguento nos lábios com muito cuidado. A superfície seca e dolorida absorveu no mesmo instante a fórmula, e Grant voltou a mergulhar o dedo no creme. O quarto estava silencioso a não ser pelo som da respiração trêmula e profunda de Vivien.

Grant sentiu uma agitação no peito que o aborreceu profundamente. Tinha vontade de beijar Vivien, de abraçá-la, de confortá-la, como se ela fosse uma criança perdida. Ele nunca teria imaginado que Vivien Duvall poderia ser tão terna e vulnerável. Maldita fosse... Se ela estivesse fingindo, ele não sabia o que faria.

E, claro, ela já fizera algum outro pobre desgraçado perder a cabeça.

Grant parou ao pensar nisso e alertou a si mesmo, aborrecido, que não se deixasse afetar por Vivien Duvall. Poderia se aproveitar dela, ter o que quisesse... mas não deveria nem por um minuto se importar com ela. Era o tipo de problema de que não precisava. Ele esfregou mais unguento entre os dedos até que o frescor do anis perfumasse o ar. Com o toque mais leve possível, espalhou o creme pelo pescoço machucado e inchado. Vivien se manteve imóvel, os olhos fixos na expressão dura no rosto dele.

– Nós já nos conhecíamos antes de ontem à noite, não é mesmo? – perguntou ela em um sussurro.

Ele desviou o olhar para baixo e levou algum tempo para responder.

– Poderíamos dizer que sim.

Grant deixou os dedos correrem mais uma vez pela pele dela até que o unguento penetrasse fundo nos machucados.

Vivien se sentia mergulhada em confusão e tentou analisar a sensação do toque dele, a surpreendente impressão de familiaridade e conforto que sentia em sua presença. Nada no mundo era familiar para ela, nem mesmo o próprio rosto... mas de algum modo Grant fazia com que se sentisse segura e tranquila. Ela não se sentiria desse modo na companhia de um estranho, sentiria?

– Nós... nós nos conhecemos bem? – perguntou Vivien, hesitante.

– Conversaremos sobre isso mais tarde.

Ele precisava pensar um pouco no que diria a ela, em como apresentaria a situação. Nesse meio-tempo, ela descansaria, se curaria e permaneceria sob a proteção dele. Embora Vivien não parecesse muito satisfeita com a evasiva dele, se absteve de continuar o assunto, e Grant se perguntou se ela ainda estava exausta demais para discutir.

Ele enfiou a mão no bolso do colete e pegou o relógio. Ao ver que já estava tarde, franziu o cenho.

– Tenho que partir para a Bow Street – falou. – Passarei pela sua casa hoje para pegar algumas roupas.

Ela fez um esforço para sorrir, mas a expressão em seu rosto saiu suplicante.

– Tenho família ou amigos a quem avisar?

– Não sei sobre sua família – admitiu Grant. – Vou descobrir o que puder. E, sim, você tem amigos... mas não é o momento para visitas. Você precisa descansar.

Incapaz de resistir, ele estendeu a mão e deixou os dedos correrem pelas linhas de preocupação na testa dela.

– Não se preocupe, menina – murmurou.

Vivien se recostou nos travesseiros, as pálpebras pesadas de exaustão.

– Tantas perguntas... – falou ela, deixando escapar um suspiro.

– Logo você terá todas as respostas que desejar – garantiu Grant, mas parte da ternura vibrante deixou sua voz quando ele acrescentou: – Embora você talvez não goste de algumas delas.

Ela o encarou com seriedade, a mão ao redor do pescoço.

– O que aconteceu comigo ontem à noite?

– É o que pretendo descobrir – retrucou ele de um modo severo que não deixava margem a dúvida.

～

A Bow Street fora construída em meados do século XVI. Nos últimos cem anos, houvera alguns moradores famosos ao longo de seu trajeto ligeiramente arqueado, mas, desde a virada do século, apenas um nome relacionado a ela realmente importava: sir Ross Cannon.

Às vezes, parecia que a atenção do mundo todo se concentrava no prédio estreito de quatro andares e em seu famoso ocupante. Cannon dirigia sua meia dúzia de patrulheiros e oitenta outros agentes diversos como se fosse um maestro. Os patrulheiros haviam conquistado fama mundial pelo sucesso do seu trabalho em conter badernas, solucionar crimes e proteger a família real.

Fazia cinco anos que – devido ao falecimento de um dos sucessores de Henry Fielding, fundador da tropa – os nomes de muitos homens importantes tinham sido aventados como candidatos ao cargo de magistrado-chefe. No entanto, no final alguém relativamente desconhecido fora indicado para assumir a posição: Ross Cannon, que já havia sido responsável pelo escritório da Great Marlboro Street. Cannon assumira os deveres de magistrado como se tivesse nascido para o cargo. Não demorara muito a deixar sua marca na Bow Street, tratando o trabalho de investigação como se fosse uma ciência, criando uma metodologia, testando teorias, orientando e encorajando seus agentes com um zelo contagiante. Ele era exigente e motivado, e qualquer um de seus homens teria dado a vida por ele sem pestanejar. Inclusive Grant.

Grant subiu os três degraus da frente do prédio número quatro e bateu com força à porta. Foi logo recebido pela governanta de Cannon, a Sra. Dobson, uma mulher gorducha, de aparência maternal e cabelos grisalhos encaracolados. O rosto redondo cintilou com um sorriso quando ela o convidou a entrar.

– Novamente sem chapéu, Sr. Morgan. Do jeito que o vento está soprando do norte, vai acabar morrendo por causa de uma corrente de ar.

– Não posso usar chapéu, Sra. Dobson – respondeu Grant enquanto tirava o sobretudo preto e o entregava a ela.

A governanta quase desapareceu embaixo do tecido pesado de lã.

– Já sou alto demais.

Os chapéus de copa alta que estavam em voga o deixavam ridículo, acrescentando centímetros desnecessários a sua altura já descomunal e fazendo quem passasse por ele na rua encará-lo abertamente.

– Ora, *não* usar chapéu tampouco vai fazer com que alguém ache que o senhor é baixo – argumentou a mulher.

Grant sorriu e beliscou carinhosamente a bochecha dela, fazendo a governanta arquejar e repreendê-lo. Mas suas reprimendas não eram sérias – ambos sabiam que, de todos os patrulheiros, Grant era o favorito da Sra. Dobson.

– Onde está Cannon? – perguntou ele, os olhos verdes cintilando.

A governanta indicou o escritório do magistrado.

A propriedade de número quatro da Bow Street abrigava uma casa, um jardim minúsculo, salas de escritório, um tribunal e uma sala de detenção com trancas reforçadas, onde os prisioneiros eram mantidos.

Como nascera em uma família de posses, Cannon poderia ter vivido de forma indolente, em um lugar muito mais luxuoso do que aquele... mas não era da sua natureza. Ele tinha paixão por justiça e, com tudo o que precisava ser feito, não havia tempo para preguiça ou frivolidade.

Para Cannon, a vida era um negócio sério, e ele a levava de acordo com sua crença. Dizia-se que a jovem esposa, em seu leito de morte, o fizera prometer que nunca voltaria a se casar, e Cannon mantivera sua palavra. Sua energia tremenda era canalizada para o trabalho. Mesmo os amigos mais próximos e mais caros jurariam prontamente que nada seria capaz de quebrar o controle ferrenho que ele mantinha sobre os segredos do próprio coração.

Grant seguiu pelo corredor estreito que levava ao escritório particular de Cannon e quase colidiu com dois patrulheiros que saíam: Flagstad e Keyes. Ambos eram mais velhos do que ele, já bem próximos dos 40 anos.

– De partida para guardar os traseiros reais de novo – comentou Keyes, brincalhão.

Flagstad contou que recebera uma missão mais lucrativa no Banco da Inglaterra, onde estavam sendo pagos os dividendos trimestrais aos acionistas.

– E o que lhe coube esta manhã? – perguntou Flagstad a Grant.

O rosto marcado pelo tempo estava franzido em uma expressão bem-humorada.

– Não, não me conte – decidiu ele. – Outro assalto a banco ou um arrombamento no oeste da cidade que você vai cobrar uma fortuna para resolver.

Grant respondeu com um sorriso, pois estava acostumado com as brincadeiras dos colegas em relação aos seus trabalhos muito bem-pagos. E se absteve de argumentar que, no ano anterior, havia capturado mais bandidos do que os outros cinco patrulheiros juntos.

– Eu simplesmente aceito o que estão dispostos a pagar – retrucou, calmo.

– A única razão para os nobres requisitarem seus serviços é você ser um janota – falou Keyes com uma gargalhada. – Outro dia mesmo, uma dama me disse: "De todos os patrulheiros, apenas o Sr. Morgan tem a aparência que vocês deveriam ter."

Ele deu uma risadinha debochada ao lembrar.

– Como se a aparência de um homem tivesse algo a ver com a forma como ele faz seu trabalho! – emendou.

– *Eu* sou janota? – indagou Grant, incrédulo.

Relanceou os olhos para a própria roupa, tão conservadora, e então para a aparência de dândi de Keyes: cabelos meticulosamente jogados para trás, alfinete de ouro na gravata com nó elaborado, minúsculas flores de seda e flores-de-lis bordadas no colete. Para não mencionar o chapéu creme de aba larga inclinado em um ângulo calculado sobre um dos olhos.

– Tenho que me vestir desta forma no tribunal – rebateu Keyes, na defensiva.

Flagstad riu e começou a guiar Keyes para longe antes que uma discussão começasse.

– Espere – falou Keyes, com um tom de interesse na voz. – Morgan, ouvi dizer que foi chamado para investigar um corpo encontrado no rio ontem à noite.

– Sim.

Keyes pareceu impaciente diante da concisão de Grant.

– Comunicativo, você, não? Ora, o que pode nos contar a respeito? A vítima era homem ou mulher?

– Por que isso lhe importa? – perguntou Grant, perplexo com o interesse do outro patrulheiro.

– Vai assumir o caso? – insistiu Keyes.

– É provável.

– Posso pegá-lo, se quiser – ofereceu Keyes. – Deus sabe que você não tem muito interesse em investigar uma mulher morta. Fiquei sabendo que cadáveres não estão pagando muito atualmente.

Flagstad deu um risinho abafado diante da brincadeira sem graça.

Grant encarou Keyes com atenção renovada.

– Por que você acha que era uma mulher? – perguntou.

Keyes pareceu surpreso e demorou um instante para responder.

– Foi só um palpite, amigo. Estou certo?

Grant o encarou uma última vez, desconfiado. Para evitar mais comentários, entrou na sala de Cannon.

Sir Ross estava sentado de costas para a porta, diante de uma enorme escrivaninha de carvalho posicionada em frente à longa janela retangular que dava para a rua. A enorme gata malhada de marrom e cinza que ocupava um canto da escrivaninha olhou de relance para o recém-chegado. A felina tinha sido descoberta nos degraus da entrada da central alguns anos antes. Por maldade de alguém ou acidente, não tinha mais o rabo, de modo que fora logo batizada de "Talhada". Era fiel a Cannon, para quem reservava todo o seu afeto, mal suportando outras pessoas.

Cannon virou a cabeça de cabelos escuros e recebeu Grant com uma expressão agradável, mas sem sorrir.

– Bom dia – murmurou. – Há um bule de café no aparador.

Grant nunca recusava uma xícara de café. Sua paixão pela bebida amarga só rivalizava com a do próprio Cannon. Os dois tomavam café puro e escaldante sempre que possível. Grant se serviu de uma boa quantidade e se sentou numa cadeira próxima que o chefe indicou. O magistrado voltou a atenção outra vez para alguns documentos que estavam em cima da mesa e assinou um deles com um gesto floreado.

Enquanto esperava, Grant deixou os olhos correrem pela sala confortavelmente familiar. Uma das paredes era repleta de mapas da cidade, dos condados próximos e também de plantas baixas de Westminster Hall, do Banco da Inglaterra e de outros prédios importantes. Outra parede era coberta por estantes de livros, contendo um número de volumes capaz de esmagar um elefante. A mobília consistia em algumas poucas peças pesadas de carvalho, simples e funcionais. Um globo terrestre estava apoiado sobre um suporte de mogno em um dos cantos. Restara espaço na parede para um único quadro: uma paisagem do norte do País de Gales onde um pequeno riacho corria sobre pedras escarpadas, com árvores escuras e colinas cinzentas assomando à distância. A paisagem imaculada parecia dissonante em comparação com a agitação frenética de Londres.

Finalmente Cannon se virou para Grant, as sobrancelhas negras arqueadas em um pedido de informações. Com as feições marcadas e os olhos de um cinza invernal, seu rosto fazia lembrar um lobo. Caso permitisse que algum calor aquecesse sua expressão, Cannon seria considerado belo.

– E então? – murmurou o magistrado. – E quanto ao cadáver que você investigou na noite passada? É necessário o parecer de um legista?

– Nada de cadáver – retrucou Grant bruscamente. – A vítima, uma mulher, ainda está viva. Eu a levei para a minha casa e mandei chamar o Dr. Linley.

– Muito caridoso da sua parte.

Grant respondeu com um dar de ombros cauteloso.

– Conheço a dama mais ou menos bem. O nome dela é Vivien Duvall.

O nome despertou o interesse de Cannon.

– A mesma que o rejeitou no baile de Wentworth.

– Fui *eu* que a rejeitei – declarou Grant, com um lampejo de irritação. – De algum modo, no decorrer da fofoca, a história se desvirtuou.

43

Cannon arqueou bem alto as sobrancelhas negras e deixou escapar um "hum" irônico do fundo da garganta.

– Continue. Conte-me sobre o estado da Srta. Duvall.

Grant tamborilou os dedos no braço da cadeira.

– Tentativa de assassinato, sem dúvida. Hematomas fortes e marcas de dedos ao redor do pescoço, para não mencionar um golpe na cabeça. De acordo com Linley, ela vai ficar bem... mas há um problema. A Srta. Duvall perdeu a memória. Não pode nos dar um único detalhe do que aconteceu. Não se lembra nem do próprio nome.

– O médico disse quando a memória dela deve retornar?

Grant balançou a cabeça.

– Não há como saber. E, até que a investigação traga alguma evidência à luz... ou até que ela recupere a memória... é mais seguro que todos pensem que está morta.

Cannon estreitou os olhos, fascinado.

– Devo indicar um dos outros patrulheiros para investigar ou você assumirá o caso?

– Quero ficar com ele.

Grant bebeu o resto do café e envolveu a xícara com os dedos longos, absorvendo o pouco calor que restava.

– Vou começar interrogando o antigo protetor dela, lorde Gerard. Parece-me provável que ele ou algum amante ciumento tenha tentado estrangulá-la. O diabo sabe que certamente há uma longa lista de homens que se encaixam na descrição.

Cannon torceu os lábios, contendo um sorriso.

– Mandarei um homem interrogar o barqueiro que a encontrou, assim como os que estavam em balsas de passageiros perto da ponte de Waterloo na noite passada – falou o chefe. – Talvez um deles tenha visto ou ouvido algo útil. Avise-me do desenrolar da sua investigação. Nesse meio-tempo, onde a Srta. Duvall estará residindo?

Grant fitou as gotas negras que cintilavam dentro da xícara.

– Comigo – falou do modo mais prosaico possível.

– Com certeza ela tem amigos ou parentes que a receberão.

– Ela ficará mais segura sob a minha proteção.

Grant encarou o olhar penetrante e invernal de Cannon sem hesitar. O magistrado sempre evitava comentar sobre a vida pessoal de seus patrulheiros, desde que eles cumprissem com suas obrigações no trabalho. No entanto, o coração de Cannon era vulnerável no que se referia a mulheres e crianças, e ele faria tudo o que estivesse em seu poder para evitar que fossem maltratadas.

O magistrado deixou o silêncio se estender por mais tempo do que seria confortável antes de voltar a falar.

— Morgan, acredito conhecê-lo... bem o bastante para ter certeza de que você não se aproveitaria dessa mulher, não importa quais sejam seus ressentimentos pessoais.

— Eu jamais forçaria uma mulher a fazer nada que ela não desejasse – respondeu Grant, sem se alterar.

— Não estava me referindo a força – retrucou Cannon, em voz baixa. – E sim a manipulação, oportunismo, sedução.

Grant se sentiu tentado a mandar que o magistrado cuidasse da própria vida, por isso se levantou e pousou a xícara vazia sobre a mesa lateral.

— Não preciso de um sermão – declarou, irritado. – Não vou fazer mal à Srta. Duvall. Tem a minha palavra em relação a isso. Mas leve em consideração que ela dificilmente poderia ser considerada uma mulher virtuosa. É uma cortesã. Manipulação e sedução são ferramentas do ofício para ela. A perda de memória não muda quem ela é.

Sem se deixar abalar, Cannon juntou as pontas dos dedos e encarou Grant com uma expressão pensativa.

— A Srta. Duvall está disposta a aceitar sua decisão de mantê-la na sua casa?

— Se ela não gostar da ideia, é livre para partir.

— Certifique-se de deixar isso claro para ela.

Grant se conteve para não responder de modo grosseiro. Apenas inclinou a cabeça, concordando.

— Mais alguma coisa? – perguntou de um jeito ao mesmo tempo suave e debochado.

Cannon continuou a encará-lo.

— Talvez você possa explicar por que deseja abrigar a Srta. Duvall sob seu teto, já que está claro que não gosta dela.

— Eu nunca disse que não gosto dela – retrucou Grant.

— Ah, por favor – repreendeu Cannon de leve. – Você não fez segredo de seu ressentimento depois de ter sido vítima de fofocas por causa dela.

– Pode considerar que esta é a minha oportunidade para reparar a situação. Além do mais, é meu dever.

O olhar de Cannon ficou expressivo.

– Apesar do caráter da dama, ou da falta dele, prefiro que mantenha suas mãos longe dela até que recupere a memória e a investigação seja concluída.

Grant quase não se aguentava mais de irritação. Deu um sorrisinho.

– Não faço sempre o que pede?

Cannon deixou escapar um suspiro breve e explosivo e se virou na direção da escrivaninha.

– Gostaria muito que sim – murmurou e fez um gesto breve com a mão, dispensando o patrulheiro.

– Até mais, Talhada – disse Grant.

Porém a gata virou a cabeça com desdém, o que o fez sorrir.

~

Park Lane, o ponto central da prestigiosa área de Mayfair, era o endereço mais cobiçado de Londres. Envolta em uma aura de riqueza e autoridade, a rua abrigava mansões com colunas imponentes projetadas em escala grandiosa. As casas tinham a intenção de convencer os passantes de que seus moradores eram superiores aos seres humanos comuns.

Grant já vira muito da vida íntima da aristocracia para se deixar impressionar pela grandeza de Park Lane. A nobreza tinha defeitos e fraquezas tanto quanto os homens comuns... talvez mais. A única diferença entre um aristocrata e um plebeu era que o primeiro tinha muito mais recursos para encobrir suas más ações. E, às vezes, a nobreza realmente acreditava estar acima da lei. Era esse tipo de gente que Grant mais apreciava levar à justiça.

O nome do protetor mais recente de Vivien era William Henry Elliot, lorde Gerard. Sendo o futuro conde de Norbury, sua principal ocupação era esperar que o pai morresse para que ele então herdasse um título respeitado e uma fortuna considerável. Infelizmente para Gerard, o pai gozava de ótima saúde e era provável que se mantivesse à frente do condado por muitos anos ainda. Nesse meio-tempo, Gerard buscava formas de se divertir entregando-se a seus gostos exuberantes por mulheres, bebida, apostas e caça. O "arranjo" com Vivien Duvall o transformara em objeto de inveja de muitos outros homens. Ela era um belo troféu a ser exibido.

Gerard era conhecido por seu gênio difícil, dado a violentos ataques de raiva quando se via privado de algo que desejava. Embora um cavalheiro supostamente devesse aceitar com espírito esportivo as perdas no jogo, Gerard trapaceava e mentia. Dizia-se que ele descontava suas frustrações nos criados e que era um patrão tão ruim que tornava difícil contratar empregados para suas diversas propriedades.

Grant subiu os degraus da entrada da mansão em estilo clássico, com frontões com colunas e nichos abrigando estátuas. Depois de algumas batidas fortes com a mão enluvada, uma banda da porta dupla foi aberta, revelando o rosto austero de um mordomo.

– O que deseja, senhor? – perguntou o homem.

– Informe a lorde Gerard que o Sr. Morgan está aqui para vê-lo.

Grant percebeu pela expressão do mordomo o exato momento em que foi reconhecido, e o homem passou a mostrar certa cautela.

– Senhor, sinto informar que lorde Gerard não se encontra. Se deixar seu cartão de visita, eu me certificarei de que seja entregue a ele mais tarde.

Grant deu um sorriso irônico. "Não se encontra" era uma frase muito usada por mordomos para comunicar que um lorde ou uma dama em particular provavelmente estava, sim, em casa, mas não desejava receber visitas. Porém, quando Grant queria interrogar uma pessoa, as sutilezas sociais eram a última coisa a ficar em seu caminho.

– Não deixo cartões – falou ele, sem rodeios. – Vá dizer a seu patrão que o Sr. Morgan está aqui. Não se trata de uma visita social.

A expressão do mordomo permaneceu impassível, mas ele exalava desagrado. Sem dizer mais nada, o homem deixou Grant à porta e desapareceu dentro da casa. Grant entrou e fechou a porta pesada com um movimento firme da bota. E ficou ali, examinando o hall de entrada, que tinha fileiras de colunas cintilantes de mármore e paredes pintadas no tom suave e opaco de uma das cores da moda, chamada "cinza parisiense". A parte superior das paredes era trabalhada em gesso até o teto muito imponente. No lado oposto à porta dianteira havia um pórtico em forma de arco contendo uma pequena estátua de uma figura feminina alada.

Grant se aproximou da estátua e tocou uma das asas delicadas, admirando o elegante trabalho.

O mordomo reapareceu nesse momento e franziu o cenho em uma expressão de arrogância e irritação.

– Senhor, esta obra é parte da estimada coleção de lorde Gerard de estátuas romanas.

Grant recuou.

– É grega, na verdade – retrucou, tranquilo. – A original estava na mão de Atena, no Partenon.

– Ora... – murmurou o mordomo, confuso. – Não deve ser tocada. Se fizer a gentileza de me acompanhar, lorde Gerard irá recebê-lo.

Grant foi levado até um grande salão de visitas com paredes cobertas por painéis de madeira de um branco cremoso e adornadas com formas octogonais em damasco vermelho. O teto era impressionante, coberto por trabalhos em vermelho e dourado que se espalhavam a partir de um sol dourado no centro. Entre um par de janelas com vários painéis de vidro havia uma série de medalhões com retratos dos rostos robustos e dignos dos últimos cinco condes de Norbury.

– Aceita uma bebida, Morgan?

Lorde Gerard entrou no salão usando um robe de veludo verde bordado. Os cabelos desalinhados se espalhavam ao redor do rosto cheio e a pele tinha o rosado de quem exagerava no álcool. Gerard segurava um copo com alguma bebida e foi até uma enorme poltrona com pés curvos, onde se acomodou com cuidado. Embora tivesse pouco mais de 30 anos, uma vida dedicada à autoindulgência o fazia parecer pelo menos dez anos mais velho. Gerard tinha uma aparência absolutamente mediana – nem gordo nem magro; nem alto nem baixo; nem bonito nem feio. Só o que se destacava em seu rosto eram os olhos: escuros, pequenos e intensos.

– Um armanhaque muito fino – comentou Gerard, girando seu copo. – Aceita?

– Ainda está um pouco cedo para mim – respondeu Grant, balançando ligeiramente a cabeça.

– Acho que não consigo pensar em uma forma melhor de começar o dia.

O lorde tomou um longo gole do líquido cor de sangue.

Grant manteve a expressão agradável, mas uma sensação sombria se agitou em seu íntimo enquanto observava Gerard. A imagem de Vivien com aquele homem, servindo-o, dando-lhe prazer, passou diante dele em um lampejo inquietante. Ela fora a cortesã de Gerard e sem dúvida se venderia ao próximo homem disposto a pagar seu preço. Com um misto de inveja e repulsa, Grant sentou na cadeira perto da de Gerard.

– Obrigado por aceitar conversar comigo – murmurou Grant.

Gerard desviou a atenção do copo apenas pelo tempo necessário para dar um sorriso azedo.

– Pelo que entendi, eu não tinha muita escolha.

– Não acredito que vá demorar muito – assegurou Grant. – Tenho apenas algumas perguntas a lhe fazer.

– Está conduzindo alguma investigação? Qual é e a quem diz respeito?

Grant se recostou na cadeira, aparentemente relaxado, mas seu olhar não se afastou do rosto de Gerard.

– Eu gostaria de saber sobre seu paradeiro de ontem, por volta da meia-noite.

– Estava no meu clube, o Craven's. Vários amigos podem confirmar minha presença lá.

– A que horas saiu do clube?

– Às quatro, talvez cinco da manhã.

Gerard curvou os lábios em um sorriso presunçoso.

– Tive uma onda de sorte no jogo, então dei uma escapada com uma das moças da casa. No geral, foi uma noite excelente.

Grant se lançou na pergunta seguinte.

– Qual era a natureza do seu relacionamento com a Srta. Vivien Duvall?

O nome pareceu abalar a satisfação de Gerard. O rubor em seu rosto se aprofundou e os olhos escuros se estreitaram como dois riscos formados por obsidianas. Ele se inclinou para a frente segurando o copo de armanhaque em ambas as mãos.

– Isso tem a ver com Vivien, então? O que aconteceu? Ela se meteu em alguma encrenca? Por Deus, espero que seja algo terrível e lhe custe absurdamente caro, seja o que for. Diga a ela que não erguerei um dedo para ajudá-la, mesmo que ela venha rastejando até mim. Preferiria beijar os pés do papa.

– Seu relacionamento com ela? – repetiu Grant, a voz tranquila.

Gerard terminou a bebida com um gole barulhento e secou a boca na manga. O líquido pareceu acalmá-lo e seu rosto se abriu em um sorriso ardiloso.

– Acredito que já saiba a resposta, Morgan. Você mesmo já demonstrou interesse nela, não foi? E ela não o aceitou.

O lorde deu uma gargalhada, então voltou a ficar sério.

– Vivien, aquela bruxa. Tive dois anos com ela. Paguei suas contas, dei a ela a casa onde mora na cidade, joias, uma carruagem, cavalos, tudo que ela desejava, não importava o que fosse. Tudo em troca do direito exclusivo de ir para a cama com ela. Ou ao menos era para haver exclusividade. Mas não me iludi achando que Vivien seria fiel. Aquela mulher não é capaz disso.

– Foi por isso que o arranjo entre vocês acabou? Porque ela foi infiel?

– Não.

Gerard encarou o copo vazio com uma expressão aborrecida.

– Antes que eu lhe conte mais, *você* pode me explicar uma coisa? Por que estamos falando sobre Vivien? Aconteceu alguma coisa com ela?

– Pode responder às minhas perguntas aqui ou na Bow Street – retrucou Grant com toda a calma. – Não seria o primeiro nobre a ser interrogado na sala de detenção.

Um ímpeto de raiva e incredulidade fez Gerard se levantar.

– Como ousa me ameaçar? Por Deus, alguém precisa colocá-lo no seu lugar!

Grant também se levantou, superando a altura de Gerard em uns 30 centímetros.

– Sinta-se à vontade para tentar – disse, impassível.

Ele raramente usava o próprio tamanho para intimidar os outros; preferia se valer da sagacidade. Havia muitos homens que tentavam testar a própria força contra ele, incitando-o a entrar em uma briga na esperança de impressionar os amigos com a própria ousadia. Grant havia muito se cansara de derrotar a interminável fila de galos de briga que o desafiavam. Só entrava em uma luta quando era estritamente necessário – e sempre vencia. Não sentia prazer em espancar um homem. No entanto, em se tratando de Gerard, talvez abrisse uma exceção.

A expressão de Gerard passou à pura consternação quando se viu diante da figura gigantesca de Grant. Ele correu a mão pelos cabelos desgrenhados em um gesto rápido e nervoso.

– Não, eu não vou enfrentá-lo – resmungou. – Não me rebaixaria a trocar socos com um brutamontes ordinário.

Grant gesticulou na direção da poltrona com cortesia exagerada.

– Então sente-se, milorde.

Um novo pensamento pareceu ocorrer a Gerard, que se deixou cair pesadamente na poltrona macia.

– Santo Deus! – falou, a voz rouca. – Vivien está morta, não é? É esse o motivo de tantas perguntas.

Grant também voltou a se sentar e inclinou o corpo para a frente, os cotovelos apoiados nos joelhos. Encarou o rosto ruborizado de Gerard.

– Por que diz isso?

Gerard falou como se estivesse atordoado.

– Vivien sumiu durante o último mês, desde que terminamos nosso arranjo. Os criados dela foram dispensados e a casa foi fechada. Fui a bailes a que Vivien deveria comparecer, um sarau, um concerto... Ninguém sabia onde ela estava ou por que não tinha aparecido. Todos presumiram que se isolara com algum novo protetor. Mas Vivien não ficaria longe de Londres por tanto tempo, a menos que alguma coisa estivesse terrivelmente errada.

– Por que diz isso?

– Ela se entedia com facilidade. Tem uma necessidade constante de estímulo e diversão. Uma noite tranquila em casa a deixaria louca. Vivien odeia ficar sozinha. Ela insiste em ir a alguma festa ou sarau todas as noites da semana. Nunca consegui acompanhar seu ritmo.

Gerard deu uma risadinha derrotada.

– Ela ficou mais tempo comigo do que com qualquer outro de seus protetores... e eu me sentia confortado por isso.

– Sabe se a Srta. Duvall tem algum inimigo?

– Ninguém que eu descreveria dessa forma... mas há muitos que não gostam dela.

– Qual era a situação financeira da Srta. Duvall quando se separaram?

– O dinheiro escorre como água por entre os dedos de Vivien. Ela não teria fundos suficientes para se manter por muito tempo. Precisaria encontrar um novo amante sem demora.

– Alguma ideia de quem poderia ter sido o candidato seguinte?

– Não.

– O que sabe sobre a família dela?

– Até onde sei, Vivien não tem ninguém. Como pode imaginar, nossas conversas raramente tomavam esse rumo.

Gerard suspirou e cutucou um ponto mais seco das cutículas bem-cuidadas.

– Ainda vai demorar muito, Morgan? Estou ansiando por mais uma dose.

– Que rumo as conversas entre vocês tomavam? – perguntou Grant. – A Srta. Duvall tem algum passatempo em particular? Algum interesse que tenha desenvolvido recentemente?

– Nada que exista fora de uma cama. Ora, duvido até que ela já tenha lido um livro.

– Alguém a quem tivesse sido apresentada nos últimos tempos? Homens em particular?

Gerard revirou os olhos.

– O próprio Deus não seria capaz de guardar na memória todos os homens que Vivien conhece.

– Conte-me sobre o dia em que ela encerrou o arranjo que tinham. Vocês discutiram?

– Naturalmente. Eu tinha investido muito em Vivien e não via motivo para que as coisas não pudessem continuar. Eu fingia que não via sempre que ela resolvia ter um caso. Fiquei furioso, cheguei mesmo a ameaçá-la, mas ela riu na minha cara. Exigi saber o nome do homem que me substituiria, já que eu estava certo de que Vivien não me deixaria sem antes garantir outro arranjo. Ela foi muito presunçosa e não me contou nada, a não ser que esperava logo se casar com alguém de grande fortuna.

O tom dele agora revelava uma amargura bem-humorada.

– Que ideia! – prosseguiu o lorde. – Um homem não se casa com uma mercadoria gasta como Vivien Duvall, a menos que queira se tornar motivo de riso em toda a Inglaterra. Mas é claro que, vindo de Vivien, eu não duvidaria de nada. Acho que é possível que ela tenha seduzido algum viúvo decrépito e o convencido a pedi-la em casamento.

– Houve testemunhas da discussão entre vocês?

– Tenho certeza de que os criados de Vivien ouviram. Eu sem dúvida me exaltei uma ou duas vezes.

– O senhor bateu nela?

– Nunca – respondeu Gerard na mesma hora, parecendo ofendido. – Admito que me senti tentado a estrangulá-la. Mas nunca agrediria uma mulher fisicamente. E, apesar da raiva, teria aceitado Vivien de volta se ela me quisesse... mandaria o orgulho às favas.

Grant franziu o cenho diante dessa declaração. Na sua opinião, nenhuma mulher valia que um homem sacrificasse seu orgulho, não importava quão bonita fosse. Haveria sempre outro rosto belo, outro corpo bem-feito, novos encantos femininos que logo apagariam as lembranças dos anteriores.

– Sei o que está pensando – disse Gerard. – Mas há algo que você não compreende... Vivien é única. O cheiro, o gosto, a sensação de tocá-la...

Nenhuma outra se compara. Não havia nada que ela não fizesse na cama. Já dormiu com uma mulher que não tivesse nenhum pudor? Se eu pudesse ter só mais uma noite com ela... só uma hora...

Ele balançou a cabeça e praguejou baixinho.

– Está certo, milorde – disse Grant, tenso. – Terminamos por ora. Conforme a investigação prosseguir, talvez eu tenha mais perguntas a lhe fazer.

Ele se levantou e se encaminhou para a porta, mas parou ao ouvir a voz suplicante de Gerard.

– Morgan, precisa me dizer... O que aconteceu com ela?

Grant se virou para ele com uma expressão de curiosidade.

– Se ela estivesse morta – falou lentamente –, o senhor lamentaria?

Ele esperou muito tempo por uma resposta, mas Gerard não encontrou o que dizer.

Grant deu um sorriso cínico. O lorde era como uma criança privada de seu brinquedo favorito – sentiria falta do prazer sexual que Vivien lhe dera, mas não nutria o menor carinho ou preocupação genuína por ela. Algumas cortesãs e seus protetores se amavam sinceramente, tinham um relacionamento que durava décadas. Grant conhecia mais de um homem que escapara da amargura de um casamento arranjado mantendo uma amante que lhe dera filhos e fora a companheira amorosa que a esposa deveria ter sido.

Quanto a Vivien, no entanto, o papel de cortesã era meramente um negócio com a intenção de gerar lucro.

– O senhor tem uma cópia da chave da casa dela? – perguntou Grant a Gerard.

A pergunta desconcertou o lorde.

– Devo ter. Pretende revistar as coisas dela? O que espera encontrar?

– No que diz respeito à Srta. Duvall, estou aprendendo a não esperar nada – retrucou Grant, muito sério.

A curiosidade e um estranho toque de medo se misturavam dentro dele diante da perspectiva de visitar a casa de Vivien. Quanto mais Grant descobria sobre aquela mulher e seu passado sórdido, mais sombrio se tornava seu humor.

CAPÍTULO 4

Grant destrancou com agilidade a porta de bronze da casa de Vivien, uma das muitas localizadas atrás da fachada do palácio na parte leste da Grosvenor Square. O endereço elegante, com sua espetacular fileira de colunas e batentes arqueados, provavelmente custara uma fortuna. Mais uma prova do talento de Vivien em sua profissão, pensou Grant, mal-humorado.

O interior estava escuro e silencioso, com um leve cheiro de umidade por causa das semanas que a casa passara fechada. Grant acendeu um lampião e duas arandelas, que iluminaram as paredes revestidas de papel pintado à mão. Carregando o lampião, seguiu pelos cômodos do primeiro andar.

Era uma casa elegante e definitivamente feminina, com afrescos floridos em tons pastel, papel de parede francês, mobília delicada com pés altos e finos e grandes espelhos emoldurados acima de cada lareira.

Ele subiu a escada reparando nos caros balaústres torneados, com entalhes nos arremates, e nos lampiões com cúpulas de cristal. Ao que tudo indicava, para satisfazer os desejos de Vivien, nenhuma despesa fora poupada com a decoração. No andar de cima, o ar ainda guardava um pesado aroma de perfume. Grant o seguiu até o quarto principal, acendeu mais lampiões e examinou o aposento.

As paredes eram cobertas de seda verde-esmeralda, tom que se repetia no rico tapete belga com estampa floral feito à máquina. Embora a moda na época para o quarto das damas fosse manter a cama semioculta em uma alcova, Vivien tornara a dela a atração central do cômodo, instalando-a sobre uma plataforma acarpetada para aumentar sua visibilidade. No entanto, o que mais chamou a atenção de Grant foi um retrato de Vivien pendurado na parede diante da cama. Ela havia sido pintada de costas, nua e com o corpo levemente virado, expondo a coluna e as nádegas pálidas. Vivien posava olhando por cima do ombro, o torso posicionado em um ângulo que revelava o contorno de um seio redondo e adorável.

O artista a idealizara, fazendo-a um pouco mais carnuda do que era, com as pernas e a cintura ligeiramente alongadas e os cabelos presos no alto da cabeça e tão vermelhos que continham línguas de chamas púrpura. Será que o artista teria levado Vivien para a cama durante uma das muitas sessões em que ela posara? Parecia provável. Nada além do ato sexual daria aquele rubor ao rosto dela, a expressão saciada, a boca macia e satisfeita, os olhos azuis felinos de pálpebras pesadas.

Grant ficou olhando o quadro e voltou a sentir o que vinha se tornando uma reação familiar em relação a Vivien: uma mistura de fogo e gelo, um arroubo de intenso desejo equilibrado por uma fria reflexão. Ele a desejava e, mais do que isso, queria humilhá-la, puni-la. Iria usá-la do modo como ela usara tantos outros homens. Era hora de Vivien Duvall receber o troco.

Ele foi até a penteadeira em estilo Luís XV com o tampo de magnólia liso e pegou um grande frasco de cristal com perfume. O aroma era pesado, de rosas, temperado com a intensidade do sândalo. Na mesma hora, o perfume fez Grant se lembrar de Vivien no baile de Wentworth. Aquele era o cheiro dela naquela noite, a pele quente exalando a fragrância doce.

Deixou o perfume de lado e abriu as gavetas rasas da penteadeira. Encontrou escovas, potes com cremes, enfeites de cabelo feitos de casco de tartaruga, marfim e prata. Por baixo da bagunça, havia uma pequena encadernação em marroquim vermelho.

Grant pegou o caderno, folheou-o rapidamente e encontrou listas com nomes de cavalheiros, com descrições detalhadas de atividades sexuais, hora e data dos encontros românticos. Seria um excelente instrumento de chantagem. Ele reconheceu alguns dos nomes, e parte deles pertencia a cavalheiros que se orgulhavam de seu sólido casamento e de sua reputação impecável. Nenhum deles gostaria de ter as infidelidades expostas e, sem dúvida, estariam dispostos a pagar boas somas para garantir o silêncio de Vivien. Ou talvez chegassem até a recorrer ao assassinato para garantir que o silêncio dela fosse permanente.

– Que moça ocupada você tem sido – murmurou Grant, e guardou o caderno no bolso.

Então fechou a gaveta com força desnecessária e continuou a percorrer o quarto, o maxilar cerrado.

Encontrou uma valise de couro, onde colocou as primeiras roupas decentes que conseguiu encontrar: alguns vestidos de cores fortes, roupas de baixo de linho, meias, sapatos e uma caixa com lenços de renda, além de três pares de luvas creme. Com a valise já transbordando, ele pegou o lampião e saiu. Retornaria no dia seguinte para revistar a casa por completo. Naquele momento, queria visitar sua nova hóspede e ver como ela estava.

Grant chamou uma sege de aluguel para levá-lo de volta à King Street. A Sra. Buttons o recebeu à porta e estremeceu quando uma rajada fria de vento entrou na casa. Ela pegou o casaco do patrão e o dobrou para apoiá-lo no braço.

– Boa tarde, senhor. Gostaria que eu lhe preparasse uma refeição?

– Não estou com fome – respondeu Grant, e voltou os olhos para a escada. – Como está ela?

Sem se deixar perturbar pelo jeito abrupto do patrão, a governanta respondeu calmamente:

– Muito bem, senhor. A Srta. Duvall tomou um bom banho. Uma das criadas, Mary, me ajudou a lavar os cabelos dela. Acho que o estado dela melhorou bastante.

– Ótimo.

Ele observou a governanta e teve a sensação de que ela poderia lhe dizer mais alguma coisa.

– A senhora me parece uma boa juíza de caráter, Sra. Buttons.

A mulher ficou visivelmente orgulhosa com o comentário.

– Acredito que seja, senhor.

– Então diga-me... o que acha da Srta. Duvall?

A governanta pareceu ansiosa por responder, a discrição habitual dando lugar a um interesse animado. Ela baixou a voz para não ser ouvida pelos criados que passavam.

– O comportamento dela tem sido bastante desconcertante, senhor. Depois que levei um prato de torradas para a Srta. Duvall essa manhã e saí para supervisionar o preparo do banho, ela se levantou sozinha e arrumou o quarto. Chegou mesmo a fazer a cama, apesar da dor que isso deve ter lhe causado. Não consigo imaginar por que faria tamanho esforço, ainda mais levando em conta seu estado de saúde. Então, na sala de banho, a Srta. Duvall tentou carregar um dos baldes que a criada tinha levado, para ajudar a preparar o próprio banho. Tiramos o balde da mão dela na mesma hora, é claro, mas ela se desculpou pelo trabalho extra que estávamos tendo por sua causa. Parecia preocupada por causar problemas e grata por qualquer ajuda recebida, como se não estivesse acostumada a ter alguém para servi-la.

– Entendo.

O rosto de Grant estava inexpressivo, como sempre ficava quando ele tentava concatenar fatos contraditórios.

A Sra. Buttons gostara do assunto.

– Ela parece ser uma das jovens mais gentis e cheias de consideração que já conheci. Com todo o respeito, senhor, mal posso acreditar que seja verdade o que me contou sobre ela na noite passada.

– É verdade – reiterou Grant, sem rodeios.

Seria possível que a perda de memória de Vivien também tivesse alterado o caráter dela? Ela teria esquecido como se comportar do modo presunçoso e arrogante de sempre... ou estaria apenas brincando com todos? Impaciente, Grant entregou a valise à Sra. Buttons.

– Peça a uma das criadas que guarde as roupas da Srta. Duvall.

– Sim, Sr. Morgan.

A governanta pousou a valise no chão e o encarou com os olhos castanhos muito tranquilos.

– Senhor, Mary ofereceu seu melhor vestido para a Srta. Duvall, já que não tínhamos mais nada aqui para que ela vestisse.

– Obrigado. Considero qualquer gentileza feita à Srta. Duvall como um favor direto a mim. Diga a Mary que encomende para si um novo vestido com uma peliça combinando e coloque a conta nas despesas da casa. Um belo traje... não precisa economizar nos adornos.

A Sra. Buttons dirigiu um sorriso de aprovação a Grant.

– O senhor é um bom patrão, se me permite dizer.

Ele reagiu com uma carranca.

– Sou um depravado. Ambos sabemos disso.

– Sim, senhor – retrucou a governanta, discretamente.

Grant seguiu em direção à escada com uma sensação estranha e desconhecida apertando-lhe o peito. Vivien Duvall bancando a doce donzela em perigo... Ele não toleraria aquilo. Em poucos minutos exporia aquela fraude. Se ela não lembrava que era uma cortesã sem princípios, ele a faria lembrar. Revelaria cada faceta desavergonhada e ladina do caráter dissoluto dela e a deixaria ponderando sobre *aquilo* por algum tempo. Queria vê-la tentar bancar a inocente depois disso.

Ele chegou ao quarto e abriu a porta sem bater. Esperava encontrar Vivien rindo por ter enganado todo mundo com sua suposta virtude. Grant entrou no quarto... e estacou. Ela estava sentada em uma poltrona diante da lareira com os pés pequenos descalços no assento, virados para o lado, e tinha um livro aberto no colo. Reflexos dourados do fogo brincaram no rosto vulnerável quando a jovem levantou os olhos para ele. Vivien usava um vestido fino branco de gola alta um tanto grande demais para ela e tinha uma manta de caxemira azul cobrindo-a da cintura para baixo.

Ela pousou o livro no chão e puxou a manta acima do peito. A tensão de Grant alcançou uma intensidade lancinante. Vivien tinha o rosto de um anjo e os cabelos de uma serva do diabo. As mechas recém-lavadas caíam em cascata ao redor dela, descendo até a cintura em ondas e cachos de um vermelho quente que continha todos os tons desde o canela ao quase dourado. Era o tipo de cabelo que a natureza costumava conceder a mulheres malproporcionadas, para compensar a ausência de beleza física.

Porém Vivien tinha um rosto e um corpo dignos das pinturas renascentistas. Na verdade, era muito mais delicada e fresca do que a imagem registrada em qualquer obra pudesse sugerir. Agora que os olhos dela já não estavam inchados, a intensidade do azul puro cintilava na direção dele. A boca de Vivien, macia e rosada, era uma maravilha da natureza.

Havia algo errado com a respiração dele. Seus pulmões não pareciam funcionar direito, o coração batia rápido demais, o maxilar estava cerrado. Se não fosse um homem civilizado, se não se orgulhasse de seu autocontrole, possuiria Vivien ali mesmo, naquele momento, sem se preocupar com as consequências. Era quanto a desejava.

Vivien pareceu não entender o silêncio dele, a feroz batalha interior que travava, e seus lábios se curvaram em um hesitante sorriso de boas-vindas. Grant quase a odiou por aquele sorriso, tão suave e cálido que pareceu tocar fundo no peito dele.

Ele retribuiu com outro, confiante.

– Boa tarde, Srta. Duvall. Está na hora de conversarmos.

Vivien manteve a manta ao redor do corpo enquanto fitava o homem diante dela. Várias emoções se agitavam em seu íntimo, entre elas uma grande curiosidade. As criadas tinham lhe contado que Grant Morgan era um patrulheiro da central da Bow Street, o mais famoso do grupo. O homem mais destemido da Inglaterra, acrescentara uma delas, e agora Vivien entendia por quê.

Ele era um gigante. De algum modo, em meio ao medo e ao desconforto das últimas 24 horas, ela não se dera conta de que a voz profunda e rouca e os olhos verdes taciturnos pertenciam a um homem tão... bem, tão grande. Não apenas alto, mas grande, em todos os sentidos. Agora que ela se recuperara um pouco do quase afogamento no Tâmisa, podia dar uma boa olhada nele. Os ombros de Grant Morgan eram largos como as portas de uma catedral e seu corpo alto e longilíneo era muito bem desenvolvido, com coxas longas e musculosas e braços fortes que se destacavam no casaco.

Ele não era belo no sentido convencional. O rosto era expressivo como um bloco de granito. O olhar de Vivien se voltou para as mãos de Grant e ela sentiu um forte rubor arder em seu rosto ao se lembrar do toque gentil daqueles dedos.

– Sim, eu gostaria de conversar – murmurou ela.

Morgan pegou uma poltrona e a colocou perto da de Vivien, sem a menor dificuldade em erguer uma peça de mobília tão pesada. Enquanto o observava, ela se perguntou como seria possuir tamanha força. A mera presença física de Grant, com sua masculinidade e vitalidade primitivas, parecia preencher o ambiente. Ele se sentou e a fitou com os olhos verdes atentos... aqueles olhos de cílios longos e que não eram exatamente da cor de esmeralda. O tom era mais intenso, uma cor que fazia Vivien pensar em folhas de faia ou no verde esfumado de uma antiga garrafa de vinho.

– Sr. Morgan – disse ela, sem conseguir parar de fitar aqueles olhos impressionantes –, nunca serei capaz de lhe agradecer o bastante por tudo o que fez... sua bondade, sua generosidade e...

Vivien sentiu toda a cor de seu rosto se concentrar em uma mancha vermelha em cada face.

– Eu lhe devo a minha vida – concluiu ela.

– Eu não a tirei do rio – esclareceu Morgan, sem parecer particularmente satisfeito com a gratidão dela. – Foi o barqueiro que a resgatou.

Vivien não poderia deixar o assunto de lado sem ter certeza de que Grant compreendesse como se sentia.

– Mesmo assim, eu teria morrido. Eu me lembro de fiquei deitada nos degraus da margem do rio, e estava tão frio e eu me sentia tão insignificante que não me incomodava se iria viver ou morrer. Então o senhor chegou.

– Lembra-se de mais alguma coisa? Algo sobre si mesma ou sobre seu passado? Tem alguma lembrança de ter lutado ou discutido com alguém...

– Não.

Ela levou as mãos ao pescoço, tateando o hematoma que tinha ali, e encarou Grant, pensativa.

– Sr. Morgan... quem fez isso comigo?

– Ainda não sei. Seria muito mais conveniente se a senhorita não tivesse perdido a memória.

– Sinto muito.

Ele deu de ombros.

– Não é culpa sua.

Onde estava o homem carinhoso que tomara conta dela na noite anterior e naquela manhã? Vivien achava difícil acreditar que aquele era o mesmo desconhecido que a abraçara e confortara, que passara unguento em seus machucados e a aconchegara na cama como um pai faria com uma filha amada. Agora Grant Morgan parecia ameaçador e inacessível. Estava zangado com ela, mas Vivien não sabia por quê. Perceber isso fez com que ela se sentisse ainda mais perdida e confusa, se é que aquilo era possível. Aquele homem era tudo o que Vivien tinha. Ela não conseguiria suportar que ele fosse frio com ela.

– O senhor está aborrecido – comentou Vivien. – O que aconteceu? Fiz algo errado?

As perguntas pareceram suavizá-lo um pouco. Ele não a fitou nos olhos, mas deixou o ar escapar com força, como se estivesse liberando uma desagradável emoção contida.

– Não – murmurou em resposta, com um rápido balançar de cabeça. – Não é nada.

Talvez ele tivesse descoberto algo sobre ela de que não gostara, pensou Vivien, e a ansiedade a deixou tensa a ponto de os músculos começarem a tremer.

– Estou assustada – falou ela, e pousou os punhos cerrados no colo. – Fico tentando me lembrar, recordar qualquer coisa sobre mim. Nada me é familiar. Nada faz sentido. E saber que alguém me odeia o bastante para me querer morta...

– Pelo que ele supõe, a senhorita está morta.

– Ele?

– Uma mulher não teria a força necessária para estrangulá-la com as mãos. Além do mais, sua história pessoal inclui pouquíssimas mulheres. A grande maioria de seus conhecidos são homens.

– Ah.

Por que Grant Morgan simplesmente não dizia o que precisava ser dito em vez de obrigá-la a lhe fazer perguntas? Era uma forma de tortura ter que olhar para um rosto impassível e se perguntar que segredos do passado dela a haviam levado àquela situação inacreditável.

– O senhor disse... que eu talvez não gostasse do que me contaria sobre mim – recordou Vivien, insegura.

Ele enfiou a mão no bolso do paletó e tirou um caderninho de couro vermelho.

– Dê uma olhada nisto – falou Grant apenas, e colocou o caderno nas mãos dela.

– O que é isto? – perguntou Vivien em um tom cauteloso.

Ele não respondeu, ficou apenas encarando-a com uma expressão inquieta que demonstrava sua impaciência.

Ela abriu o caderno com cuidado e examinou página por página preenchida com uma letra feminina elegante. Havia listas, nomes, datas... Vivien demorou menos de um minuto para chegar a um trecho tão explícito que a fez fechar o caderno com um arquejo mortificado. Ela levantou o olhar para Grant, e sua expressão era de choque.

– Por que, em nome de Deus, o senhor está me mostrando uma coisa destas?

Vivien tentou devolver o caderno, mas Grant não o pegou. Ela o deixou cair no chão e ficou olhando para o objeto como se fosse uma cobra prestes a dar o bote.

– A quem isso pertence e como diz respeito a mim?

– É seu.

– *Meu?*

Uma sensação gelada percorreu o corpo de Vivien e a fez apertar mais a manta de caxemira ao redor do corpo.

– Está enganado, Sr. Morgan – falou, e a voz agora saiu contida e fria devido ao ultraje. – Eu não escrevi essas coisas. Não poderia.

– Como sabe disso?

– Porque eu não poderia! – repetiu Vivien em tom de repreensão, espantada e ofendida.

Quando Grant falou, sua voz saiu baixa e objetiva:

– Você é uma cortesã, Vivien. A mais renomada de Londres. Já ganhou uma fortuna com seu talento.

Ela sentiu seu rosto empalidecer. O coração batia, disparado.

– Não é verdade! – bradou. – Esse caderno deve pertencer a outra pessoa.

– Eu o encontrei em sua casa, em seu quarto.

– Por que eu... digo... por que qualquer mulher escreveria essas coisas?

– Poderia ser um instrumento de chantagem – sugeriu Grant. – Ou talvez fosse sua única forma de manter o controle do seu trabalho.

Vivien se levantou como se tivesse sido arremessada da cadeira e deixou a manta cair no chão. Ela se encolheu ao sentir uma pontada de dor no tornozelo torcido e cambaleou alguns passos para trás, pois precisava colocar alguma distância entre eles.

– Não fiz nenhuma das coisas que estão nesse caderno!

Para seu constrangimento, o olhar de Morgan a mirou de cima a baixo, e ela percebeu que a luz do fogo se projetava contra a musselina da roupa, iluminando cada detalhe de seu corpo.

Vivien se apressou em puxar o vestido largo para a frente, para disfarçar a transparência.

– Não sou uma cortesã! – afirmou de modo veemente. – Se fosse, tenho certeza de que saberia disso em alguma parte da minha mente, mas se não sei, é porque *não é verdade*. O senhor está totalmente errado a meu respeito. Se isso é um exemplo de suas habilidades para investigação, não estou nem um pouco impressionada! Agora... agora saia e faça mais perguntas, faça o que for necessário para descobrir quem eu sou de verdade.

Morgan também se levantou e foi até ela.

– Não posso mudar a verdade só porque não gosta dela.

– Não apenas não gosto dela – retrucou Vivien, a respiração alterada – como a rejeito por completo. O senhor está errado, entendeu?

Para concluir a humilhação, ela perdeu um pouco do equilíbrio por causa do tornozelo.

– Gostaria que eu lhe trouxesse um rol de testemunhas que jurarão sobre a Bíblia que você é Vivien Duvall? – provocou Morgan, implacável. – Gostaria de ir até a sua casa para ver o quadro que está na parede do seu quarto e que a retrata nua? Eu trouxe algumas de suas roupas... Se incomodaria em experimentá-las e ver se lhe cabem? Posso lhe conseguir montanhas de provas.

Grant pôs um braço firme nas costas dela, impedindo-a de se afastar quando tentou.

Vivien gemeu, angustiada, no momento em que ele a puxou para junto do corpo enorme. Levou os braços entre os dois e inclinou a cabeça bem para trás, para encarar o rosto que pairava tão acima do dela. O tronco de Morgan era rígido como madeira de navio sob as mãos frias dela. Ele a prendeu com as coxas poderosas, mantendo-a ali.

– Mesmo que eu seja Vivien Duvall – disse ela –, não pode provar que fiz o que está escrito naquele caderno. São histórias inventadas.

– É tudo verdade, Vivien. Você vende seu corpo.

Morgan não parecia mais satisfeito com essa ideia do que ela.

– Vai de um homem a outro, pegando o que quer de cada um deles.

– Ah, é mesmo? Então quem teria sido meu último protetor? Onde está ele e por que o senhor não mandou buscá-lo?

– Quem você acha que seria? – perguntou Morgan, baixinho.

As palavras fizeram Vivien cambalear mais uma vez. Ela o encarou, boquiaberta, zonza, subitamente sem forças nos braços dele.

– Não...

– Somos amantes desde que você deixou lorde Gerard. Eu a visitei em sua casa em várias ocasiões. Mantivemos nosso relacionamento discreto, mas estávamos prestes a redigir um contrato adequado.

Grant contou essas mentiras sem uma gota de culpa. A farsa não faria grande mal a ela, depois da vida sórdida que levara, e servia ao propósito dele. Grant a queria, e aquele era o modo mais fácil de possuí-la.

– Então nós dois somos...

Ela engasgou com as palavras.

– Sim.

– Está mentindo!

Vivien se debateu, empurrando-o, girando o corpo, mas os braços de Grant eram como faixas de aço. Logo ela estava exausta da batalha infrutífera e percebeu que os movimentos dela o haviam excitado. A protuberância rígida da masculinidade de Grant se pressionava contra o estômago dela, queimando-a com seu calor agressivo. Como, em nome de Deus, ela poderia ter sido íntima daquele homem e não se lembrar?

Vivien deixou o corpo trêmulo cair na direção de Grant, apoiando-se em toda a extensão longa e musculosa dele. Estava exausta demais para se mover. Ele exalava um aroma agradável que misturava linho e o perfume do sabão de barbear. Vivien inspirou a fragrância. Deixou a cabeça encostar no peito dele, o ouvido colado às batidas ressonantes do coração de Grant.

– Você está errado – repetiu Vivien, perplexa demais para chorar. – Não sou esse tipo de mulher. Simplesmente não posso ser.

Ele não respondeu, e ela percebeu que Morgan estava tão convencido do assunto que nem valia a pena argumentar. Um lampejo de fúria surgiu em meio à confusão. Pois bem: não iria mais se exaurir negando a acusação... O tempo provaria que ele estava errado.

– O que quer de mim agora? – perguntou Vivien, a voz embargada.

Ela sentiu um arrepio percorrer o corpo quando a mão dele se moveu por suas costas, o calor atravessando a musselina fina.

– Vou mantê-la aqui. Para sua proteção e para minha conveniência.

Para a conveniência dele? Aquilo só poderia significar que Morgan pretendia dar seguimento ao arranjo anterior deles, sem levar em consideração a perda de memória dela. Vivien olhou por cima do ombro, para a cama enorme que parecera um porto seguro até então. Se ele planejava possuí-la à noite, ela não seria capaz de aguentar. Fugiria da casa, sairia gritando pelas ruas, mesmo naqueles trajes.

– Não posso servi-lo esta noite, se é o que está planejando – disse Vivien, o tom rebelde. – Nem na próxima. E não...

– Shhh – fez ele, a voz pela primeira vez assumindo um toque de humor. – Não sou tão canalha a ponto de forçá-la a aceitar minhas atenções estando doente. Vamos esperar até que esteja bem o bastante.

– Não vou querer nunca mais! Não sou uma cortesã.

– Você vai querer. É da sua natureza, Vivien. Não pode mudar o que você é.

A declaração dele, como se aquilo fosse um fato consumado, a enfureceu.

– Não vou querer homem nenhum daqui em diante. Sobretudo você.

O tom desafiador dela pareceu disparar algum gatilho dentro dele, uma determinação sombria de lhe provar algo... e a si mesmo. Grant puxou Vivien em sua direção antes que ela tivesse tempo de pensar ou reagir. Ele a carregou para a cama e a colocou sobre as cobertas caprichosamente dobradas. O rosto sombrio ocultou o brilho do fogo ao se inclinar sobre ela.

– Não – arquejou Vivien.

Havia uma rigidez cruel na boca de Morgan, mas, quando ele colou os lábios aos dela, o beijo foi suave, lento, envolvente. Ele pousou as mãos no colchão, uma de cada lado da cabeça de Vivien, sem tocar nenhuma parte do corpo dela a não ser a boca. Se ela quisesse, poderia ter rolado para o lado e se afastado com facilidade. Mas Vivien permaneceu sob Morgan, paralisada pela sensação quente e doce que se espalhava por seus membros e arrepiava todos os pelos de seu corpo.

Ela ergueu as mãos para o rosto dele em um gesto fraco para afastá-lo, mas Morgan inclinou a cabeça e a beijou com mais intensidade, fazendo desaparecer da cabeça dela qualquer ideia de resistência. Morgan deixou a língua se aventurar no interior da boca de Vivien, provocando, acariciando. Ele tinha gosto de café e de algo agradavelmente masculino que fez a língua dela reagir com timidez. Esse toque tão delicado pareceu excitá-lo. Morgan respirou fundo e continuou a beijá-la – beijos cada vez mais longos, um mais terno e íntimo que outro. Vivien não teve alternativa além de relaxar enquanto uma ânsia pesada e deliciosa crescia em seus seios, na base do seu ventre e entre suas coxas. Sua mente atordoada já não compreendia o que estava acontecendo, nem sequer se importava. Só o que existia eram as sensações, cada parte do seu ser concentrada no calor da boca de Morgan.

Com uma rapidez que pegou Vivien de surpresa, Morgan afastou os lábios dos dela e a encarou com uma expressão ardente.

– Viu só? – falou com a voz rouca. – Agora me diga que tipo de mulher você é.

Vivien demorou um instante para compreendê-lo. Envergonhada e furiosa, rolou para o lado.

– Vá embora! – ordenou em um arquejo, e levou a mão à orelha, bloqueando qualquer outra palavra que ele pudesse pronunciar. – Deixe-me sozinha.

Ele obedeceu na mesma hora, deixando-a enrodilhada na cama em um monte silencioso.

~

Sem saber ao certo aonde ia, Grant desceu a escada, a mente dominada por questionamentos e sensações...

– Vivien... – murmurou mais de uma vez; o nome era tanto uma praga quanto uma oração.

Ele se viu na biblioteca, um refúgio de couro e carvalho mobiliado com poltronas confortavelmente gastas e estantes de livros projetadas para aquele espaço. As prateleiras eram protegidas por vidro bisotado, e as mais baixas, por gradis de metal. Grant era obcecado por livros – qualquer coisa entre duas capas servia para sua coleção. Pilhas de jornais sobre escrivaninhas e mesas com frequência faziam a Sra. Buttons reclamar que, em toda a Londres, aquela era a casa com maior risco de incêndio.

Grant nunca se sentava para um momento de tranquilidade sem ter um livro ou um jornal à mão. Quando não estava trabalhando ou dormindo, ele lia. Qualquer coisa para evitar que pensasse no passado. À noite, quando os pesares assombravam sua mente como fantasmas, afastando qualquer possibilidade de sono, ele ia para a biblioteca, tomava conhaque e lia até as palavras parecerem borradas diante de seus olhos.

Grant passou lentamente pelos talismãs encadernados em couro, buscando algo para distraí-lo. Deixou os dedos correrem pelas portas de vidro finas e cintilantes, abriu uma delas e percorreu o relevo de uma fileira de lombadas. Mas o toque do couro o incomodou... A mão de Grant ansiava pela pele feminina macia, pelos cabelos sedosos, pelos seios e quadris arredondados...

Grant reparou em seu reflexo no vidro, o rosto tenso e infeliz.

Virou-se com um grunhido e foi até o aparador encaixado entre dois armários pequenos idênticos. Um deles era usado como uma pequena adega. Grant procurou ali até sua mão envolver o contorno alongado, em forma de losango, de uma garrafa de conhaque. Abriu-a e bebeu o líquido escuro direto do gargalo, a intensidade da bebida francesa cara descendo como veludo por sua garganta. Aguardou o calor que supostamente aqueceria seu peito, mas ele não chegou. Restou apenas o vazio.

A mente de Grant retornou à imagem de Vivien, à doçura de sua boca, à inocência de sua reação. Como se ela não estivesse acostumada a beijar, como se fosse uma pupila tímida disposta a aprender nas mãos de um professor experiente. Tudo uma ilusão.

– Inocência – murmurou Grant para si mesmo, com uma risada feia, e bebeu mais conhaque direto da garrafa.

Vivien era um produto de primeira qualidade, sem dúvida, mas era uma cortesã de qualquer modo. E ele era um tolo por querer protegê-la, por desejá-la e, o pior de tudo, por *gostar* dela.

Grant se sentou em uma poltrona, pousou os pés na beirada da escrivaninha e reconheceu em silêncio a verdade mortificante. Se não soubesse quem e o que Vivien era, ficaria louco por ela. Que homem não ficaria? Ela era uma mulher linda, inteligente e aparentemente vulnerável. A reação dela à notícia de que era uma cortesã tinha sido uma perfeita mistura de raiva e perplexidade. Como uma mulher inocente reagiria.

Os instintos e o cérebro de Grant raramente lhe enviavam mensagens tão opostas. Nas poucas vezes que isso acontecera, ele se sentira inclinado a confiar neles. Mas não naquele caso. Sabia tudo sobre a capacidade única de Vivien de fingir inocência. Não importava como se comportava no presente, mais cedo ou mais tarde ela retomaria a personagem que encarnava.

Portanto, não poderia se deixar enganar por ela.

Mas diabo... inferno... não seria fácil.

CAPÍTULO 5

Furiosa e preocupada, Vivien se encolheu em um dos cantos da cama enorme até por fim cair no sono. Mas não encontrou paz e esquecimento, apenas um sonho bizarro que se tornou cada vez mais sinistro.

No sonho, ela corria por uma rua escura, perseguida por estranhos sem rosto. De vez em quando parava para rir deles e provocá-los, então se virava e corria de novo pouco antes que a alcançassem. Ao se aproximar de uma ponte, ela subiu no muro da margem, que dava para um píer encimado por uma estátua de bronze de uma divindade do rio. Os homens tentavam alcançá-la, subir atrás dela, mas Vivien gargalhava e os chutava para afastá-los. De repente, para o horror dela, a estátua de bronze maciço ao seu lado começou a se mover. Enormes braços a envolveram, aprisionando-a em um abraço frio e implacável.

Vivien gritava de terror e lutava, mas em vão: a estátua continuava a prendê-la, depois virou na direção do rio... e se deixou cair nas águas negras e amargamente frias. O peso da estátua a puxou para baixo depressa, deixando a superfície cada vez mais distante. Ela gritava, mas ninguém conseguia ouvi-la; ela engasgava, a água enchendo sua boca e sua garganta...

– Vivien! Maldição, Vivien, acorde!

Ela acordou, assustada, ainda tentando se livrar dos braços que a envolviam... então viu o rosto de Morgan. Ele estava com o cenho franzido, uma expressão ansiosa no rosto, enquanto a puxava para o colo e alisava os cabelos úmidos dela para trás. A parte superior do torso dele estava coberta apenas por uma fina camisa de linho, aberta no pescoço.

Desorientada, ela se esforçou para recuperar o fôlego. Então relanceou os olhos ao redor e reparou que estava no chão do quarto, com Morgan.

– Você caiu da cama – disse ele.

– Ti-tive um pesadelo.

– Conte-me – pediu Morgan, baixinho.

Como Vivien permaneceu em silêncio, ele acariciou a sobrancelha dela com o polegar. Por algum motivo, o gesto íntimo a impeliu a falar.

Vivien mordeu o lábio inferior, nervosa.

– Sonhei que estava me afogando. Foi tão real... eu não conseguia respirar.

Um som baixo e áspero escapou da garganta de Grant. Ele acariciou as costas da jovem em um ritmo tranquilo, embalando-a como se ela fosse uma criança. O calor do corpo dele penetrou as camadas de roupas entre os dois, aquecendo-a. Por um momento, Vivien se sentiu tentada a afastá-lo; a lembrança das acusações feitas por Morgan ainda estavam frescas em seus ouvidos.

Entretanto, permaneceu imóvel. Embora fosse odioso e arrogante, Morgan também era grande e lhe dava segurança. Naquele momento, não havia no mundo lugar mais convidativo do que os braços dele. Morgan exalava um aroma delicioso, uma mistura de conhaque, sal e linho... um cheiro que lhe lembrava alguma coisa... alguém... cuja imagem reconfortante estava presa no fundo de sua memória. O pai ou um irmão, talvez? Um amante de quem gostara muito?

Confusa e frustrada, ela mordeu com mais força o lábio enquanto se esforçava para lembrar.

– Não faça isso – disse Morgan, tocando os lábios dela com gentileza. – Tente relaxar. Quer beber algo?

– Não sei.

Grant continuou a abraçá-la por mais um instante, aconchegando-a até as batidas frenéticas do coração de Vivien voltarem ao ritmo normal. A mão dele deslizou pela perna dela, pelo quadril e se acomodou à curva da cintura. Com um lampejo de desespero, Vivien teve a sensação de que o toque de Morgan era natural, familiar. Como se ela pertencesse aos braços dele, como se estivesse acostumada a ter seu corpo contra o dele... como se eles realmente tivessem sido amantes. Ela virou o rosto marcado de lágrimas, escondendo-o na camisa dele, e sentiu a boca de Morgan roçar em seus cabelos.

Com muito cuidado, ele a levantou do chão e a colocou sobre a cama, depois ajeitou os lençóis e as cobertas. Foi até a mesa de cabeceira e serviu uma pequena dose de conhaque em um copo de vidro com relevos de folhas.

– Tive a sensação de que você talvez precisasse disto durante a noite – falou ele. – Terá sonhos eventuais com o que aconteceu. Pode ser que pareçam tão vívidos que você acorde com um grito preso na garganta. Isso é normal, uma vez que esteve tão perto da morte.

Ele parecia entender do assunto, pensou Vivien, e aceitou o copo. Ela tomou um gole da bebida de sabor intenso e levemente frutado.

– Já esteve perto da morte?
– Uma ou duas vezes.
– O que aconteceu? – perguntou ela.
– Nunca falo sobre minhas proezas.

Um sorriso zombeteiro surgiu nos lábios dele, suavizando os ângulos do seu rosto.

– É tentador para um patrulheiro desenvolver o hábito de se gabar, então tendemos a passar nosso tempo criando histórias elaboradas... portanto é melhor simplesmente não falar de trabalho ou nada é feito.

– Vou descobrir de qualquer modo – falou Vivien.

Ela tomou um longo gole do conhaque, o fogo agradável espalhando-se por suas veias e acalmando seus nervos.

– A Sra. Buttons me contou que já foram escritos alguns romances populares sobre as suas aventuras.

– Lixo. Só servem para alimentar a lareira – disse Morgan, com desdém. – Não vai encontrá-los aqui na minha casa.

– Vou, sim. Alguns de seus criados os colecionam.

– Não é possível – murmurou ele, surpreso com a informação. – Tontos. Não acredite em uma palavra do que lhe contarem.

– Eu o deixei constrangido – declarou ela, com um toque de satisfação na voz, e escondeu o sorriso no copo de vidro.

– Com quem andou conversando? Com a Sra. Buttons? Com alguma das empregadas? Vou pedir a cabeça de quem quer que ande fazendo fofocas.

– Suas criadas têm muito orgulho de você – comentou Vivien, feliz por ter encontrado um modo de implicar com ele. – Parece que você é uma lenda. Resgata herdeiras, rastreia assassinos, resolve casos impossíveis...

– Que lenda coisa nenhuma... – reagiu Morgan, como se ela tivesse zombado dele em vez de elogiado sua reputação. – Na maior parte do tempo, recupero bens para bancos. Tenho um grande apreço por bancos e pelas recompensas que eles oferecem. Sir Ross e qualquer um dos patrulheiros podem lhe garantir que tenho um cofre no lugar do coração.

– Está tentando me dizer que não é um herói – provocou-o Vivien, inclinando a cabeça e encarando Morgan com uma expressão questionadora.

– Baseada no que conheceu de mim nas últimas 24 horas, não concordaria?

Ela ponderou por algum tempo.

– Obviamente não é perfeito... como se isso existisse – respondeu, pensativa. – Mas fez bem a muitas pessoas, às vezes colocando a própria vida em risco. Isso o torna, sim, um herói, mesmo que eu não o aprove.

– *Você* não *me* aprova – repetiu ele, perplexo.

– Não. Acho muito errado da sua parte pagar pelos serviços de uma mulher como eu.

O comentário pareceu diverti-lo e confundi-lo ao mesmo tempo.

– Ora, Vivien – zombou Morgan –, não está soando como você mesma.

– Não? – indagou ela, e torceu a ponta do lençol, constrangida. – Não tenho a menor ideia de como deveria soar nem do que deveria dizer. Tudo o que sei é que, quanto mais conta sobre mim, mais me pergunto por que você ou qualquer outra pessoa desejaria minha companhia. Não sou uma mulher muito agradável, não é verdade?

Um silêncio tenso se instalou entre eles. O olhar de Morgan era penetrante, crítico, como o de um cientista analisando os resultados inesperados de um experimento. Sem dizer nada, ele se virou e se encaminhou para a porta.

Vivien achou que Morgan iria sair do quarto. No entanto, ele apenas pegou uma bandeja que havia sido deixada sobre uma mesa lateral e voltou para perto da cama carregando-a.

– Seu jantar – disse.

Ele pousou a bandeja sobre o colo dela e endireitou um talher que tinha escorregado para a beira.

– Eu estava subindo com a bandeja quando ouvi você caindo.

– Estava trazendo a bandeja do jantar para mim? – perguntou Vivien, imaginando por que ele não deixara uma das criadas fazer aquilo.

Morgan notou a pergunta silenciosa na expressão dela.

– Tinha a intenção de lhe pedir desculpas – explicou ele, e sua voz se tornou brusca quando acrescentou: – Meus modos com você mais cedo foram injustificáveis.

Vivien ficou tocada com o jeito abrupto porém encantador dele. Seus instintos lhe diziam que Morgan estava sendo sincero. Embora ele com certeza não a respeitasse nem a estimasse, se dispusera a pedir desculpas por achar que estava errado. Talvez não fosse o ogro que ela imaginara.

Vivien tentou responder com a mesma honestidade:

– Só estava dizendo a verdade.

– Eu deveria ter feito isso com muito mais delicadeza. Bem, não sou o tipo que chamariam de diplomático.

– Eu não deveria tê-lo culpado pelo que disse. Afinal, não é responsabilidade sua que eu seja uma...

– Uma mulher linda e fascinante – completou ele.

Vivien enrubesceu e se concentrou em abrir o guardanapo no colo. Não se sentia linda e fascinante e, com certeza, não se sentia como uma cortesã experiente.

– Obrigada – disse com dificuldade. – Mas não sou a mulher que supõe que eu seja... pelo menos, não nesse momento. Não me lembro de nada sobre mim mesma. E não sei como me comportar com você.

– Está tudo bem – interrompeu-a Morgan.

Ele se sentou na cadeira ao lado da cama. Parecia relaxado e casual, mas seu olhar não se desviou dela nem por um momento.

– Comporte-se como quiser. Ninguém vai forçá-la a fazer nada, muito menos eu.

Por mais difícil que fosse, Vivien respirou fundo e também o encarou.

– Então não vai querer que eu...

– Não – disse ele, a voz tranquila. – Já lhe disse que não vou incomodá-la em relação a isso. Não até que você deseje.

– E se eu nunca desejar? – forçou-se a perguntar Vivien, num sussurro.

– A escolha é sua – garantiu Morgan, então um sorrisinho torto curvou seus lábios. – Mas fique avisada: meu poder de atração pode acabar afetando-a.

Embaraçada, Vivien baixou os olhos para a refeição leve diante de si. Na bandeja havia pedaços de frango, um purê com legumes, pão e um pouco de doce. Ela pegou o pão e deu uma mordida. Mastigar e engolir pareceram exigir dela um esforço fora do comum.

– Este quarto é seu, não é? Eu gostaria de me mudar para o quarto de hóspedes assim que for conveniente. Não quero privá-lo da sua cama.

– Fique aqui. Quero que se sinta confortável.

– É um belo quarto, mas a cama é grande demais para mim e...

Vivien hesitou, incapaz de dizer a Morgan que se sentia cercada por ele naquele quarto, mesmo quando ele não estava ali. O cheiro e a aura de masculinidade dele pareciam pairar no ar.

– Eu já estive aqui antes? – perguntou ela de súbito. – Na sua casa... neste quarto.

– Não. É a primeira vez que você se hospeda na minha casa.

Vivien imaginou que, nos momentos de intimidade dos dois, eles tivessem usado a cama dela ou algum outro lugar. Ela se sentia constrangida demais para pedir detalhes.

– Sr. Morgan... Grant... gostaria de perguntar algo...

– Sim?

– Prometa que não vai rir de mim. Por favor.

– Está bem.

Ela pegou o garfo de prata e brincou com as pontas, concentrando toda a sua atenção no talher.

– Havia algum amor entre nós? Algum afeto? Ou era apenas um arranjo de negócios?

Vivien mal conseguia suportar a ideia de que poderia ter vendido o próprio corpo apenas por dinheiro. Seu rosto ardia de vergonha enquanto ela esperava pela resposta. Para seu alívio, Grant não zombou nem riu dela.

– Não eram apenas negócios – disse ele com cuidado. – Achei que você poderia me oferecer alguma alegria e o relaxamento de que eu tanto precisava.

– Então diria que somos amigos? – perguntou ela, segurando o garfo com tanta força que ficou com marcas vermelhas na mão.

– Sim, somos...

Morgan se interrompeu, tirou o garfo da mão dela e esfregou com o polegar o lugar onde a pele fora pressionada. Ele segurou a mão de Vivien na sua, bem maior, e franziu o cenho ao ver as marcas vermelhas na palma.

– Somos amigos, Vivien – murmurou ele. – Não se aflija. Você dificilmente poderia ser chamada de algo como... prostituta barata. É uma cortesã exclusiva, e poucas pessoas a condenam por isso.

– Eu me condeno – disse ela, triste. – Penso muitas coisas ruins a meu respeito. Gostaria de ser qualquer outra coisa.

– Vai se acostumar com a ideia.

– É disso que tenho medo – sussurrou ela.

Algo no olhar melancólico dela pareceu aborrecê-lo. Morgan soltou sua mão, praguejou baixinho e saiu do quarto, deixando Vivien paralisada com o olhar soturno na refeição que esfriava no prato.

~

– Ah, eu não poderia usar isso – falou Vivien, olhando para o vestido que havia sido preparado para ela.

Era um dos quatro que Morgan pegara na casa dela e, por mais que não tivesse dúvida de que a roupa lhe pertencia, Vivien questionou o próprio bom gosto ao escolhê-la. Embora fosse um vestido de bom corte e muito bem-feito, a cor – um veludo escuro nos tons intensos de ameixa madura ou de cereja negra – faria um contraste dissonante com os cabelos dela.

– Não com essa cenoura que eu tenho na cabeça – acrescentou Vivien em um tom aborrecido. – Vou ficar medonha.

A Sra. Buttons a examinou criticamente enquanto Mary a ajudava a sair do banho e começava a secá-la com a grossa toalha branca.

– Talvez tenha uma surpresa agradável, Srta. Duvall. Por que não experimenta, para ver?

– Sim, vou experimentar – concordou Vivien, tremendo quando o ar frio correu pela pele exposta, arrepiando-a da cabeça aos pés. – O mais provável é que eu fique ridícula.

– Posso lhe garantir que essa não é uma possibilidade – retrucou a Sra. Buttons.

Ao longo dos últimos três dias, o jeito da governanta com Vivien passara de um distanciamento educado a uma gentileza calorosa, e o resto da criadagem da casa seguira seu exemplo. Vivien se sentia grata pela ajuda que lhe ofereciam e elogiava os criados e lhes agradecia sempre que tinha oportunidade.

Se ela fosse uma mulher da alta nobreza, acreditava que talvez tivesse aceitado os serviços deles como um direito dela, tomando cuidado para não lhes dar demasiada intimidade. No entanto, Vivien estava longe de ser uma aristocrata e, à luz do que sabia sobre o próprio passado, achava que a criadagem da casa de Morgan era mais do que gentil. Não havia dúvida de que todos sabiam o que ela era, o que tinha sido, e ainda assim a tratavam com o respeito que teriam dispensado a uma duquesa. Quando Vivien comentara sobre isso com a Sra. Buttons, a governanta tinha respondido com um sorriso irônico.

– Antes de tudo, o Sr. Morgan deixou claro que tem consideração pela senhorita e deseja que seja tratada como uma hóspede. Mas além disso, Srta. Duvall, seu caráter fala por si só. Não importa o que digam sobre a senhorita, os criados podem ver que é uma jovem boa e decente.

– Mas eu não sou – dissera Vivien.

Incapaz de encarar a governanta, ela baixara a cabeça. Houvera um longo silêncio entre elas, então Vivien sentira a mão da Sra. Buttons pousar gentilmente em seu ombro.

– Todos nós temos erros a reparar – dissera a governanta, baixinho. – E os seus não são os piores que já ouvi. Graças à profissão do Sr. Morgan, tenho conhecido alguns dos personagens mais desprezíveis que se possa imaginar, gente que não tem mais uma gota sequer de bondade ou esperança no coração. A senhorita está longe desse estado horroroso.

– Obrigada – sussurrara Vivien, abalada. – Vou tentar fazer jus a sua bondade em relação a mim.

Desde aquele momento, a Sra. Buttons passara a agir de modo protetor e quase maternal em relação a ela.

Quanto a Grant, Vivien o via pouco, já que ele estava ocupado em investigar o caso dela e mais um ou dois. Ele ia todas as manhãs ver como Vivien estava, conversava por alguns minutos, então passava o resto do dia longe. À noite, ele voltava para casa, para um jantar simples e solitário, e depois lia na biblioteca.

Grant Morgan era uma figura misteriosa para Vivien. Os romances populares que a criada, Mary, tinha lhe emprestado haviam esclarecido pouco sobre o caráter dele. Os textos enfatizavam o lado aventureiro de Morgan, detalhando os crimes que ele solucionara e a famosa perseguição a um assassino por dois continentes. No entanto, ficava claro que o autor não sabia nada dele como pessoa. Vivien desconfiava que poucos desejassem conhecer sua verdadeira natureza e preferiam as histórias exageradas que o tornavam uma lenda. Em geral, era o que acontecia com homens famosos: as pessoas queriam saber dos feitos e dos pontos fortes deles, não das vulnerabilidades.

Porém eram as fraquezas de Morgan que interessavam a Vivien. Ele parecia ter tão poucas. Era um homem reservado, aparentemente invulnerável, que não gostava de falar sobre o próprio passado. Vivien não podia deixar de se perguntar que segredos e lembranças abrigava aquele coração tão bem-guardado. Uma coisa era certa: Morgan jamais confiaria nela *daquela* forma, para se abrir.

Vivien sabia muito bem que ele desprezava a vida que ela levava antes do "acidente". Era óbvio que Morgan não gostava da mulher que ela fora nem a aprovava – e Vivien dificilmente poderia culpá-lo, já que sentia o mesmo. Para sua tristeza, ao longo das investigações Morgan parecia estar descobrindo mais fatos desagradáveis sobre ela. Ele admitira ter interrogado pessoas que a conheciam. O que quer que tivessem contado a ele, não devia ter sido de grande ajuda, tampouco agradável.

Vivien franziu o cenho e tentou empurrar para longe os pensamentos deprimentes. Ela se segurou às costas de uma cadeira próxima para manter o equilíbrio enquanto Mary fechava o vestido de veludo. Seu tornozelo tinha se curado depressa; estava quase bom, a não ser por uma dor que a incomodava quando ela ficava de pé por muito tempo.

– Pronto – disse a Sra. Buttons, satisfeita, recuando para examinar Vivien com um sorriso. – O vestido é um encanto, e a cor não poderia ser mais adequada.

Vivien caminhou com cuidado até o espelho da penteadeira, que permitia uma visão de três quartos do corpo. Para sua surpresa, a governanta estava certa. O veludo escuro fazia a pele da jovem parecer de porcelana e emprestava um tom de rubi aos cabelos. Arremates de seda preta davam o acabamento ao decote alto e discreto. Mais seda negra definia o corte vertical que ia do pescoço à clavícula, deixando à mostra um vislumbre sutil da pele branca. Não havia nenhum outro ornamento comprometendo as linhas simples do vestido a não ser os tufos de seda escura que arrematavam a bainha da saia ondulante. Era um traje elegante, adequado a qualquer dama de categoria. Vivien ficou aliviada ao descobrir que possuía roupas que não gritavam "cortesã" para qualquer um que a visse.

– Graças a Deus – murmurou, e se voltou para Mary e para a Sra. Buttons com um sorriso autodepreciativo. – Eu me sinto quase respeitável.

– Se me permitir, Srta. Duvall – falou Mary –, eu gostaria de pentear seus cabelos e prendê-los no alto adequadamente. A senhorita vai parecer uma dama das mais elegantes. E como o Sr. Morgan ficará satisfeito ao vê-la tão bem!

– Obrigada, Mary.

Vivien começou a se aproximar da penteadeira, mas parou para pegar a toalha que havia sido usada para secá-la depois do banho.

– Não, não – repreendeu-a a criada, e se adiantou ao mesmo tempo que a Sra. Buttons. – Eu já lhe disse, Srta. Duvall: não deve me ajudar com essas coisas!

Vivien entregou a toalha com um sorriso tímido.

– Sou capaz de pegar a toalha do chão com a mesma facilidade que você.

– Mas isso não é tarefa da senhorita – falou Mary, fazendo-a sentar-se diante da penteadeira.

A Sra. Buttons ficou parada perto de Vivien e encontrou o olhar dela no espelho. A governanta deu um sorriso agradável, mas havia uma expressão de curiosidade em seus olhos.

– Não acredito que estivesse acostumada a ser servida – comentou.

Vivien suspirou.

– Eu não me lembro a que estava acostumada.

– Uma dama com criados jamais pensaria em arrumar um quarto ou preparar o próprio banho, mesmo se tivesse se esquecido de tudo na vida.

– Mas sei que eu tinha criados – falou Vivien, pegando um grampo na caixinha que Mary deixara na sua frente e correndo o dedo pelas bordas irregulares. – Pelo menos foi o que o Sr. Morgan me disse. Eu era uma criatura mimada, que não fazia nada a não ser...

Ela se deteve e franziu o cenho, confusa.

A Sra. Buttons ficou observando enquanto Mary escovava uma mecha brilhante dos cabelos de um vermelho intenso.

– A senhorita certamente não se comporta como uma "criatura mimada" – declarou a governanta. – E, na minha opinião, algumas coisas não mudariam, não importa o que acontecesse com a sua memória.

A Sra. Buttons deu de ombros, a expressão tranquila, e sorriu.

– Mas não sou médica, não é? E mal consigo manter em ordem o que está na minha própria cabeça, portanto não seria capaz de dizer o que acontece na de outra pessoa.

Mary arrumou os cabelos de Vivien em uma trança simples, que prendeu em um coque alto, deixando algumas mechas caírem ao longo do pescoço e das orelhas. Vivien gostou da sensação de estar devidamente vestida e arrumada e decidiu que visitaria alguma outra parte da casa.

– Eu adoraria me sentar por algum tempo em outro cômodo – falou. – Há alguma saleta ou talvez uma biblioteca no andar de baixo? O Sr. Morgan teria alguns livros que eu pudesse folhear?

Por algum motivo, a pergunta fez com que a governanta e a criada trocassem um sorriso.

– Só alguns – retrucou a Sra. Buttons. – Vou lhe mostrar a biblioteca,

Srta. Duvall. Mas precisa tomar cuidado para não machucar novamente o tornozelo e não deve se cansar.

Ansiosa por sair um pouco do quarto, Vivien aceitou o braço que a outra mulher lhe ofereceu e as duas desceram a escada a passos cuidadosos. A casa era belíssima, cheia de painéis escuros de mogno, tapetes ingleses grossos, a mobília de linhas puras em estilo Sheraton e lareiras em mármore generosamente ornamentadas. Conforme se aproximavam da biblioteca, o ar se encheu dos aromas preciosos de cera de abelha, couro e pergaminho. Vivien inspirou, satisfeita, e entrou no cômodo. Ela foi até o centro e olhou ao redor, os olhos arregalados de fascinação.

– É um dos maiores cômodos da casa – explicou a Sra. Buttons com orgulho. – O Sr. Morgan não economizou para abrigar seus preciosos livros no melhor estilo.

Vivien ficou olhando com uma expressão reverente para as estantes muito altas, fechadas com vidro, para os armários onde se guardavam os mapas, gravados com letras douradas, e para os bustos de mármore colocados em cada um dos cantos do salão. O olhar dela recaiu sobre as mesas cheias de livros, muitos deles deixados abertos e empilhados, como se o leitor tivesse saído às pressas no meio de um trecho intrigante.

– Não é apenas uma coleção para atender à vaidade do Sr. Morgan, é?

– Não, o patrão é totalmente devotado aos livros dele.

A Sra. Buttons ajeitou uma poltrona confortável perto da lareira e abriu a cortina para deixar entrar a luz do dia.

– Vou deixá-la para que explore a biblioteca à vontade. Posso mandar lhe trazer uma bandeja de chá?

Vivien balançou a cabeça enquanto ia de uma estante a outra, o olhar examinando rapidamente as fileiras tentadoras. A governanta riu.

– Até agora, nunca tinha visto ninguém olhar para os livros como o Sr. Morgan olha – comentou.

Vivien mal se deu conta da saída da governanta. Já estava abrindo uma das portas de vidro e examinando uma fileira de volumes de poesia. Algo curioso aconteceu à medida que ela lia título após título... Muitos deles pareciam estranhamente familiares, as palavras se ligando umas às outras de um modo que a fez estremecer de surpresa. Fascinada, pegou um livro.

Ela o abriu e sentiu nos dedos a maciez do couro dobrando-se. Encontrou um poema de John Keats intitulado "Ode sobre uma urna grega". *Inviolada noiva de quietude e paz...* Foi como se ela já houvesse lido aquelas palavras milhares de vezes. Uma porta se abriu em sua mente, iluminando conhecimentos que haviam sido mantidos inacessíveis até ali. Agitada, Vivien apertou o livro contra o peito e tirou outro da prateleira, depois outro... Shakespeare, Keats, John Donne, William Blake. Reconheceu muitos outros poemas de imediato. Foi até capaz de citar de cabeça alguns trechos.

O alívio de se lembrar de *alguma coisa* a deixou quase zonza de empolgação. Vivien pegou o máximo de livros que conseguiu e os apertou contra o corpo, deixando alguns caírem na pressa. Ela queria carregar todos para um canto tranquilo e ler, ler, ler...

Em uma prateleira mais baixa, descobriu volumes já bem gastos de filosofia. Pegou *Meditações*, de Descartes, que folheou até encontrar uma determinada página, com um trecho que leu em voz alta.

– "... de todas as opiniões que recebi outrora em minha crença como verdadeira, não há nenhuma da qual não possa duvidar..."

Vivien abraçou o livro, a mente dominada por impressões caóticas. Estava certa de que já havia estudado aquela obra com alguém de quem gostava muito. A familiaridade das palavras lhe provocava uma sensação de segurança e conforto de que ela precisava desesperadamente. Vivien fechou os olhos e apertou o volume com mais força enquanto tentava recuperar alguma lembrança fugidia.

– Ora – falou alguém com uma voz profunda e sardônica, quebrando o silêncio. – Não teria esperado encontrá-la na biblioteca. O que achou aqui que despertou seu interesse?

CAPÍTULO 6

Vivien se virou e viu Morgan dominando o batente da porta, o canto da boca erguido em uma expressão rígida que passava vagamente por um sorriso. O cinza severo da calça e do colete era equilibrado por um casaco verde-musgo que iluminava o verde antigo dos olhos dele. Vivien cambaleou para a frente, empolgada, ansiosa para compartilhar sua descoberta.

– Grant – disse, ofegante, o coração disparado.

Alguns livros caíram dos braços excessivamente ocupados.

– Eu-eu encontrei isto... Eu *me lembro* de ter lido alguns deles... Você não tem ideia de como é esta sensação – falou ela, e deixou escapar uma risada frustrada. – Ah, por que não consigo me lembrar de mais coisas? Se ao menos...

– Vivien – chamou Grant, a voz tranquila, o sorriso apagando-se.

Ele a alcançou em três passadas e a ajudou a equilibrar a pilha torta nos braços sobrecarregados.

Quando viu o cenho franzido, a expressão de preocupação no rosto de Grant, Vivien se deu conta de que devia estar parecendo uma louca. Mais palavras cascatearam até os seus lábios, mas ele a silenciou gentilmente.

– Permita-me – falou, e tirou o conjunto pesado de livros dos braços dela, que já pareciam não aguentar mais.

Grant pousou os livros em uma mesa próxima e se virou de novo para Vivien. Ele colocou as mãos grandes nos ombros dela e a puxou para um abraço enquanto acariciava as costas do vestido de veludo, acalmando-a, descendo a mão suavemente até a base da coluna. Quando Grant voltou a falar, seu hálito agitou os cabelos finos na têmpora de Vivien.

– Conte-me do que se lembra.

Vivien estremeceu de prazer por estar nos braços dele.

– Sei que já li alguns desses livros com alguém de quem eu gostava muito. Não consigo ver o rosto dele nem ouvir a voz... Parece que, quanto mais eu tento, mais me foge.

– Você leu *esses* livros? – perguntou Grant, em dúvida, relanceando o olhar para a pilha torta ao lado deles.

Vivien assentiu contra o peito dele.

– Sou capaz até de recitar alguns trechos.
– Hum...
Perplexa com o murmúrio evasivo dele, Vivien encarou o rosto cético.
– Por que diz "hum" desse jeito? Não acredita em mim?
Ela mergulhou no olhar vívido e pensativo dele.
– Não combina com você – disse Grant, por fim.
– Estou lhe dizendo a verdade – insistiu Vivien, na defensiva.
– Você leu Descartes – falou ele, cada sílaba marcada pela incredulidade.
– Gostaria de ouvir sua opinião sobre o dualismo cartesiano, então.

Vivien pensou por um momento, secretamente aliviada ao descobrir que compreendia a pergunta.

– Suponho que você esteja se referindo à teoria do Sr. Descartes de que o espírito e a matéria são entidades separadas. Que não podemos confiar em nossos sentidos como base do conhecimento. Acredito que ele esteja correto e acho...

Ela se deteve para continuar mais lentamente.

– Acho que a verdade é algo que se reconhece com o coração, mesmo quando as evidências parecem provar o contrário.

Embora a expressão de Morgan não demonstrasse muita coisa, Vivien percebeu que o surpreendera.

– Parece que estou abrigando uma filósofa – disse ele, os olhos subitamente cintilando de bom humor.

Ele ajeitou o livro sobre a mesa da biblioteca e foi buscar outro na estante.

– Diga-me o que pensa de Locke, então. Fale das diferenças entre ele e Descartes.

Vivien pegou o livro e pousou a mão pequena em cima da lombada de marroquim.

– O Sr. Locke defende que a mente humana é uma tábula rasa, uma folha em branco, quando se nasce... não é isso?

Ela relanceou o olhar para Morgan e recebeu um aceno de cabeça que a encorajou a continuar.

– E ele alega que o conhecimento é encontrado na experiência. O pensamento só vem depois de aprendermos através dos sentidos. Mas acho que não concordo inteiramente com ele. Não somos folhas em branco ao nascer, somos? Acho que algumas coisas já devem existir em nós quando nascemos, antes que a experiência comece a nos modificar.

Morgan pegou o livro da mão de Vivien, devolveu-o à estante e se voltou para encará-la. Com um gesto gentil, ajeitou uma mecha de cabelos atrás da orelha dela.

– Poderia me dizer que outros livros lhe são familiares?

Vivien foi até outra estante e começou a tirar os volumes das fileiras organizadas – história, romance, teologia e teatro. Começou a fazer uma segunda pilha com eles em cima da mesa.

– Tenho certeza de que já li este, este outro e mais estes aqui... Ah, e este é um dos meus favoritos.

Grant sorriu diante do entusiasmo dela.

– Você é uma grande leitora, para uma mulher que nunca lê.

– Por que diz isso? – perguntou ela, surpresa.

– Lorde Gerard me garantiu que você não gosta de ler.

– Mas isso não pode ser verdade.

– Você é um camaleão, Vivien – comentou Grant, baixinho. – Adapta-se ao gosto de quem estiver em sua companhia.

– Então está sugerindo que escondi meu prazer pela leitura e fingi ser estúpida para atrair lorde Gerard – disse ela.

– Não seria a primeira mulher a usar esse ardil. Muitos homens se sentem desconfortáveis perto de uma mulher inteligente.

– Lorde Gerard é esse tipo de homem?

Ao compreender a resposta na expressão de Grant, Vivien deixou escapar um suspiro pesado.

– Todo dia descubro algo novo sobre mim mesma. E nunca é agradável.

Quando a viu baixar a cabeça, abatida, Grant foi assaltado por uma ânsia estranha, que nunca experimentara. Ele sempre tivera tanta certeza de quem e do que Vivien Rose Duvall era... e ela não parava de confundi-lo.

O olhar dele a percorreu de cima a baixo. Vê-la no vestido de veludo de um vermelho tão escuro que era quase negro provocou nele uma reação alarmante de tão intensa. Ele nunca se permitira imaginar que em algum lugar do mundo poderia haver uma mulher que, além de linda, fosse inteligente, bondosa e honesta. O fato de parecer ter encontrado essa mulher em Vivien era impressionante. Grant reconheceu mais uma vez que, se Vivien não tivesse sido uma cortesã e ele não conhecesse seu verdadeiro caráter, teria ficado louco por ela. Não foi uma constatação confortável.

O penteado que prendia os cabelos ruivos no alto revelava o par de orelhas mais delicado que ele já vira, um pescoço frágil e um maxilar também delicado, que deixava os dedos dele coçando para investigar a curva macia. Grant murmurou o nome de Vivien e ela levantou a cabeça para encará-lo, os olhos azuis muito límpidos e profundos, sem um traço sequer de malícia. Ao se lembrar de como aquele olhar já fora traiçoeiramente sedutor, Grant balançou a cabeça.

– O que foi? – perguntou ela.

– Você tem os olhos de um anjo.

Ele a fitou até uma onda de rubor dominá-la.

– Obrigada – disse Vivien, hesitante.

Grant pegou o braço dela com gentileza.

– Venha comigo.

Ele a levou até uma poltrona perto do fogo e a fez sentar-se. Vivien olhou para ele com uma expressão cautelosa.

– Vai continuar a me interrogar?

– Não – respondeu Grant, e um sorriso relutante surgiu em seus lábios.

Por ora, ele iria ignorar todas as contradições em relação a Vivien e apenas se permitir aproveitar o prazer de estar em sua companhia. Uma mulher linda, uma lareira ardendo em brasa, uma biblioteca cheia de livros e uma garrafa de vinho... Talvez não fosse a ideia de paraíso de todos os homens, mas Deus sabia que era a dele.

Grant levou uma braçada de livros até Vivien e os arrumou em uma pilha no chão, aos pés dela. Vivien pareceu entender que ele queria apenas passar algum tempo com ela e começou a examinar a pilha enquanto ele pegava no aparador e abria com habilidade uma garrafa de vinho Bordeaux.

Depois de encher duas taças, ele se sentou em uma poltrona ao lado de Vivien, entregando-lhe uma delas. Grant percebeu que ela tomou um gole do vinho na mesma hora, sem o ritual dos que estavam acostumados a provar rótulos antigos... sem girar o copo para verificar o aroma ou as lágrimas no vidro. Como membro da elite, Vivien na certa usava esse método. No entanto, ela não parecia uma cortesã renomada, acostumada aos luxos da vida... Parecia uma jovem inocente e protegida do mundo.

– Isso me dá esperança – declarou ela, pegando o volume que estava no topo da pilha e segurando-o no colo. – Sei que é algo pequeno, me lembrar de ter lido alguns desses livros, mas se esse pouco de memória voltou, então talvez outras coisas também possam voltar.

– Você disse que se lembrou de ter lido com alguém – mencionou Grant, e bebeu da própria taça, o olhar fixo no rosto adorável iluminado pelo fogo. – E se referiu à pessoa como "ele". Alguma impressão desse "ele"? Algum detalhe da aparência ou do som da voz? Ou a imagem de algum lugar onde pudesse estar com essa pessoa?

– Não.

As curvas suaves da boca de Vivien se tornaram tentadoramente melancólicas.

– Mas tentar lembrar me faz sentir... – procurou explicar, mas parou e encarou as profundezas cor de rubi do vinho – ... solitária. Como se eu tivesse perdido algo ou alguém que me fosse muito estimado.

Um amor perdido, especulou Grant, o que o levou a sentir uma súbita onda de ciúmes. Ele procurou disfarçar a emoção indesejada e fixou os olhos em sua taça.

– Pegue – murmurou Vivien, entregando-lhe o livro de Keats. – Não quer me dizer qual é seu trecho favorito?

Vivien observou Morgan baixar a cabeça e folhear o livro. A luz do fogo cintilava nos cabelos escuros, fazendo-os brilhar como ébano. Eram cheios e bem curtos, mas, mesmo assim, sugeriam cachos e ondas que a intrigaram. Se ele os deixasse mais longos, pensou ela, acrescentariam um toque de suavidade ao redor dos ângulos rígidos do rosto.

O olhar dela se desviou para o livro que quase sumia na mão de dedos longos. Nenhum escultor jamais desejaria capturar a forma daquelas mãos brutalmente fortes em mármore... o que era uma pena. Vivien achava as mãos de Morgan uma centena de vezes mais atraentes do que as mãos delgadas e finas de um cavalheiro. Além do mais, não pareceria certo que um homem com as proporções impressionantes dele tivesse mãos delicadas. Essa ideia a fez abrir um sorriso.

Morgan levantou a cabeça, viu a expressão dela e arqueou uma sobrancelha, sem entender.

– O que é tão divertido?

Vivien se levantou da cadeira e se ajoelhou ao lado dele, a saia ondulando brevemente, então se acomodando em uma poça de veludo no chão. Como resposta, ela pegou uma das mãos dele e mediu na dela, encostando as palmas. Os dedos de Grant se estendiam muito além do que os dela conseguiam alcançar.

– Não me lembro dos outros cavalheiros que conheci – comentou Vivien. – Mas não tenho dúvida de que você seja o maior homem que já vi.

O calor se concentrou entre as mãos espalmadas deles. Vivien recolheu a dela e secou a leve camada de umidade na saia do vestido.

– Como é ser tão alto? – perguntou.

– É uma dor de cabeça constante – respondeu Morgan com ironia, deixando o livro de lado. – A minha cabeça conhece muito bem o topo de cada batente de porta de Londres.

Vivien sorriu em solidariedade.

– Você deve ter sido uma criança desengonçada, de pernas longas.

– Como um macaco andando com pernas de pau – concordou ele, fazendo-a rir.

– Pobre Sr. Morgan. Os outros meninos implicavam com você?

– Incansavelmente. Quando não trocávamos insultos, trocávamos socos. Todos queriam ser aquele que derrotaria o maior menino do Nossa Senhora da Misericórdia.

– Nossa Senhora da Misericórdia – repetiu Vivien, sem reconhecer o nome. – É uma escola?

– Um orfanato.

Assim que as palavras saíram dos lábios de Morgan, ele pareceu se arrepender de ter revelado a informação. Diante do silêncio de Vivien, ele lhe lançou um olhar impenetrável. Por um momento, ela viu um lampejo de desafio, ou talvez de amargura, cintilar nas profundezas dos olhos verdes.

– Não fui sempre órfão – murmurou Morgan. – Meu pai era vendedor de livros, um bom homem, embora lamentavelmente inábil para tomar decisões nos negócios. Alguns empréstimos ruins feitos de amigos foram seguidos por um ano de vendas também ruins, o que acabou levando a família toda para a prisão. E, é claro, depois que se entra lá, nunca mais se sai. Não há como um homem ganhar dinheiro para pagar suas dívidas estando preso.

– Quantos anos você tinha? – perguntou Vivien.

– Uns 9... 10, talvez. Não me lembro ao certo.

– O que aconteceu?

– Uma doença se espalhou pela prisão. Meus pais e minhas irmãs morreram. Meu irmão mais novo e eu sobrevivemos e fomos mandados para o orfanato. Depois de um ano, fui jogado na rua por "perturbar a ordem interna".

Morgan recitou o motivo em um tom inexpressivo, sem emoção, mas Vivien percebeu a dor e a hostilidade por trás da fachada calma.

– Por quê? – perguntou ela em um murmúrio.

– Meu irmão, Jack, era pequeno para a idade e um tanto delicado por natureza. Os outros meninos gostavam de atormentá-lo.

– E você brigava para defendê-lo.

Ele assentiu.

– Depois de uma briga particularmente violenta, o diretor do orfanato analisou meu registro, que estava cheio de palavras como "violento" e "incorrigível", e decidiu que eu era um risco para as outras crianças. Eu me vi do lado de fora dos muros do orfanato sem comida e sem nada além das roupas do corpo. Passei dois dias e duas noites diante do portão, gritando que me deixassem voltar. Sabia o que aconteceria a Jack se eu não estivesse lá para protegê-lo. Por fim, um dos professores saiu e me prometeu que faria tudo o que estivesse ao alcance dele para tomar conta de meu irmão. Ele me aconselhou a partir e tentar criar uma vida nova para mim. E foi o que fiz.

Vivien tentou imaginá-lo: um menino assustado mandado para longe do único membro da família vivo... forçado a abrir o próprio caminho no mundo. Teria sido tão terrivelmente fácil para Morgan se voltar para o crime e para a violência como modo de ganhar a vida. Em vez disso ele acabara servindo à sociedade que o vitimara. No entanto, Morgan não fazia o menor esforço para posar como herói. Na verdade, havia deliberadamente se pintado como um canalha egoísta que defendia a lei apenas em troca de dinheiro. Que tipo de homem se comprometeria a ajudar os outros ao mesmo tempo que negava as próprias boas intenções?

– Por que isso? – perguntou ela. – Por que se tornou um patrulheiro da Bow Street?

Morgan deu de ombros e torceu os lábios em um sorriso cínico.

– Aconteceu de forma natural. Quem melhor para entender um criminoso do que alguém que veio das ruas? Estou a apenas um passo de ser um deles.

– Isso não é verdade – apressou-se em dizer Vivien.

– É, sim – murmurou ele. – Sou só o outro lado da mesma moeda ruim.

No silêncio que se seguiu, Vivien se dedicou a organizar a pilha de livros no chão. Ela pensava nas palavras desoladoras, na imobilidade do corpo grande, na tensão que pairava no ar. Morgan parecia insensível e rígido como um bloco de granito. No entanto, Vivien suspeitava que aquela aparente invulnerabilidade fosse ilusão. Ele conhecera tão pouca delicadeza na vida, tão pouco carinho... Uma ânsia poderosa a dominou: de abraçá-lo, de puxar a cabeça dele para seu ombro. Mas o bom senso prevaleceu. Ele não iria desejar, nem receber bem, qualquer conforto que ela oferecesse, e era provável que a resposta às preocupações de Vivien fosse algo zombeteiro que a humilharia.

Contudo outra pergunta escapou de seus lábios antes que ela pudesse se conter:

– Onde está seu irmão agora?

Morgan pareceu não ouvir.

– Onde está Jack? – perguntou Vivien, ajoelhando-se diante dele e fitando o rosto que ele mantinha voltado para o outro lado.

Os olhos verdes encontraram os dela com uma intensidade abrasadora.

– Por favor – disse ela, baixinho. – Você conhece o pior a meu respeito. Com certeza pode confiar em mim a esta altura. Conte-me.

O rosto de Morgan ficou rubro. Foi como se um terrível segredo estivesse derramando veneno dentro dele. Quando Vivien já achava que não teria resposta, ele falou em um murmúrio rouco, hesitante, tão baixo que ela não conseguiu ouvir algumas palavras.

– Voltei para pegar o Jack assim que pude. Tinha conseguido uma promessa de trabalho para ele na barraca de um peixeiro onde eu limpava e embalava peixes. Sabia que deixariam Jack ir embora do orfanato se... algum parente se responsabilizasse por ele. Eu tinha quase 14 anos, já era um homem pela maioria dos padrões, estava pronto para tomar conta dele. Mas, quando cheguei ao Nossa Senhora da Misericórdia e perguntei por Jack... disseram que ele tinha partido.

– Partido? – repetiu Vivien. – Ele tinha fugido?

– Varíola. Metade das crianças do orfanato pegou. Jack morreu sem que eu estivesse ao lado dele... sem ter ninguém que o amasse ali.

Vivien se viu sem palavras. Ela fitou Grant com uma profunda tristeza e pressionou a mão com força na própria coxa, para evitar tocá-lo.

– E eu sabia que, se tivesse chegado mais cedo... poderia tê-lo salvado – disse ele, em voz baixa.

– Não – falou Vivien, chocada. – Você não deve pensar dessa forma.

– É um fato. Não há outra forma de pensar.

– Não está sendo justo consigo mesmo.

– Falhei com ele – disse Grant sem rodeios. – Isso é tudo o que importa.

Ele se levantou em um movimento ágil, se voltou para o fogo e ficou olhando os carvões em brasa. Pegou um atiçador e empurrou um pedaço de lenha até ele pegar fogo.

Vivien também se levantou, as mãos cerradas enquanto olhava para as costas rígidas e largas, a cabeça desenhada contra o fogo. A compaixão que sentiu por ele naquele momento se sobrepôs a qualquer preocupação com os próprios problemas. Morgan devotava a vida a servir aos outros porque não fora capaz de salvar o irmão. Ainda assim, não importava quantas vezes ele resgatasse, ajudasse e servisse a outras pessoas, nunca conseguiria se absolver de seu único grande fracasso. Seria assombrado pela culpa pelo resto da vida. Vivien se sentiu dominada por um desejo ardente de encontrar algum modo de ajudá-lo. Mas não havia nada que pudesse fazer.

Ela pousou a mão no ombro dele e a deixou deslizar até a nuca quente. O corpo de Grant pareceu se enrijecer ao toque dela, e Vivien sentiu os nervos do pescoço dele ficarem tensos. Ele se desvencilhou praguejando baixinho, como se ela o tivesse esfaqueado.

– Não – falou, rude. – Não preciso da piedade de uma...

Grant se deteve, reprimindo o resto da frase.

A palavra não dita pairou no ar entre eles.

Vivien sabia perfeitamente o que ele estivera prestes a dizer, e a mágoa que sentiu foi enorme. Mas por que ele não completara a frase? Por que controlara o próprio temperamento no último segundo em uma tentativa de poupar os sentimentos dela? Vivien o encarou com curiosidade, sentindo uma falsa calma envolvê-la.

– Obrigada – falou, com apenas um leve tremor na voz. – Obrigada por não dizer.

– Vivien – chamou Grant, a voz rouca. – Eu...

– Eu não deveria ter feito perguntas tão pessoais – disse ela, agarrando-se ao pouco de dignidade que lhe restava enquanto já saía da biblioteca. – Estou muito cansada, Sr. Morgan. Talvez seja melhor eu me recolher.

Vivian o ouviu começar a dizer mais alguma coisa, mas fugiu o mais rápido que pôde e o deixou contemplando o fogo.

~

Morgan saiu de casa bem antes do jantar, e Vivien fez a refeição sozinha. Ela se perguntava que companhias ele teria ido procurar naquela noite, se iria para um café, tomar parte de alguma discussão política, ou se visitaria seu clube de cavalheiros para jogar cartas enquanto uma moça atrevida se acomodava em seu colo. Não haveria escassez de mulheres para um homem como aquele. Morgan tinha a aparência de um cavalheiro e também um toque de insolência das ruas, o que era uma combinação irresistível. Não era de espantar que inspirasse fantasias nas mulheres de Londres, tanto das classes mais altas quanto das mais baixas.

Vivien sentiu um peso frio se alojar em seu peito, tornando difícil comer mais do que algumas garfadas do jantar. Ela pegou vários livros, se enfiou na cama e leu até a meia-noite. No entanto, os livros não puderam exercer a magia de sempre. Ela não conseguiria se perder nas palavras escritas enquanto uma vastidão de problemas parecia pairar sobre a cama como espíritos malévolos.

Alguém havia tentado assassiná-la e provavelmente tentaria de novo se descobrisse que ela estava viva. Embora tivesse confiança na habilidade de Morgan de protegê-la e de desmascarar o culpado, também sabia que ele não era infalível. E, em vez de oferecer ajuda a ele, de lhe dar informações que o levariam a solucionar o caso, ela estava sentada ali, como uma tonta, com todos os fatos relevantes trancados em alguma câmara impenetrável da mente. Era de enlouquecer.

Vivien deixou o livro de lado, virou de bruços e ficou olhando para as sombras que o lampião na mesa de cabeceira projetava. O que seria dela? Havia se arruinado ao escolher um caminho pelo qual nenhuma mulher decente teria se aventurado. Agora lhe restavam poucas opções além de voltar à prostituição, encontrar algum homem que aceitasse se casar com ela ou se arriscar em algum trabalho respeitável que talvez lhe rendesse o bastante para sustentá-la. Apenas a terceira opção lhe pareceu razoavelmente boa. Mas quem a empregaria quando ela já tinha a reputação arruinada?

Olhou, distraída, para uma mecha dos cabelos vermelhos que se espalhava pelo colchão. Sem vaidade, ela compreendia que sua aparência era o suficiente para atrair os homens, quer desejasse ou não as atenções deles. Jamais conseguiria esconder o fato de já ter sido prostituta. A verdade sempre aparecia. Não importava que trabalho arrumasse, sempre haveria homens insultando-a e fazendo propostas, impondo barganhas sexuais se ela quisesse manter o emprego.

Foi consumida por pensamentos cada vez mais desagradáveis até cair em um sono inquieto. Mais pesadelos a aguardavam: sonhos com água, afogamento, sufocamento. Ela se agitou em meio aos lençóis, chutando e debatendo-se a ponto de desarrumar a cama inteira. Acordou com um grito baixo e se sentou muito ereta, respirando com dificuldade, os olhos fitando a escuridão às cegas.

– Vivien.

A voz baixa fez com que se sobressaltasse, em uma reação assustada.

– O que...

– Eu a ouvi gritar. Vim ver se estava bem.

Morgan, pensou ela, mas a presença familiar dele não a relaxou. Por uma fração de segundo, Vivien temeu que ele estivesse ali para exigir que ela o aceitasse na cama. Na cama que, por sinal, era dele.

– Foi só um pesadelo – disse ela, a voz trêmula. – Estou bem agora. Desculpe se o incomodei.

Vivien enxergou a silhueta de Morgan desenhada contra a escuridão, uma figura enorme nas sombras aproximando-se da lateral da cama. Seu coração disparou em sinal de alarme. Ela deslizou para o centro do colchão e ficou rígida quando ele encostou nas cobertas. Em poucos movimentos rápidos e ágeis, Morgan ajeitou o lençol que forrava a cama e o que ficava sob a manta.

– Quer um copo d'água? – ofereceu.

A pergunta foi tão prosaica que a acalmou. Embora Vivien não se lembrasse de nada sobre homens e questões sexuais, não parecia provável que um sedutor oferecesse um copo d'água a uma mulher antes de violá-la.

– Não, obrigada – murmurou ela, e ajeitou o travesseiro sob a cabeça.

Uma risada trêmula escapou de seus lábios.

– Talvez você pudesse acender o lampião – sugeriu. – Os pesadelos são tão vívidos que estou com medo de dormir de novo. Tolice, não é? Pareço uma criança com medo do escuro.

– Não, não é tolice – garantiu ele, depois o tom de sua voz mudou. – Deixe-me ficar com você esta noite, Vivien. Faltam poucas horas para amanhecer.

Ela ficou em silêncio, confusa.

– Vou abraçá-la como amigo – falou Morgan, baixinho. – Como um irmão. Tudo o que quero é afastar os pesadelos.

Ele fez uma pausa, e um toque sutil de humor permeou suas palavras seguintes:

– Bem, isso não é *tudo* o que quero... mas o resto ficará para depois. Devo ficar aqui ou você prefere a luz do lampião a mim?

Mais do que um pouco surpresa, Vivien percebeu que realmente queria que ele ficasse. Não era a decisão mais sábia. Com certeza estava procurando problemas. Mas o conforto de outro ser humano junto a ela manteria os pesadelos distantes... e ajudava bastante o fato de Morgan ser um homem grande, forte e que não tinha nada a temer.

– Deixe-me perguntar uma coisa primeiro – falou ela, em um tom cauteloso. – O que você está usando?

– O que quer dizer? – perguntou Morgan, sem entender.

Ela decidiu ser direta.

– Você não está nu, está?

– Vesti um roupão antes de entrar aqui – respondeu ele. – Desapontada?

– Não – respondeu Vivien, tão depressa que arrancou uma risada de Morgan.

– Sou bem impressionante despido.

– Vou aceitar sua palavra em relação a isso.

– Vamos decidir, Srta. Duvall... devo ficar ou partir?

Vivien hesitou uma última vez antes de responder:

– Fique – falou, baixinho.

CAPÍTULO 7

O colchão afundou sob o peso considerável de Morgan. Vivien respirou fundo e pressionou a barriga com os punhos para tentar se acalmar. As cobertas foram levantadas e o corpo masculino longo e grande deslizou ao lado dela. Na mesma hora Vivien se sentiu aquecida e aconchegada, com os dois acomodados entre as camadas de linho e lã.

Com extremo cuidado, Morgan passou o braço ao redor da cintura dela e a puxou de costas para junto de si. Os dois ficaram encaixados um ao outro. Vivien não conseguiu conter um arquejo baixo ao sentir o calor animal e a rigidez do corpo dele, evidente através das camadas de roupas de dormir que os separavam.

– Não está com medo, está? – perguntou ele em um murmúrio.

– Não – respondeu Vivien, ofegante. – Mas... estou tendo dificuldade em pensar em você como um amigo.

O braço ao redor da cintura dela a apertou só mais um pouco.

– Ótimo – falou Grant, a voz rouca.

Vivien ficou em silêncio por algum tempo, absorta na sensação de ser abraçada por ele. Estava cercada pelo aroma de sabonete e pele masculina limpa e pelo calor que afastava o ar frio da noite. Sentiu os membros ficarem pesados e relaxados e gostou de se encaixar no corpo de Grant. Chegou um pouquinho mais para trás, desejando estreitar aquele contato delicioso. Grant levou a mão com gentileza ao quadril dela, fazendo-a parar.

– Não se balance demais – falou ele, quase rabugento. – Não sou um eunuco.

Vivien sentiu um profundo constrangimento ao se dar conta da forma ardente da ereção que se elevava contra suas nádegas e a base de suas costas.

– Acho que não foi uma boa ideia – disse com certo esforço. – Nunca vou conseguir dormir deste jeito.

– Quer que eu vá embora?

Vivien permaneceu em silêncio, confusa, avaliando a pergunta. Estava dividida entre os alertas de sua consciência e o absoluto prazer físico de estar nos braços de Grant.

A consciência dela estava prestes a se decepcionar.

– Bem... – disse ela, hesitante. – Não vou dormir, mas pelo menos não terei pesadelos.

Grant riu.

– Fico feliz por confiar em mim. Achei que recusaria minha oferta.

– Quase fiz isso – confessou ela. – Mas me ocorreu que, se pretendesse me violar, já teria tido algumas oportunidades de fazer isso antes de hoje.

– Eu jamais forçaria as minhas atenções a uma mulher que não as desejasse.

– Imagino que seja raro encontrar uma dessas mulheres.

– Houve algumas – comentou ele com ironia.

Em silêncio, ainda encostada nele, Vivien sentiu seu hálito lhe agitar os pelos da nuca. Um dos pés dela tocava o tornozelo dele, e o roçar dos pelos grossos masculinos lhe provocava cócegas agradáveis. Grant era uma criatura incrivelmente masculina. Saber que toda aquela força e virilidade permaneceriam contidas à espera do consentimento dela deveria tê-la assustado. Em vez disso Vivien estava fascinada. Flertar com o perigo era uma sensação inebriante.

– Grant? – chamou ela, baixinho. – Por que nunca se casou?

Ele riu.

– Não sou do tipo que se casa.

Ele pegou a trança dela e ficou brincando com a ponta macia dos cabelos.

– Nunca pensou em ter esposa e filhos?

– Que razão eu teria para isso? Não sinto nenhuma necessidade irresistível de continuar uma linhagem medíocre. Também não confio muito em minha capacidade de permanecer fiel a uma única mulher pelo resto da vida. Quando quero companhia feminina, consigo. Meus criados tomam conta da casa e cuidam das minhas refeições e do meu conforto. De que me serviria uma esposa?

– Nunca conheceu uma mulher sem a qual não conseguisse viver?

Ela sentiu o sorriso dele contra a nuca.

– Você leu muitos romances.

– Tenho certeza que sim – disse ela, em um tom melancólico. – Ainda assim... não vai se arrepender, quando estiver velho e grisalho e sem uma companheira com quem relembrar o passado...

– E sem netos subindo no meu colo – completou Grant. – Obrigado, mas não tenho a menor ambição de gerar descendentes para puxar minhas costeletas e esconder minha bengala atrás do sofá. Prefiro ter um pouco de paz na velhice... se eu viver tanto tempo.

– Como você é cínico.

– Sou mesmo – respondeu Grant, sem se alterar. – E o estranho nisso tudo é que você também é. Contudo, escutando-a agora, qualquer um pensaria que se trata de uma idealista inocente.

– Não me sinto cínica – comentou Vivien depois de um instante. – Não me sinto nada do que você diz que sou.

Seguiu-se um silêncio contemplativo, e ela sentiu a pressão cálida da mão dele acomodando-se em seu ombro.

– Grant – chamou Vivien, abafando um bocejo. – Quando vou poder visitar minha casa?

– Quando o Dr. Linley disser que você está bem o suficiente para andar por aí.

– Ótimo. Ele vem me ver amanhã. Estou certa de que não fará objeções que eu vá até minha casa.

– Por que a pressa? – perguntou ele. – O que espera encontrar lá?

– Minha memória.

Ela ajeitou a cabeça no travesseiro macio.

– Quando eu vir as coisas que me são familiares, meus próprios livros, tenho certeza de que todas as recordações vão voltar. Estou exausta de me sentir tão... tão *em branco*.

– Você não tem muitos livros – comentou Grant. – Não me lembro de ter visto mais do que uns poucos pela casa.

– Ah.

Vivien se virou para encará-lo. Os narizes de ambos quase se tocaram no escuro.

– Por que agora gosto de coisas que não gostava antes?

– Não sei.

O hálito dele, com aroma de canela e um leve toque de café, roçou o queixo dela.

– Talvez Linley tenha uma resposta para isso – completou Grant.

– O que acha que vai acontecer depois que eu recuperar a memória? Voltarei a ser o que era?

– Espero que sim – murmurou ele.

– Por quê? – perguntou Vivien, magoada com a declaração tão direta. – Não gosta de mim como sou agora?

– Gosto demais de você como é agora – retrucou Grant bruscamente. – O que torna inconveniente demais para mim...

– O quê?

Ele não respondeu, só murmurou um impropério que deixou os ouvidos dela em fogo.

– Estou lhe avisando, Vivien: se estiver fazendo algum joguinho comigo, vou acabar eu mesmo matando você.

– Não estou fazendo joguinho nenhum – retrucou ela, indignada. – Por que faria isso? Se eu tivesse algo para contar em relação à pessoa que tentou me afogar, acredite em mim, eu falaria na mesma hora. Não estarei segura até ele ser pego, certo?

– Não, não estará. O que leva a um último ponto... Você não irá a lugar nenhum sem mim.

– É claro. Não sou idiota.

As mãos grandes de Grant viraram o rosto dela para longe do dele e a colocaram no centro da cama, até os dois estarem a pelo menos um braço de distância.

– Agora, fique aí – disse ele. – E é melhor não rolar na minha direção durante a noite, pois não vai gostar do que irá acontecer.

– Não há perigo de que isso aconteça – respondeu ela, com audácia. – Esta cama é tão grande que parece que estamos em condados diferentes.

De algum modo, contra as próprias expectativas, Vivien conseguiu pegar no sono e não foi perturbada por sonhos. Acordou uma ou duas vezes e viu a silhueta do corpo de Morgan. Havia certo conforto em dormir com um homem, algo que Vivien não se lembrava de ter experimentado, uma sensação de estar protegida. Talvez eles tivessem alguma utilidade, pensou ela, já quase adormecendo, e se deixou afundar em um sono agradável.

~

Aquela foi uma das piores noites da vida de Grant. Oferecer-se para ficar com Vivien tinha sido loucura, e ele pagara caro por isso. Tentara ser gentil – um erro que não voltaria a cometer tão cedo.

Não, corrigiu-se Grant, mal-humorado, tentando ser honesto consigo mesmo: gentileza não tivera nada a ver com a oferta que fizera a Vivien. Simplesmente quisera abraçá-la. O afeto relutante que sentia por ela, combinado com uma poderosa atração física, tornava impossível manter-se longe. Ele queria ser a única pessoa a quem Vivien recorreria, aquela que supriria todas as suas necessidades. E isso era errado.

Por que seu plano simples de vingança estava se tornando tão confuso?

Porque Vivien era calorosa, animada e inesperadamente inteligente, tudo o que ele admirava em uma mulher. Ainda não fizera amor com ela nem uma vez e já tinha certeza de que uma noite, uma semana, um mês com Vivien não seriam o bastante. Grant a queria por um longo tempo. E a queria daquele jeito, sem memória, sem a sofisticação e a vaidade que antes a tornavam tão repulsiva.

Maldita Vivien! Seria muito mais fácil se ela continuasse repulsiva. Então ele poderia usá-la e descartá-la, depois rir dela, dizer que merecera o troco. Porém agora aquilo já não era possível. Ele não conseguiria magoar Vivien. Provavelmente, mataria qualquer um que tentasse.

Grant abriu os olhos inchados e ardidos e encarou, taciturno, a forma delgada aninhada a ele com tanta confiança. Vivien se aconchegara ao corpo dele havia pelo menos uma hora, fazendo cada nervo de Grant gritar em protesto. As mãos dele chegaram a tremer de vontade de arrancar a roupa dela. Ele pensara em possuí-la naquele momento, antes mesmo que acordasse, quisera penetrar o corpo feminino doce e quente até levar ambos ao êxtase. Mas não abusaria da confiança de Vivien... e não conseguia se forçar a afastá-la. Então ficou ali, sofrendo e esperando, o ventre quente, ardendo de necessidades carnais que ele mal conseguia controlar.

Mal-humorado, ele se lembrou das últimas horas, cada uma mais deliciosamente torturante do que a anterior. Cada movimento do corpo de Vivien, cada virada de cabeça no travesseiro e cada suspiro que escapava dos lábios dela o provocavam e excitavam quase além do que ele poderia suportar. Ele, que sempre se orgulhara de ser o mestre das próprias paixões, agora se via reduzido a um tolo descuidado. Tudo por causa de uma mulher miúda que já dormira com metade dos homens de Londres. Grant já começava a não se importar com isso. Vinha até arrumando desculpas para a legião de amantes que Vivien tivera. Malditos fossem todos! Ele só queria ser um deles.

O corpo adormecido se encaixava perfeitamente no dele, e a bainha da camisola se enrolara ao redor de seus joelhos. Os tornozelos e as panturrilhas esguios estavam encostados nas pernas dele. Vivien era como uma boneca pequenina e delicada. O calor e o cheiro natural da pele dela faziam o sangue de Grant disparar a ponto de deixá-lo zonzo. Ele pressionou o queixo com a barba por fazer nos cabelos ruivos sedosos. Ansiou por desfazer a trança e espalhar os cachos macios pelo próprio peito, pelo pescoço...

Como se a intensidade dos pensamentos dele de alguma forma tivesse se comunicado com ela, Vivien suspirou no sono e um de seus pés se insinuou entre os dele.

Aquilo foi a ruína de Grant. Ele não conseguiria mais se impedir de tocá-la, da mesma forma que não conseguiria impedir os pulmões de inspirarem o ar ou o coração de bater.

Pousou a mão na curva da cintura de Vivien e deixou o polegar correr pela costela. O corpo dela era flexível e delicado. Excitado, ele deixou a mão subir, os dedos explorando a curva doce na base do seio, envolvendo-o. Encheu a mão com a carne macia e se perguntou o que haveria em Vivien que a tornava tão diferente de qualquer outra mulher que conhecera. Ela parecia ter sido feita sob medida para ele. Quantos homens haviam se sentido daquela forma?, perguntou-se Grant, irritado, lutando contra a necessidade primitiva de colocar a própria marca nela, apagando cada beijo, cada carícia que não tivesse vindo dele.

Correu o polegar em um círculo lento sobre o bico do seio dela, acariciando-o até sentir o mamilo se enrijecer. Não era o bastante tocá-la por cima do tecido. Grant estava morrendo de vontade de sentir a pele nua, saboreá-la, pôr os lábios em cada parte do corpo dela. Quando segurou o mamilo sensível entre o polegar e o indicador, ouviu o ritmo da respiração de Vivien se alterar, passando de relaxado a superficial e acelerado.

Um tremor quase imperceptível do corpo até então imóvel a traiu. Vivien estava acordada... sabia que ele a estava tocando... e não tentara escapar. Aquilo significava algo, embora fosse difícil dizer se ela se mantivera imóvel pelo choque, por vontade própria ou por simples curiosidade. Grant soltou o seio com todo o cuidado e deixou a mão descer pelo torso dela... devagar, bem devagar, até alcançar o vale do abdômen, a pele suave onde o algodão delicado escondia o aglomerado de pelos cor de canela. Ele sentiu o corpo de Vivien estremecer, e ela se preparou para fugir.

Grant levou os lábios à lateral do pescoço dela e os deslizou até encontrar a depressão minúscula abaixo da orelha, sussurrando para tranquilizá-la, dizendo que a queria, que precisava dela, que seria gentil e paciente. Ele deixou a mão escorregar até o meio das coxas de Vivien, envolvendo suavemente a carne macia enquanto pressionava o membro rígido contra o quadril dela. Estava lhe dando a chance de se afastar, caso desejasse.

Entretanto Vivien permaneceu ali, reagindo com um estranho constrangimento, como uma virgem aturdida e cheia de ardor. Com a respiração acelerada, ela se virou em um esforço para ele, os olhos fechados com firmeza enquanto pousava a mão nos ombros dele. Grant a beijou, a boca lenta, investigando, a língua envolvendo a dela em movimentos provocantes. Vivien gemeu e desceu as mãos pelas costas dele, abraçando-o com mais força enquanto ele se erguia acima dela.

A porta vibrou com uma batida superficial. E foi aberta antes que alguém respondesse, para que a criada desse início à rotina de limpar a lareira e acender o fogo da manhã. A jovem entrou no quarto e na mesma hora viu que a cama estava ocupada por duas pessoas em vez de uma. Ela parou onde estava e deixou escapar uma exclamação consternada.

Ao se dar conta da intrusão, Vivien ficou paralisada sob o corpo de Grant, os olhos azuis cheios de pânico.

Grant levantou a cabeça e olhou, irritado, para a criada.

– Agora não – disse apenas.

– Sim, senhor – murmurou ela, e saiu às pressas, fechando a porta ao passar.

Não era culpa da jovem, claro. Os empregados da casa de Morgan não estavam acostumados a acontecimentos daquele tipo, já que Grant visitava suas ocasionais parceiras de cama na casa *delas*. Assim, nunca exigira grande privacidade em relação ao próprio quarto. No entanto, aquilo estava prestes a mudar. Aborrecido, Grant decidiu que ordenaria à governanta que instituísse uma nova rotina imediatamente na casa.

Pela expressão abalada de Vivien, ficou claro que qualquer inclinação amorosa havia desaparecido. O corpo dela estava rígido, e o rosto, vermelho de vergonha. Emburrado, Grant rolou para o lado e a viu sair depressa da cama. Ele sentia o ventre latejar com uma ereção que custaria a ceder. Se não se aliviasse logo, provavelmente acabaria aleijado.

Vivien pegou a peliça para cobrir a camisola e se apressou em fechar a peça de roupa. Em seguida, derramou água fria em uma bacia e se concentrou em molhar o rosto enrubescido. Grant a observava com atenção, reparando na coluna rígida e na agitação de seus movimentos. Vivien secou o rosto com uma toalha, endireitou os ombros e se virou para ele com a expressão de alguém pronto a encarar uma tarefa desagradável.

– Quer que eu volte para a cama? – indagou, encarando o chão acarpetado.

A pergunta pegou Grant de surpresa. Na verdade, ele queria... mas primeiro precisava saber por que Vivien fizera a oferta. Quando questionou isso, ela manteve o olhar afastado dele.

– Eu lhe devo isso – falou ela, a voz inexpressiva. – Você salvou minha vida, me ofereceu sua hospitalidade e proteção... Além disso, é preciso considerar o relacionamento que tínhamos antes de eu perder a memória. Não é como se nunca tivéssemos feito... isso. Levando tudo em conta, é hipócrita da minha parte me recusar. Se quiser, estou disposta a voltar para a cama.

Ela estava determinada como uma mártir. A postura rígida e o rosto desviado foram mais eficazes que um balde de água fria na paixão dele.

– Não, eu não "quero" – murmurou Grant, frustrado e mal-humorado. – Maldito seja eu se a quiser de volta à minha cama como se fizesse um sacrifício.

Ele saiu da cama e fechou a frente do roupão desarrumado, encarando-a com uma expressão zombeteira ao ver o rubor no rosto dela se aprofundar diante do vislumbre da nudez dele.

– O rubor virginal não combina com você, Vivien. Não esqueça que eu a conheci antes que perdesse a memória.

– O que você quer de mim? Já lhe ofereci o meu corpo. Se entendi direito, sua reclamação é por eu não demonstrar entusiasmo suficiente.

Ele respondeu com um olhar expressivo.

– Entusiasmo *suficiente*? – repetiu Grant, ácido. – Isso parece mais o entusiasmo de Joana d'Arc caminhando para a fogueira.

Um silêncio pesado pairou no quarto. O lindo rosto de Vivien tinha uma expressão de arrependimento, mas seus olhos cintilavam, bem-humorados. Ela se virou rapidamente, não sem antes Grant ver seus lábios estremecerem com uma risada abafada.

– Desculpe – disse ela, a voz abafada. – Isso não foi nada lisonjeiro, foi?

– Não, não foi – resmungou ele.

Grant também riria se não estivesse atormentado por uma ereção dolorosa. Ele voltou para a cama, se virou de bruços e enterrou o rosto no travesseiro, aguardando a rigidez do membro se acalmar. Ao sentir Vivien se aproximar, levantou a cabeça e olhou para ela com uma expressão de alerta.

– Fique longe de mim... senão posso acabar decidindo arrastá-la para a cama de qualquer modo.

– Sim, senhor – falou ela, de um jeito dócil. – Talvez seja melhor eu pegar minhas roupas e me vestir no outro quarto.

– Faça isso.

Grant voltou a enfiar a cabeça no travesseiro e deixou escapar um suspiro contrariado.

~

Vivien escolhera um majestoso vestido de veludo azul com seda italiana e mangas bufantes no alto e justas do cotovelo aos punhos, que eram arrematados com renda branca, assim como o decote alto. Ela virou o corpo, desajeitada, e fechou o máximo de botões nas costas que conseguiu alcançar, mas logo resolveu que pediria a ajuda de Mary para completar a tarefa.

Então desfez as tranças e passou os dedos pelas mechas, pelos cachos amassados, e foi até um espelho oval pendurado em uma parede coberta de tecido. O vestido era lisonjeiro e destacava o azul dos olhos dela e o rubor incontrolável que ainda coloria seu rosto.

Quando pensou em Grant no quarto ao lado, deixou escapar um suspiro hesitante. Ela sentia o corpo quente e as mãos frias. Via-se dominada por uma desconcertante mistura de agitação e prazer. Mesmo depois da interrupção, queria voltar para ele, pedir que a tocasse de novo... que a tivesse sob seu corpo.

Vivien compreendia a mecânica do ato sexual, mas não tinha lembrança de já tê-lo feito e nenhuma ideia de como agir. O fato de ignorar tantas coisas a deixava muito nervosa. Ele havia sido tão gentil que ela quase se rendera às suas experientes mãos masculinas. Ninguém, sobretudo ela, poderia negar que Grant Morgan era atraente. Mas ela não o amava. E algum instinto arraigado a alertava de que a intimidade sexual deveria ser reservada a um homem que amasse muito. Era uma sensação oposta ao modo como ela levara a própria vida até o incidente.

Frustrada, Vivien levou a mão à cabeça e gemeu. Não poderia culpar Grant por desconfiar que ela estivesse fazendo algum joguinho. De que outra forma o comportamento intrigante dela poderia ser explicado? Era uma cortesã, e ninguém pode mudar sua natureza do dia para a noite.

– Ah, por que não consigo me lembrar? – disse em voz alta, levando os punhos cerrados às têmporas e pressionando com os nós dos dedos as veias que pulsavam ali.

~

Grant se vestiu e partiu para a Bow Street sem comer nada, sem ler o *Times* e também sem trocar uma palavra sequer com Vivien. Era óbvio que a criada havia contado aos outros empregados da casa sobre a cena que vira no quarto. Cada um deles, inclusive a Sra. Buttons, o tratara com uma polidez tão cuidadosa que fez Grant ter vontade de arrancar a cabeça de alguém.

Ele entrou no número quatro da Bow Street e entregou o casaco à Sra. Dobson. A central do magistrado estava cheia de atividade e ao mesmo tempo silenciosa naquela manhã enquanto sir Ross Cannon terminava de redigir a mais recente edição de *The Hue and Cry*. O relatório semanal circulava entre magistrados de ponta a ponta da Inglaterra, contendo detalhes sobre criminosos ainda soltos e a descrição de seus malfeitos.

Quando Grant se aproximava do escritório de Cannon, o magistrado apareceu à porta e entregou o maço de papéis e um lápis para ele.

– Que bom que chegou – disse Cannon. – Revise isto. Vai para a prensa em dez minutos.

Grant apoiou o ombro no batente da porta e leu depressa o documento, marcando pequenas correções aqui e ali. Quando terminou a tarefa, entrou na sala de Cannon, onde encontrou Keyes folheando um manual de procedimentos. Vaidoso como sempre, Keyes usava calça verde-musgo, um colete bordado de brocado creme e um paletó marrom feito sob medida. Ao redor do pescoço trazia um lenço arrumado de forma intrincada, como uma cascata, que mantinha seu queixo erguido.

– Bom dia – falou Grant, e pousou *The Hue and Cry* revisado em cima da escrivaninha de mogno de Cannon.

Keyes respondeu com um grunhido aleatório, porque tinha acabado de encontrar a passagem que procurava. Ele leu metade de uma página, fechou o livro e o pôs de volta junto dos outros na prateleira.

Nesse meio-tempo, Grant se sentou em uma cadeira perto da escrivaninha de Cannon. Enfiou a mão no bolso do casaco, pegou o caderninho de capa de couro que encontrara na casa de Vivien e o examinou, mal-humorado. Grant estudara cada página várias vezes, em busca de informações. Àquela altura, os detalhes ali já não deveriam atormentá-lo, mas os atos descritos na delicada letra feminina ainda lhe provocavam uma sensação desagradável. Cada palavra incendiária estava gravada na memória de Grant como se tivesse sido pregada ali.

– O que está lendo? – perguntou Keyes.

Grant respondeu com uma risada breve e sem humor.

– Não é adequado para alguém tão jovem como você, Keyes.

– Eu julgarei isso.

O homem mais velho pegou o caderno das mãos de Grant. Quando abriu o volume e leu uma ou duas páginas, as sobrancelhas cheias se ergueram como duas aranhas escalando sua testa.

– Que coisa mais suja – comentou, e devolveu o caderno. – Posso lhe perguntar a identidade da autora?

Grant deu um sorriso sombrio.

– Não iria querer conhecê-la, Keyes. Ela é uma bruxa provocante. Com um sorriso, consegue virar suas entranhas do avesso.

Embora continuasse a agir de forma deliberadamente casual, os olhos de Keyes estavam alertas, interessados.

– Isso tem a ver com o corpo encontrado no rio, não tem? Ela ainda está viva... e você a está abrigando em casa. Ouvi rumores.

Grant se recostou na cadeira e encarou o outro patrulheiro com um olhar impassível.

– Já deveria saber que não deve dar ouvidos a rumores, Keyes.

– Quem é ela? – insistiu o outro. – Ela já contou quem a agrediu?

– Por que todo esse fascínio pelo meu caso? – retrucou Grant.

– Só desejo oferecer a minha ajuda, se precisar – falou Keyes. – Afinal, você me ajudou uma ou duas vezes. Você parece estar um pouco na defensiva, amigo... Uma ou duas perguntas, e já está me olhando como um urso ferido.

– Se eu precisar de ajuda, pedirei.

– Faça isso – retrucou Keyes com um sorriso neutro, e saiu da sala.

Grant ficou sentado em silêncio, sisudo. Keyes tinha razão: ele *estava* na defensiva e mal-humorado, como estaria qualquer outro homem em seu lugar. Quando estava com Vivien, era fácil esquecer quem ela era e do que era capaz. Só quando se via longe dela é que Grant conseguia perceber a situação sob a luz verdadeira. Ela era uma cortesã, uma mulher que já provara ser incapaz de amar e de ser fiel. Alguém tentara matá-la, muito provavelmente um dos antigos amantes. O trabalho dele era descobrir quem a atacara e capturá-lo. Então seria hora de tirar Vivien Duvall da casa e da vida dele para sempre... antes que ela arrancasse seu coração do peito.

Sir Ross reapareceu na sala e seguiu direto para o bule de cerâmica que continha o café. Ao mesmo tempo, a gata dele, Talhada, atravessou preguiçosamente o batente da porta, subiu em um canto desocupado da escrivaninha e se deitou de lado, observando Grant com uma expressão solene.

– Bom dia, Talhada – murmurou Grant, e estendeu a mão para acariciar a cabeça peluda.

Talhada se desvencilhou com desdém e estreitou os olhos. Aceitou com relutância o carinho e apoiou a cabeça nas patas. Grant não conseguiu conter um sorriso diante da postura resignada do animal.

– Exatamente como uma mulher – murmurou. – Você só dá atenção a alguém quando quer alguma coisa.

Cannon se serviu de uma xícara do pouco café que sobrara no bule e fez uma careta assim que provou a bebida. Estava morna e cheia de pó.

– Sra. Dobson – chamou ele, enfiando a cabeça de cabelos escuros para fora da sala. – Meu bule está vazio.

Eles ouviram um protesto do outro lado do corredor, entremeado por uma repreensão:

– ... seus nervos, senhor...

– Meus nervos estão ótimos – retrucou Cannon, com um toque de irritação na voz. – Tenho muito trabalho a fazer, Sra. Dobson. Preciso de outro bule para conseguir atravessar a manhã.

Ele foi até a cadeira e sorriu brevemente enquanto se sentava. Por um instante, um lampejo de bom humor iluminou o rosto severo.

– Que Deus nos poupe de mulheres que acham que sabem o que é melhor para nós.

– Amém – resmungou Grant, concordando com a prece.

Cannon se recostou na cadeira e seus olhos se fixaram em Grant com atenção.

– Você está péssimo. Está doente?

Uma pergunta tão fora do comum vinda de Cannon seria o bastante para colocar qualquer patrulheiro em estado de alerta. Ele nunca se interessava pela vida pessoal de seus homens, desde que o trabalho fosse feito. Grant franziu o cenho para o magistrado, ressentido com a pergunta.

– Não tenho dormido bem – respondeu apenas.

– Problemas com a Srta. Duvall?

– Nada sério – murmurou Grant.

– Como está a saúde dela? – indagou Cannon.

– Acredito que ela esteja quase completamente recuperada. Mas não houve qualquer progresso em relação à memória.

Cannon assentiu e pegou o caderninho que Grant lhe estendia.

– O que é isso?

– É um diário e agenda. Encontrei na casa da Srta. Duvall. Acredito que deva conter o nome da pessoa que tentou matá-la.

Enquanto observava Cannon folhear o caderno, Grant se perguntou o que o magistrado, que tinha o que se poderia chamar de vida celibatária, pensaria de um material tão sexualmente explícito. Teria sido natural que Cannon mostrasse algum sinal de emoção, mas não houve quaisquer rubor, tensão ou gotas de suor visíveis. O homem tinha um autocontrole impressionante.

– A Srta. Duvall parece ter levado uma vida cheia de emoção – comentou tranquilamente o magistrado. – Por que presume que o nome do homem que a agrediu esteja neste caderno?

– A tentativa de assassinato foi um crime passional – respondeu Grant, com segurança. – A Srta. Duvall não tem histórico de negócios criminosos, ligações infames ou dívidas significativas... Ela sempre foi muito bem-cuidada. Só o que tem é uma longa lista de amantes e foi infiel à maior parte deles. No entanto, a Srta. Duvall manteve um registro escrupuloso desses amantes... e de seus gostos particulares. Era um negócio para ela, como pode ver, e a mulher era muito organizada. Sempre que uma oportunidade melhor aparecia, ela abandonava o amante da vez sem olhar para trás.

– E você acredita que um deles possa ter ficado tão irado pelo abandono que tentou matá-la?

– Acredito.

Cannon devolveu o diário a Grant.

– É melhor ser rápido e filtrar essa lista, Morgan. Em questões como essa, não se pode dar muito tempo ao suspeito para que ele se recomponha, senão o caso estará perdido.

Grant olhou o caderninho em suas mãos e passou os polegares pelo couro macio da lombada.

– O que eu gostaria de fazer era encontrar um modo de tornar público que Vivien ainda está viva – disse, lentamente. – Então, seja quem for, o sujeito que tentou matá-la saberia que fracassou.

– E a atacaria de novo – murmurou Cannon. – Isso colocaria a Srta. Duvall em grande risco.

– Não – respondeu Grant na mesma hora. – Ela está sob minha proteção agora... e estarei à espera do desgraçado quando ele tentar matá-la outra vez.

– Muito bem. Vamos revelar para Londres que a Srta. Duvall está viva. Já decidiu uma hora e um lugar?

– Ainda não.

– Então me permita fazer uma sugestão. Tenho uma amiga, lady Lichfield, que vai dar um baile neste sábado. Os eventos que ela organiza são muito concorridos, e o *Times* sempre publica uma matéria detalhada a respeito depois. Eu a convencerei a lhe mandar um convite, com direito a incluir na lista de convidados qualquer pessoa que você escolha para acompanhá-lo.

Grant sorriu subitamente.

– Levar Vivien à propriedade de lady Lichfield?

– Por que não?

– Vivien não é tão bem-aceita pela dita sociedade decente. Ao menos não pela metade feminina. Ela dormiu com o marido de algumas dessas mulheres.

– Será ainda melhor se algum dos ex-amantes dela comparecer – comentou Cannon.

A conversa deles foi interrompida quando a Sra. Dobson apareceu com uma bandeja onde havia um novo bule de café quente e xícaras limpas.

– Vocês exageram no café – declarou ela, em tom de desaprovação. – Os dois.

– Estimula os sentidos e garante a clareza de pensamento – informou Cannon à governanta enquanto ela servia uma boa dose do líquido escuro a ele.

O magistrado aceitou a xícara com prazer e a envolveu com as mãos longas.

– E o mantém acordado metade da noite – repreendeu a mulher, balançando a cabeça até os cachos grisalhos dançarem.

Então se virou na direção de Grant, como se ele fosse um aliado em sua causa.

– Sir Ross nunca dorme mais do que quatro horas por noite, nunca tem tempo para uma refeição quente... e para quê? Quanto mais ele trabalha, mais tem o que fazer.

Ross a encarou, rabugento.

– Se as coisas fossem como a Sra. Dobson deseja – comentou ele com Grant –, eu logo estaria gordo e preguiçoso como a Talhada.

A gata mal-humorada reacomodou o corpo roliço no canto da escrivaninha e encarou o dono com um olhar insolente.

Ainda meneando a cabeça, a Sra. Dobson saiu do escritório.

Cannon soprou devagar dentro da xícara e uma espiral de vapor subiu do café.

– Muito bem – disse, o olhar fixo em Grant. – Com sua permissão, abordarei lady Lichfield e lhe pedirei que aumente a lista de convidados.

– Obrigado.

Grant fez uma pausa antes de acrescentar, pensativo:

– Há uma nova informação que não mencionei... algo que lorde Gerard disse quando o interroguei. Não sei se devo dar crédito a ela, já que não pude confirmá-la no diário da Srta. Duvall nem com qualquer outra pessoa com quem eu tenha conversado.

– Sim? – perguntou Cannon.

– Gerard disse que acreditava que a Srta. Duvall estivesse na expectativa de se casar logo. Alguém com uma grande fortuna.

– Hum. Que homem de posses escolheria "comprar botas usadas"? – cismou Cannon em voz alta, usando o modo popular de descrever alguém que se casava com a amante de outro homem.

– Exatamente – concordou Grant. – Como o próprio lorde Gerard comentou, "um homem não se casa com uma mercadoria gasta como Vivien Duvall, a menos que queira se tornar motivo de riso em toda a Inglaterra". Mas é possível que ela tenha encontrado alguém senil disposto a aceitá-la como esposa.

Apesar do esforço de Grant para soar desinteressado, o tom dele carregava um toque de amargura que Cannon notou. Grant se amaldiçoou em silêncio enquanto se via sujeito ao escrutínio desconfortável de Cannon.

– Dê-me sua opinião sobre a Srta. Duvall, Morgan – pediu o magistrado.

– Minha opinião não tem a menor importância.

Grant se levantou para limpar um grão de poeira imaginário da perna da calça.

– Se estiver se referindo a evidências...

– Pedi sua opinião – repetiu Cannon, inflexível. – Sente-se, por favor.

De repente o ar da sala ficou sufocante. Grant teve vontade de ignorar o pedido. A frieza de Cannon e seu olhar perspicaz eram um incômodo e tanto. Ele pensou em descartar a pergunta usando uma resposta mal-educada ou uma mentira conveniente, mas maldito fosse se algum dia tivesse medo da verdade, não importava qual. Aborrecido, Grant voltou a se sentar.

– Há duas mulheres dentro da Srta. Duvall – declarou, o tom duro. – A que se vê pelo caderno, experiente, entediada, ambiciosa... uma megera perversa. E outra que no momento se encontra na minha casa.

– E como é essa outra mulher?

– Inteligente... doce... gentil. A fantasia da maior parte dos homens.

– Sua também? – murmurou Cannon.

Grant segurou os braços da cadeira com força, como se estivesse amarrado a ela.

– Também – admitiu de má vontade.

Cannon o fitou com um toque de simpatia que foi quase insuportável.

– Tome cuidado, Morgan – foi tudo o que disse.

Grant pensou em tranquilizar o chefe com seu jeito atrevido de sempre, mas, por algum motivo, as palavras não saíram.

– Muito bem – murmurou Cannon, à guisa de despedida.

Grant foi embora com indisfarçado alívio.

CAPÍTULO 8

— Um baile?

Vivien encarou Grant como se ele tivesse enlouquecido.

Eles estavam sentados na sala de estar do andar inferior, e Grant acabara de contar a ela sobre o plano que havia arquitetado com sir Ross. Embora Grant parecesse se solidarizar com a preocupação dela, não estava disposto a lhe dar escolha no assunto.

— Você está me pedindo que eu apareça em público — continuou Vivien, inquieta. — Aliás, não apenas em público, mas em um grande *baile* formal, para que todos em Londres saibam que estou viva. Passarei a correr dez vezes mais perigo do que agora.

— Você estará sob minha proteção — retrucou Grant, tranquilo, indo se sentar ao lado dela na poltrona de adamascado dourado.

Ele pegou a pequena mão de Vivien, que estava cerrada, e a acariciou com delicadeza até os dedos relaxarem.

— Confie em mim — disse ele, dando um sorriso enquanto encarava o rosto preocupado. — Eu jamais deixaria que alguém lhe fizesse mal.

— Não conheço as pessoas que estarão lá — disse ela, apertando com força a mão de Grant. — Não saberei o que fazer ou o que dizer.

— Você não tem que fazer nem dizer nada. Só precisa me acompanhar ao evento.

— Não quero — falou ela, esfregando a testa com a mão livre para tentar suavizar uma dor de cabeça latejante.

— Compreendo — retrucou ele, baixinho. — Mas precisa ser feito, Vivien. Agora... quero levá-la à sua casa para encontrarmos algo que possa usar. Você tem pelo menos duas dúzias de vestidos de baile. Seria um inferno para mim ter que escolher um. Você disse que queria visitar sua casa e esse é o momento perfeito.

Vivien franziu o cenho enquanto fitava os dedos deles entrelaçados e respirou fundo, tentando acalmar os nervos. Todos ficariam olhando para ela. Como seria capaz de conversar sobre banalidades, sorrir e dançar quando não se lembrava de uma única pessoa de sua vida anterior? Ela não queria se misturar com estranhos que sem dúvida a considerariam esquisita, enganadora ou alguma outra característica desagradável. Mais do que tudo, Vivien temia se transformar em um alvo altamente visível. E se o homem que a atacara voltasse para terminar o trabalho que começara? E se Morgan ficasse ferido ou mesmo fosse morto por causa disso?

– Isso não faz sentido – voltou a falar Vivien. – Por que devo ir a um baile e me revelar dessa forma tão dramática? Por que você não pode soltar a informação de alguma outra maneira? Não tem ideia de quem quer me ver morta, não é? Essa é uma tentativa desesperada de expor o suspeito porque você não consegue encontrá-lo.

– Quero que o desgraçado seja pego – declarou Morgan, a voz contida. – Esse é o modo mais rápido de conseguir isso.

Ele fez com que Vivien se levantasse do sofá, levou-a até o saguão de entrada e fez sinal para que a governanta pegasse os casacos deles. Depois de prender uma capa ao redor dos ombros de Vivien, Morgan colocou um chapéu de veludo na cabeça dela. Um véu de tule lilás pendia da aba e ajudava a esconder o rosto da jovem.

Vivien lançou um olhar irritado para ele por trás do véu.

– Isso parece um chapéu de luto – reclamou. – Como se eu estivesse saindo para comparecer a um velório. Só espero que não seja o meu.

Morgan riu baixinho.

– Esse foi o chapéu que consegui encontrar que melhor esconderia o seu rosto. E, além do mais, não vou permitir que nada lhe aconteça. O mundo seria um lugar muito mais tedioso sem você... embora mais pacífico.

Depois que Morgan fechou o próprio casaco, um criado os acompanhou até a carruagem que esperava do lado de fora. Vivien imaginara que eles fossem usar um veículo alugado e ficou surpresa ao descobrir que iriam em um belo cabriolé particular preto cintilante, com toques de um dourado fosco, puxado por dois cavalos baios idênticos. Ficou impressionada com a elegância do veículo.

– Não imaginei que você possuísse uma carruagem assim – comentou. – Achei que os patrulheiros fossem a pé para todos os lugares.

Os olhos verdes de Morgan dançaram com uma expressão divertida.

– Podemos fazer isso, se você preferir.

Vivien respondeu à provocação com um sorrisinho.

– Não, obrigada – disse, esforçando-se para manter o tom leve. – A carruagem vai servir.

O criado a ajudou a entrar no cabriolé e a cobriu com uma manta grossa e acolchoada de caxemira. Vivien agradeceu ao homem e se aconchegou ao assento de couro macio com uma exclamação de prazer. O vento estava agradavelmente frio e refrescou o rosto dela depois dos dias que passara confinada. Morgan se acomodou ao seu lado e pegou as rédeas com um movimento hábil. Ele esperou que o criado subisse no assento atrás do veículo, sacudiu as rédeas e estalou a língua para colocar os cavalos em movimento. Os animais começaram uma marcha tranquila e sincronizada, e as molas de qualidade permitiram que a carruagem seguisse com suavidade pela rua de paralelepípedos.

Vivien observava o caminho com um olhar inexpressivo, buscando qualquer pequeno detalhe que pudesse lhe parecer familiar.

Cada rua tinha a própria personalidade – uma, residência de pintores e escritores; outra, ocupada por açougueiros e padeiros; outra ainda, com uma fileira imponente de igrejas. Pessoas da nobreza cruzavam o caminho de prostitutas e pedintes. A riqueza e a pobreza juntas. O ar estava carregado do cheiro de animais, de comida, da água do rio, de esgoto, de terra... Vivien logo perdeu a capacidade de distingui-los, com as narinas saturadas.

Passaram por um grupo de moleques de rua que perseguia um janota vestido de cetim, por um libertino bêbado que saía de uma taverna com uma prostituta em cada braço, por mascates que carregavam caixas de madeira penduradas no ombro ou ao redor do pescoço.

Logo a atenção de Vivien se voltou para Morgan, que guiava habilmente o cabriolé por entre as carroças, os animais e pedestres que ocupavam uma parte da rua. Ele ficava à vontade em meio ao burburinho da vida na cidade; conhecia cada beco, cada esquina. Ocorreu a ela que Morgan era um dos poucos homens em Londres que se relacionava com todos, da realeza ao mais vil batedor de carteiras.

Chegaram a uma fileira de casas elegantes e pararam diante de uma porta grande de bronze.

– Essa é a minha? – perguntou Vivien, hesitante, olhando para uma porta enorme, em arco, ladeada por colunas.

Morgan a encarou com atenção.

– Essa é a sua.

O criado se adiantou para tomar conta dos cavalos enquanto Morgan ajudava Vivien a descer da carruagem. Ele a colocou com gentileza no chão, sustentando seu peso até que ela se equilibrasse. Então lhe deu o braço, a acompanhou até a entrada da casa e destrancou a porta.

Vivien entrou com passos cautelosos e ficou parada, imóvel, no saguão de entrada enquanto Morgan acendia lampiões e arandelas. O lugar, com seus painéis de tecido florido francês e mobília delicada, era lindo, feminino... e nada, nada familiar. Vivien tirou o chapéu e o pousou na ponta do corrimão.

A luz inundava o saguão de entrada. Ela foi devagar de um espelho alto a uma mesa de madeira com tampo de mármore, pegou um bibelô delicado de porcelana e o examinou com atenção. Eram duas figuras, um cavalheiro e uma dama conversando enquanto a dama se inclinava para a frente para colher flores silvestres e colocar na cesta que tinha no colo. A cena era de uma inocência encantadora. No entanto, quando Vivien girou o bibelô, viu que o cavalheiro enfiava a mão por baixo da saia da dama. Ela franziu o cenho diante da brincadeira picante, pousou a peça e olhou de relance para Morgan. Ele a observava com um estranho misto de bom humor e resignação.

– Conseguiu se lembrar de algo? – perguntou.

Ela balançou a cabeça e foi em direção à escada. Morgan a seguiu, o passo calculado para acompanhar o dela até o segundo andar. O lampião que ele carregava deixava sombras disformes atrás dos dois. Vivien parou no topo da escada perguntando-se para onde deveria ir.

– O quarto é por aqui – indicou Morgan.

Ele a segurou com delicadeza pelo cotovelo e a conduziu até o último cômodo à direita. Eles entraram em um quarto com paredes forradas de seda verde-escura, com uma cama ricamente entalhada disposta em cima de um tablado. Aquilo fez Vivien pensar em um pequeno palco preparado para uma performance. Ela franziu o cenho, sentindo-se desconfortável, e ficou olhando para a cama enquanto Morgan acendia mais alguns lampiões. Então se virou e viu o quadro.

Por um momento, tudo o que Vivien percebeu foi uma impressionante extensão de pele exposta, a exibição artística de um corpo feminino... então se deu conta de quem estava sendo retratada.

– Sou eu – falou em um sussurro estrangulado.

Seu rosto ficou muito vermelho e ela se virou com um arquejo, incapaz de olhar a pintura por mais tempo.

– Suponho que você não se lembre de ter posado para o quadro.

Havia uma sugestão de riso na voz de Morgan. No entanto, Vivien não conseguiu compartilhar o bom humor dele – nem mesmo repreendê-lo. Estava constrangida demais, e a raiva que sentia era apenas de si mesma. Até então, sempre houvera, em um canto minúsculo de sua mente, a crença de que não havia feito as coisas de que Morgan a acusava. Mas agora a verdade estava ali, em uma pesada moldura dourada, o passado dela exposto, ostentado, em detalhes.

– Como eu pude... como alguém poderia posar para isso? – perguntou ela, cobrindo o rosto com as mãos.

– Artistas usam modelos nus com frequência, você sabe disso.

– Obviamente esse quadro não teve a intenção artística – comentou ela em tom de deboche. – Seu único propósito é...

– Excitar – sugeriu Morgan, baixinho.

Vivien abaixou as mãos e cerrou os punhos junto ao corpo, ainda sem olhar para Morgan. Parecia quase impossível que conseguisse se sentir tão humilhada... Era como se a vergonha queimasse dentro de suas veias.

– Tire-o daí. Ou cubra-o – pediu ela, em desespero.

– Eu já vi isso antes, Vivien – retrucou ele, intrigado e já sem nenhum traço de humor na voz.

Não fazia sentido, mas ela não conseguia suportar o quadro diante deles – era como estar nua na frente de Morgan.

– Não gosto dele – declarou, irritada. – Não consigo permanecer no quarto com esse quadro pendurado aí. Faça alguma coisa com ele, *por favor*.

Ela enrijeceu o corpo ao sentir Morgan se aproximar por trás, as mãos dele se fechando sobre os ombros estreitos dela.

– Você está tremendo – murmurou Morgan, surpreso. – Não há motivo para ficar aborrecida.

– Não diria isso se houvesse um quadro com *você* nu ali.

Ele deu uma risadinha.

– Duvido que algum artista aceitaria me pintar sem roupa. Não sou bem o modelo que procuram.

Era uma afirmação discutível, pensou Vivien consigo mesma. Pelo que já vira dele, Morgan era tão bonito quanto qualquer forma masculina já eternizada em uma tela... Mas dificilmente ela lhe diria isso.

Morgan tentou com toda a gentileza voltar o rosto de Vivien para encará-lo.

– Vamos, não é tão ruim assim. Respire fundo.

Ela resistiu, a cabeça baixa, o olhar fixo no chão.

– Não vou me mover até que você tire esse quadro daí.

Ela sentiu o hálito quente dele lhe soprar o ouvido com uma breve risada.

– Está certo, está certo.

Morgan atravessou o aposento até o quadro. Vivien ouviu o barulho de algo sendo arrastado e um leve estalo da moldura pesada.

– Pode abrir os olhos agora – avisou Morgan, irônico, quebrando o silêncio.

Vivien se virou e viu que ele havia apoiado o quadro no chão com a frente voltada para a parede.

– Obrigada – disse ela, com um suspiro pesado. – Quero que essa coisa horrorosa seja queimada.

– Você pode mudar de ideia depois que recuperar a memória.

– Não me importo com o que vai acontecer depois que minha memória voltar – retrucou ela, irritada. – Como lhe disse antes, não voltarei a ser uma cortesã.

Morgan a encarou com um ceticismo indisfarçado que a aborreceu.

– Veremos – murmurou ele.

Outro quadro capturou o olhar de Vivien, uma pequena pintura a óleo em uma delicada moldura dourada. Estava pendurada na parede perto da penteadeira, como se ela a tivesse colocado ali para poder vê-la enquanto aplicava perfumes, pós e escovava os cabelos. Vivien chegou mais perto e examinou o quadro com curiosidade. Não combinava em nada com o restante da casa. Era claro que fora pintado por um amador, em cores fortes e alegres. A cena mostrava um pequeno chalé campestre branco com estrutura de madeira, um tapete de flores de lavanda ao redor e bétulas ao fundo. Uma profusão de roseiras cheias de botões brancos cobria a frente da casa.

Vivien não conseguia tirar os olhos da imagem. Tinha certeza de que se tratava de um lugar onde já estivera, um lugar onde fora feliz.

– Que estranho – murmurou. – Acho... acho que esse quadro foi presente de alguém que...

Ela parou, confusa.

– Ah, se ao menos soubéssemos onde fica esse chalé!

– Poderia ser em praticamente qualquer lugar da Inglaterra – comentou Grant.

Vivien tocou a assinatura no canto da tela.

– Devane – leu em voz alta. – Como soa familiar! Devane. Será que era um amigo ou talvez mesmo um...

– Amante? – sugeriu Grant, em voz baixa.

Ela afastou a mão e franziu o cenho.

– Talvez fosse.

As lembranças tentavam forçar as muralhas da mente de Vivien, mas sem sucesso. Frustrada, ela foi até um enorme guarda-roupa com grandes espelhos na frente e compartimentos para roupas de baixo de cada lado. Abriu um par de portas e deparou com uma longa fileira de vestidos em todos os tons imagináveis de seda, veludo e cetim, as saias esvoaçando como asas de borboletas. Muitos dos trajes guardavam um leve toque de perfume, uma combinação de rosas e madeiras aromáticas que invadiu as narinas dela com uma brusca doçura.

– Parece haver uma variedade de estilos – comentou Vivien, consciente do olhar de Morgan examinando-a. – Tudo, desde o sóbrio até o chocante. Que efeito pretendem causar?

– Vivien Duvall em toda a sua glória – disse ele.

Ela olhou para Morgan por cima do ombro.

– O que eu estava usando quando nos conhecemos?

– Um vestido de sereia. Seda verde com manguinhas curtas de tule.

Vivien buscou entre a coleção de vestidos até encontrar um que correspondesse à descrição dele.

– Este? – perguntou, erguendo um vestido para que ele visse.

Morgan assentiu, parecendo inexplicavelmente carrancudo.

Vivien apoiou a peça diante do corpo e a examinou. Era belíssima: verde e cintilante, com fitas de cetim branco no decote que a fizeram pensar na espuma das ondas. De fato era um vestido de sereia. Vivien percebeu que tinha um excelente gosto para roupas. E por que não? A primeira preocupação de uma cortesã seria a arte de exibir seus melhores atributos.

– Eu poderia usá-lo no baile – falou. – O que acha? Devemos lhe dar outra chance de ir a uma festa?

– Não.

Uma sombra cruzou o rosto de Morgan e ele olhou para o vestido com óbvio desprazer.

Perdida em pensamentos, Vivien devolveu a peça ao guarda-roupa.

– Não nos demos bem naquele primeiro encontro, não é mesmo? – perguntou ela, voltando a investigar a fileira de roupas.

A voz dele ficou subitamente tensa.

– Você se lembra?

– Não... mas a expressão em seu rosto... Qualquer um pode ver que não é uma lembrança agradável.

– Não é – concordou ele, seco.

– Fui eu que não gostei de *você* ou o contrário?

– Foi mútuo, acredito.

– Então como nós... digo... por que você acabou fazendo um arranjo comigo?

– Você tem um jeito todo especial de ficar presa na garganta de um homem.

– Como uma espinha de peixe – comentou Vivien, melancólica, mas logo riu.

Ela pegou um vestido branco, um bronze e outro lilás e os levou para a cama, formando uma pilha colorida. Com cuidado, começou a dobrar as roupas delicadas enquanto Morgan a observava.

– Um deles vai ficar bom – falou.

– Não vai experimentá-los? – perguntou ele.

– Por que me dar o trabalho? São todos meus. Por que não caberiam?

– Você perdeu bastante peso desde que quase se afogou no Tâmisa.

Morgan envolveu a cintura dela, avaliando, as mãos grandes quase abrangendo toda a circunferência delgada. Vivien se assustou com o toque masculino, com a sensação da solidez do corpo atrás dela. Ter Grant Morgan e uma cama coberta de seda tão próximos ao mesmo tempo era o bastante para abalar os nervos.

Vivien se lembrou das mãos dele deslizando com malícia pelo corpo dela, dos lábios dos dois unidos em beijos ardentes e deliciosos, e tentou conter um tremor. Morgan provavelmente percebeu o movimento involuntário, porque suas mãos seguraram com mais força a cintura de Vivien e seus lábios se aproximaram mais, até ela sentir a carícia do hálito dele em sua orelha.

– Não há necessidade de eu experimentar nada – conseguiu dizer Vivien. – Além do mais, não posso fechar e abrir fileiras de botões sozinha.

– Eu estaria disposto a ajudar.

– Estou certa disso – retrucou ela com um sorriso que logo se tornou hesitante.

Uma sensação, ou a deliciosa promessa dela, disparou pelo corpo de Vivien e se acumulou em seu ventre, deixando os joelhos fracos. Por um momento, ela pensou em inclinar o corpo para trás, arquear o pescoço em um convite, levar as mãos de Morgan aos seus seios.

No entanto, pouco antes de fechar os olhos, Vivien viu de relance a cama refletida em um espelho... aquele quarto, onde ela entretivera tantos homens... Essa ideia a deixou nauseada. Era possível que Morgan tivesse algumas fantasias secretas que esperasse que ela satisfizesse. Mesmo se quisesse dormir com ele, como iria fazer jus à própria reputação? Não se lembrava de absolutamente nada sobre como satisfazer um homem. Mas não deveria se lembrar? Afinal, com certeza se lembrava de coisas que lera em livros... Por que, então, não guardara um pouco do vasto conhecimento que supostamente tinha das artes sexuais?

Confusa, ela se afastou de Morgan.

– Grant – falou, afogueada –, preciso saber de uma coisa. Quando você e eu fazíamos... digo... quando nós...

Ela lançou um olhar devastado para a cama, então voltou a encarar os olhos verdes alertas.

– O que você achou da experiência? – prosseguiu ela. – Digo... como eu me saí? Fiz jus à minha reputação? Eu... ah, você sabe o que quero dizer!

Mesmo com o rosto muito vermelho, ela manteve o olhar fixo nele. Estranhamente, Morgan pareceu tão desconfortável quanto ela com as perguntas.

– Não posso compará-la a nenhuma mulher com a qual já dormi – respondeu ele, evasivo.

– Sim? – instigou-o Vivien, querendo que continuasse.

Grant ficou imóvel e tenso, sentindo-se encurralado, enquanto a lembrança das descrições entusiasmadas de lorde Gerard sobre os talentos de Vivien na arte de fazer amor zumbiam em seus ouvidos. Ele se ouviu repetindo algumas poucas palavras de Gerard em um tom monótono que não traiu nada da agitação que sentia.

– Você não tem a menor timidez na cama. Isso a torna uma parceira divertida, para dizer o mínimo.

– Que estranho – murmurou Vivien, o rosto ainda rubro. – Porque tenho mais do que uma boa medida de timidez *fora* da cama.

Eles ficaram se encarando com expressões cautelosas quase idênticas, como se cada um protegesse segredos que o outro jamais pudesse descobrir.

CAPÍTULO 9

Sendo veterano de inúmeros bailes e saraus, Grant passara a ver esses eventos com tédio. Cada um era exatamente igual a outro: o desfile de roupas escuras formais dos cavalheiros, vestidos reveladores das damas... os convidados mais velhos jogando cartas no salão de jogos enquanto os jovens se aglomeravam para dançar no salão de visitas e os casais apaixonados se reuniam nas salas de estar... a música era tocada por pianistas, violinistas e violoncelistas... as damas sentadas em cadeiras ao redor do salão à espera de convites para dançar... o burburinho dos convidados no cômodo onde eram servidos os aperitivos... a ceia farta e morna.

E o calor, as intrigas, a praga dos falsos sorrisos sociais, a mistura dos aromas de pomadas de cabelo à base de açúcar e banha, os perfumes usados em exagero.

Tédio e monotonia.

Contudo aquela noite seria diferente. Ele apareceria no baile com uma mulher que boa parte de Londres presumia estar morta. Pela manhã, a notícia de que Vivien Duvall estava viva já teria se espalhado por todas as camadas sociais da cidade – assim como o fato de que ela comparecera ao baile de lady Lichfield de braço dado com Grant Morgan. Ele não tinha dúvida de que, depois das revelações daquela noite, o homem que tentara matar Vivien apareceria.

Grant esperava no saguão de entrada da casa dele, com um copo de conhaque na mão. A carruagem preta e dourada, assim como os criados que os acompanhariam, já estava pronta diante da porta da frente. Já haviam se passado dez minutos da hora em que Vivien deveria estar pronta, mas a experiência ensinara a Grant que as mulheres sempre se atrasavam para esses eventos.

Uma das criadas, Mary, desceu a escada correndo, o rosto cintilando de empolgação.

– Ela está quase pronta, senhor. A Sra. Buttons está finalizando os últimos detalhes.

Grant assentiu brevemente, olhou de relance ao redor e viu que o saguão agora estava cheio: os criados, o mordomo, as criadas e até mesmo o valete dele, Kellow, olhavam com expectativa para a escada.

Grant achou estranho o prazer que todos pareciam compartilhar pelo iminente surgimento de Vivien. A chegada dela dera vida à casa e alterara sua atmosfera masculina a ponto de o lugar já não parecer a residência de um homem solteiro. A presença de todos ali poderia ser um ritual comum em muitas casas elegantes de Londres – os criados reunidos para ver a senhora da casa em toda a sua elegância. Mas nunca fora assim na residência dele.

Grant olhou para o grupo de criados com uma expressão carrancuda, embora nenhum deles reparasse na desaprovação do patrão. Vivien não era a senhora daquela casa. No entanto, ninguém parecia reconhecer isso. Ela conquistara todos. O poder de seu encanto e de sua doçura fascinara desde a governanta até a copeira. Grant sentia desprezo por todos eles, e por si mesmo, por se deixarem envolver por Vivien.

Qualquer pensamento desapareceu da mente dele no instante em que Vivien surgiu e um suspiro coletivo de admiração escapou dos criados. Ela desceu a escada desacompanhada, usando um vestido cintilante bronze que ondulava ao redor do quadril e das pernas como metal líquido. Nenhuma outra cor teria destacado tão bem o matiz precioso dos cabelos dela ou o tom leitoso e rosado da pele. O decote cavado empurrava os seios para cima e os unia, o que deixou Grant salivando. Ele engoliu com dificuldade e a encarou enquanto o conhaque se inclinava perigosamente em sua mão. Grant mal se deu conta de quando Kellow retirou com muito tato o copo de sua mão.

As mangas curtas e bufantes expunham as curvas dos ombros de Vivien, enquanto os braços estavam cobertos por luvas brancas. Uma echarpe de seda francesa também bronze, bordada com fios dourados, pendia da altura dos cotovelos. O único enfeite do vestido era um peitilho triangular em dourado e bronze preso ao corpete, pouco acima da cintura.

Quando o olhar de Vivien encontrou o dele, o sorriso nos olhos azuis de cílios cheios fez o coração de Grant disparar de um modo fora do comum. Os cabelos dela estavam presos no alto em uma coroa de tranças e cachos, em um estilo que ele nunca vira mas que sem dúvida seria copiado por todas as mulheres de Londres no dia seguinte. Ela não usava nenhuma joia – Grant não havia pensado nisso. A antiga Vivien teria exigido algum tipo de acessório, ainda mais para ir a um baile onde todas as outras mulheres exibiriam joias muito chamativas.

Em vez disso parecia que ela e as criadas haviam resolvido improvisar. Uma faixa de tule bronze fora enrolada ao redor do pescoço da jovem, escondendo as marcas que restavam da tentativa de estrangulamento. Um minúsculo alfinete de gravata feito de ouro, em forma de coroa, fora usado para prender a faixa na frente. O alfinete sem dúvida era o que o rei dera a cada um dos patrulheiros que o haviam protegido em ocasiões especiais. Era o único objeto pessoal elegante que Grant possuía.

O fato de Vivien aparecer usando um alfinete que era a marca dos patrulheiros certamente provocaria uma enxurrada de comentários. Todos os que estivessem no baile presumiriam que Vivien era amante de Grant.

Meio satisfeito e meio aborrecido com o fato, Grant lançou um olhar questionador na direção de Kellow. A testa longa e calva do valete ficou muito vermelha.

– Bem... a Sra. Buttons me perguntou se havia alguma espécie de alfinete que a Srta. Duvall pudesse usar – explicou ele em um tom contrito. – E aquele foi o único que consegui encontrar, senhor.

– No futuro, não empreste meus objetos pessoais sem a minha permissão – resmungou Grant.

– Sim, senhor.

Vivien estendeu a mão para Grant e ergueu uma das sobrancelhas ruivas em uma pergunta silenciosa.

Grant a encarou sem sorrir.

– Vai servir – disse ele, lacônico.

Não seria capaz de dizer mais nada sem que sua voz o traísse. Houve um momento de silêncio, então ele se deu conta dos olhares reprovadores dos criados. De repente, eles começaram a elogiar Vivien efusivamente, todos ao mesmo tempo, em um esforço para compensar a antipatia do patrão.

– Está adorável como uma pintura, senhorita!

– ... ninguém conseguirá rivalizar com seu brilho...

– ... uma rainha com esse vestido...

Uma sensação ardente e perturbadora se espalhou pelo peito de Grant e ele sentiu vontade de gritar com os criados por se preocuparem daquela maneira em não ferir os sentimentos de uma cortesã. Mas não poderia fazer isso... porque estava tão enfeitiçado quanto todos eles.

A conversa casual na carruagem logo se transformou em silêncio enquanto eles seguiam pela avenida que levava à propriedade de lady Lichfield. Vivien estava nervosa e Grant sentiu uma pontada de culpa por não tranquilizá-la. Ela estava prestes a encarar uma multidão de estranhos. Acrescente-se a isso o fato de saber que, depois daquela noite, se transformaria de novo em alvo de quem quer que tivesse tentado matá-la. Grant admirava a coragem dela, a calma aparente, a disposição para confiar a ele a própria segurança.

No entanto, vinha lhe negando as palavras de conforto de que ela precisava. Algo travava sua garganta, impedindo-o de tornar a situação mais fácil para Vivien. Estava furioso com ela por ser tão linda, por ter levado o tipo de vida que tornava tudo aquilo necessário. Queria puni-la por ser pródiga em seus favores sexuais... por não se guardar só para ele.

Essa ideia estarreceu Grant, mas ele não conseguiu tirá-la da cabeça. Queria direitos exclusivos sobre Vivien – passado, presente e futuro. E aquilo não era nem possível nem razoável.

Era hipócrita da parte dele usar o passado de Vivien contra ela, disse a si mesmo. Afinal, *ele* não vivera como um monge. E Vivien não podia mudar o próprio passado. Ela alegava se arrepender de sua promiscuidade, e Grant acreditava nela. Mas não conseguia controlar seu ciúme... ciúme de uma cortesã... Ah, tanto os amigos quanto os inimigos dele teriam um prazer maldoso com aquilo, se soubessem. Ninguém jamais poderia descobrir, inclusive Vivien, quanto ele gostava dela.

– Quantas pessoas você acha que devem comparecer? – perguntou ela, olhando pela janela para a enorme mansão adornada por coruchéus e um pesado pórtico frontal com uma ala de cada lado, ambas contidas em uma concha de pedra âmbar. A área nas laterais e nos fundos da mansão imponente era cercada por jardins de muros altos encimados por leões esculpidos que pareciam observar os arredores com um régio desdém.

– Pelo menos trezentas – respondeu Grant, sem se estender.

Um tremor visível sacudiu o corpo de Vivien enquanto ela continuava a olhar pela janela.

– Tantas pessoas me observando... Fico feliz por não poder dançar no momento.

Ela se recostou de volta no assento e ergueu a bainha do vestido, exibindo o tornozelo delgado coberto pela meia de seda. Ficou olhando para ele, pensativa.

Grant estreitou os olhos para observar o tornozelo belamente torneado. Sentiu uma vontade tão desesperada de tocá-lo, de deixar a mão subir até o joelho de Vivien, pelo meio de suas coxas e mais além, que seus dedos comicharam.

O ambiente na carruagem se tornou terrivelmente quieto e Vivien o encarou, preocupada.

– Há algo errado – disse ela. – Você está de um jeito... bem, está distante. Será que está tendo um ataque de nervos, como eu? Ou está aborrecido com alguma outra coisa?

O fato de Vivien ter perguntado o que o aborrecia, numa situação em que a resposta teria sido óbvia para qualquer mulher experiente, fez Grant ter vontade de agarrá-la e sacudi-la.

– Adivinhe – disse ele, irritado e amargo.

Perplexa, Vivien balançou a cabeça.

– Se eu disse ou fiz algo que o ofendeu... *ah*.

Ela parou subitamente e levou os dedos ao alfinete de gravata em seu pescoço.

– É isto, não é? – perguntou, contrita. – Eu sabia que não deveria ter usado, mas não tínhamos mais nada, e eu queria esconder as marcas no pescoço. Falei com a Sra. Buttons e com Kellow, mas eles disseram que você nunca...

Vivien tentou tirar o alfinetinho de ouro.

– Sinto muito. Ajude-me a tirá-lo antes de entrarmos. E me perdoe por pegar algo seu emprestado...

– Pare – falou Grant, a voz rouca. – Não é o maldito alfinete.

Ao ver que Vivien continuava tentando tirar o alfinete, ele se inclinou para a frente no espaço confinado da carruagem e segurou as mãos dela. Vivien ficou imóvel, o rosto pequeno próximo ao dele, os seios sedutoramente exibidos bem embaixo do nariz dele. Ele não precisaria de muito esforço para libertar aquelas curvas deliciosas, acariciá-las e beijá-las, se banquetear com os bicos macios e rosados, deixar a língua correr por eles.

Grant apertou os dedos de Vivien com mais força até ela se encolher. Mas Vivien não tentou afastá-lo. Ele sabia que a respiração acelerada o traía – estava começando a soar como um criado correndo para acompanhar o ritmo da carruagem do patrão. A cada inspiração profunda, Grant sentia uma fragrância doce e pura que entrava por suas narinas e se espalhava pelo cérebro como uma droga.

– Que perfume é esse? – perguntou ele em um murmúrio.

Vivien respondeu sussurrando.

– A Sra. Buttons destilou um pouco de água de baunilha para mim. Gostou?

– Trouxemos seu perfume da sua casa. Por que não o usou?

Ela baixou os olhos para a boca dele e voltou a encará-lo.

– Não combina comigo – sussurrou. – É forte demais.

Grant encheu os pulmões mais uma vez com o delicado aroma de baunilha.

– Você está com cheiro de biscoito açucarado – comentou ele, rabugento.

Um biscoito que ele estava louco para morder. O perfume de Vivien era inocente, caseiro, apetitoso e fazia o sangue dele disparar pelas veias, os músculos enrijecerem de desejo.

As mãos de Vivien relaxaram, seu corpo se rendendo à proximidade do dele. Seus hálitos se misturavam, e Grant viu o rubor delicado se espalhar pelo rosto dela. A mente dele se encheu de ideias... Ele considerou a possibilidade de fazer um sinal para que o cocheiro seguisse em frente e, enquanto a carruagem atravessasse as ruas de Londres, Grant faria amor com Vivien ali mesmo – a puxaria para seu colo e se encaixaria nela, fazendo-a se contorcer de prazer...

O criado bateu à porta da carruagem e a abriu logo depois. Grant soltou Vivien com tanta rapidez que ela arquejou. Abalada e adorável, ela se ocupou em levantar a echarpe de seda e envolver os ombros com ela.

O ar noturno invadiu o veículo com um frescor abençoado que ajudou a restaurar o bom funcionamento do cérebro de Grant. Ele esfregou os olhos com força, como se despertasse de um sono profundo, e saiu da carruagem. O criado abriu o degrau portátil diante da porta e ajudou Vivien a descer.

Quase na mesma hora, ela atraiu a atenção de um grupo de damas e cavalheiros que se encaminhavam para a entrada da mansão. Seus cabelos ruivos pareciam capturar cada reflexo de luz das lanternas da carruagem e cintilavam com vida própria. Vivien aceitou o braço de Grant em um gesto que aparentava leveza, mas ele sentiu os dedos dela se cravarem no tecido do casaco.

– Meu Deus! – Grant ouviu alguém próximo murmurar. – Não é possível que seja...

– Olhe só... – exclamou alguém.

– Mas eu ouvi...

– Não foi vista...

Especulações em sussurros abafados os seguiram durante o curto trajeto da carruagem à mansão. O rosto de Vivien não demonstrava nenhuma expressão, o olhar indo de um lado para outro. Eles se misturaram ao fluxo de convidados que entravam na casa, parando de vez em quando enquanto a anfitriã recepcionava todos pessoalmente. O interior da casa Lichfield era grandioso, em estilo italiano, com preciosos painéis de carvalho e tetos e paredes cobertos por arabescos dourados. Quando chegaram ao enorme salão principal, com pilastras ao longo das paredes e um elaborado console de pedra na lareira, Vivien puxou a manga de Grant. Ele inclinou a cabeça para ouvir o sussurro dela.

– Quanto tempo precisamos ficar aqui?

A pergunta fez os lábios dele se curvarem em um sorriso relutante.

– Ainda nem falamos com lady Lichfield e você já quer ir embora?

– Não gosto do modo como as pessoas estão me encarando... como se eu fosse uma atração em uma feira de condado.

A percepção dela estava correta. Os convidados a encaravam abertamente, sem dúvida impressionados ao descobrir que os rumores da morte de Vivien tinham sido infundados... e que hora e lugar para uma descoberta daquelas! A presença dela no baile de lady Lichfield – um evento ao qual a cortesã normalmente não teria permissão de comparecer – era motivo de consternação para as damas e de desconforto profundo para os cavalheiros. Muitos lordes presentes haviam desfrutado dos favores de Vivien, mas na certa não desejavam se ver diante dela tendo as esposas desconfiadas ao lado.

Grant tocou a mão pequena que estava apoiada em seu braço e correu os dedos sobre os dela em uma ligeira carícia para tranquilizá-la.

– É claro que estão olhando para você – murmurou ele. – Os rumores do seu desaparecimento e da sua morte já haviam se espalhado por toda a cidade. As pessoas estão surpresas ao ver que está viva.

– Agora que já me viram, quero ir para casa.

– Mais tarde.

Grant conteve um suspiro tenso e ignorou o próprio desejo de voltar para casa com ela na mesma hora em vez de submeter Vivien à tortura da alta sociedade. Aquela noite prometia ser longa para os dois.

– Nesse meio-tempo, tente ser corajosa. A antiga Vivien teria adorado toda essa atenção. Você teria recebido com prazer qualquer oportunidade de se exibir.

– Se eu não fosse corajosa, não estaria aqui – retorquiu ela, baixinho.

Eles chegaram junto a lady Lichfield, uma mulher arredondada de cerca de 40 anos que já fora considerada a maior beldade de Londres. Embora os anos de indulgência tivessem cobrado um preço ao seu rosto deslumbrante, ela ainda era muito bonita. Os olhos azuis de cílios cheios ainda cintilavam, radiantes, no rosto agora redondo. Os cabelos negros e brilhantes estavam presos no alto da cabeça, revelando um perfil clássico. Ela era uma rainha dos círculos da elite de Londres, uma viúva que levava uma vida aparentemente circunspecta – embora houvesse rumores de que, com frequência, aceitasse jovens como amantes e os recompensasse regiamente por suas atenções. Na verdade, lady Lichfield havia flertado com Grant no último encontro deles, em um sarau no começo da temporada de eventos sociais, e deixara muito claro que gostaria que "se conhecessem mais a fundo".

Ao vê-lo, lady Lichfield estendeu-lhe as mãos.

– Como é possível que esta seja apenas a segunda vez que nos encontramos? – perguntou ela. – Tenho a sensação de que somos velhos amigos, Sr. Morgan.

– Diga "caros amigos" – sugeriu Grant, pousando o beijo de praxe nas costas das mãos enluvadas da anfitriã. – A palavra "velhos" jamais deveria ser mencionada na mesma frase que a senhora, milady.

Ela deu uma risadinha e ajeitou o penteado.

– Duvido que eu seja a primeira, ou a última, a acreditar em suas lisonjas, seu patife encantador.

Grant sorriu e, de propósito, segurou as mãos dela por mais tempo do que seria estritamente decoroso.

– Também não sou o último a sucumbir ao encanto de uma feiticeira com os olhos mais azuis da Inglaterra.

As lisonjas a agradaram, embora ela risse com um toque de ironia.

– Sr. Morgan, por favor, pare antes que eu me derreta aos seus pés.

Ela se voltou para Vivien e a avaliou da cabeça aos pés. Seu sorriso se tornou consideravelmente mais frio.

– Seja bem-vinda, Srta. Duvall. Vejo que goza de boa saúde, ao contrário dos rumores a seu respeito que correram pela cidade no último mês.

– Obrigada, milady – falou Vivien com uma mesura, e encarou a anfitriã com um sorriso hesitante. – Por favor, me perdoe, mas... já nos encontramos antes?

Qualquer traço de bom humor desapareceu da expressão de lady Lichfield.

– Não – disse ela, baixinho. – Embora eu creia que a senhorita tenha conhecido muito bem meu falecido marido.

Não havia como não compreender o significado daquela frase. Confrontada com mais uma evidência de seu passado escandaloso, Vivien não conseguiu responder. E ficou grata quando Grant se afastou com ela, deixando lady Lichfield livre para receber outros convidados.

– Ela não gosta de mim – comentou Vivien em um tom seco, parando enquanto Grant retirava sua capa e a entregava ao criado que aguardava.

– Poucas mulheres gostam.

– Obrigada por esse reforço à minha autoconfiança. Eu me sinto muito melhor depois da profusão de elogios com que você me cobre.

– Você quer elogios?

Eles entraram em um salão de visitas superaquecido, e o burburinho das conversas se intensificou assim que apareceram.

– Um ou dois com certeza não fariam mal – disse Vivien de modo discreto, encolhendo-se ao sentir centenas de olhares a observá-la. – Embora agora você vá me achar tola e vaidosa por desejar isso.

Apesar do escrutínio público, Grant parecia à vontade ao cumprimentar com um aceno de cabeça um conhecido que passava. Levou Vivien até um espaço desocupado na lateral do salão.

– Você é linda – disse ele. – A mulher mais linda que já conheci e a mais desejável. Nunca desejei nenhuma outra com tanta intensidade. Tenho medo de olhar para você por tempo de mais e acabar possuindo-a aqui mesmo, no meio do salão de visitas.

– Ah.

Enrubescida, Vivien ficou brincando com o peitilho do vestido. Grant não era exatamente um poeta, mas a declaração objetiva fez com que um arrepio de prazer percorresse o corpo dela. Vivien o encarou com um olhar tão direto quanto o dele.

– Por que estava flertando com lady Lichfield daquele jeito? – perguntou. – Já foram amantes?

– Não. Ela se diverte brincando com homens mais novos, é fácil deixá-la feliz. Lady Lichfield já provou ser alguém útil de se conhecer. Além do mais, por acaso, eu gosto dela.

Vivien franziu o cenho, sentindo uma pontada de ciúme.

– Você não teria um caso com uma mulher da idade dela, teria?

– Não se pode descrever lady Lichfield como uma anciã – comentou Grant. Subitamente, a sombra de um sorriso curvou seus lábios.

– Ela é uma mulher bonita de cerca de 40 anos.

– Mas ela é pelo menos dez anos mais velha do que você. Talvez quinze.

Grant ergueu as sobrancelhas de forma expressiva.

– Você não aprova que mulheres tenham relacionamentos com homens mais novos?

Vivien fez um esforço para engolir a rigidez desagradável na garganta.

– Não estou em posição de desaprovar ninguém.

– Os franceses têm uma atitude mais relaxada em relação a esse assunto do que nós. Eles acreditam que o poder de atração da mulher aumenta com a maturidade e a experiência... e se ela oferece seus favores a um homem mais jovem, ele é considerado um afortunado.

– Então, por favor, não permita que eu o prive da companhia de lady Lichfield – comentou Vivien, ácida. – Por que não vai até ela?

– Não vou ter um caso com lady Lichfield – murmurou Grant, com um toque de humor no fundo dos olhos verdes.

– Por que está sorrindo desse jeito?

Ela se sentia irritada e desconfortável, como se de algum modo tivesse feito papel de tola.

– Porque você está com ciúmes.

– Não estou, não – retrucou Vivien, cada vez mais aborrecida. – Para dizer a verdade...

Ela se interrompeu quando um homem moreno se aproximou deles.

– Quem é ele? – perguntou, em um tom cauteloso.

Grant olhou por sobre o ombro, então se virou para encarar o homem que se aproximava. Embora não houvesse qualquer alteração em Grant, Vivien percebeu que aquele era um homem de quem ele gostava e a quem respeitava muito... uma das poucas pessoas na Terra que ele desejava impressionar.

– Sir Ross – disse Grant em um tom de camaradagem, e fez Vivien se adiantar um passo. – Posso apresentá-lo à Srta. Duvall?

Sir Ross Cannon, o magistrado da Bow Street. Vivien fez uma mesura e o encarou com atenção. Considerou-o uma figura extraordinária, embora não soubesse dizer por quê. Sir Ross era um homem alto, ainda que não tanto quanto Grant. Ficava claro que era uma pessoa contida, com uma aura de poder mantida sob controle. Tinha cabelos negros, o corpo talvez um tanto magro demais, e olhos de um cinza curiosamente claro que pareciam ter visto muito da vida dos outros. O mais impressionante na aparência dele era o ar marcadamente distante, como se ele não fosse parte da reunião, embora estivesse entre os convidados. E o homem parecia confortável com esse quê de solidão.

Um pensamento mortificante ocorreu a Vivien... Grant se reportava àquele homem, fazia consultas a ele. Sem dúvida, sir Ross sabia tudo sobre ela, inclusive o que escrevera naquele caderno horroroso. Instintivamente, Vivien se aproximou mais de Grant.

O olhar atento de Cannon não se desviou dela.

– Srta. Duvall... é um grande prazer conhecê-la.

– Nós... – começou a perguntar Vivien, então mordeu a língua.

Não poderia passar a noite perguntando a todos no baile se já se conheciam.

Cannon compreendeu a pergunta interrompida e a respondeu com gentileza.

– Para minha tristeza, não.

Ela buscou traços de censura ou sarcasmo na expressão dele, mas não encontrou nada. Os olhos eram impassíveis de um modo reconfortante.

Cannon e Grant trocaram um olhar que pareceu conter uma conversa inteira. Depois de se inclinar mais uma vez diante de Vivien, Cannon os deixou com um murmúrio educado.

Grant pousou a mão ao redor do cotovelo de Vivien.

– Vamos, Srta. Duvall – disse em um tom suave. – Acho que está na hora de trocarmos amabilidades com outros convidados.

– Está? – perguntou ela, acompanhando-o com relutância.

Ela temia a perspectiva de socializar com qualquer um ali, já que não tinha como saber se estaria diante de um amigo ou de um inimigo.

– Estava pensando que está na hora de uma taça de vinho – sugeriu ela. – Bem grande.

– Você terá todo o vinho que quiser mais tarde.

A mão dele a guiou para a frente, sem ceder.

Para esconder seu desconforto, Vivien manteve o rosto impassível e composto.

Em meio ao mar de rostos especulativos, eles se aproximaram de um grupo e foram feitas as apresentações. Lorde e lady Wenman, lorde Fuller e Sra. Marshall. Todos pareceram curiosamente abalados e inseguros ao verem Vivien. Felizmente, houve pouca necessidade de que ela dissesse alguma coisa. Vivien olhava de relance para Grant com frequência enquanto ele conversava. A expressão dele era tranquila, mas seus olhos estavam atentos e Vivien percebeu que Grant estava ali avaliando, testando, esperando.

O olhar dela se voltou para lorde Wenman, que parecia composto a não ser pela sutil agitação dos sapatos no chão. Ele devolveu o olhar, e os olhos de um azul pálido cheios de insolência a deixaram perplexa. Wenman... Vivien não reconheceu o rosto dele, mas o nome lhe era estranhamente familiar. Onde ela o vira ou ouvira?

Grant guiou Vivien para outro grupo, onde fez questão de apresentá-la ao visconde Hatton. O visconde era um cavalheiro de idade, os cabelos louros já grisalhos, a pele enrugada como um pergaminho. Embora seus modos fossem educados, ele a encarou com uma mistura de acusação e cautela que foi impossível não perceber. Vivien logo se lembrou de que o nome dele e o de Wenman eram mencionados no diário dela.

Tivera caso com os dois. O desconforto a atingiu como um vento gelado. Já era ruim o bastante ter lido os detalhes dos próprios relacionamentos naquele maldito caderno, mas pior ainda era ser forçada a ficar cara a cara com os homens com quem dormira. Quantos outros amantes que ela já tivera estariam ali naquela noite? Vivien se virou na direção de Grant com uma acusação irritada na ponta da língua.

Antes que ela pudesse dizer qualquer coisa, porém, um homem de olhos pequenos como pedaços de carvão e rosto cheio se aproximou. Ao contrário dos outros, ele não fingiu ser um estranho. Foi direto até ela e segurou suas mãos em um gesto possessivo e íntimo, parecendo não reparar no modo como Grant ficou rígido ao lado dela.

– Santo Deus, Vivien – disse o homem em um tom tenso. – Achei sinceramente que tivesse morrido. Como pôde desaparecer desse jeito? Não se preocupou com o que me faria passar? Eu não tinha como entrar em contato com você, como me assegurar de que estivesse bem.

Enquanto ele falava, seu hálito carregado de álcool atingia pesadamente o rosto de Vivien.

– Se bem que, conhecendo-a como conheço, não deveria ter perdido nem um segundo do meu tempo me preocupando.

O homem parou para lançar um olhar desagradável a Grant antes de retornar a atenção para Vivien.

– Você sempre cai de pé, como um gato, não é mesmo?

Vivien forçou as mãos a permanecerem inertes nas dele. Estava desconfortavelmente ciente de que a atenção de todo o salão se concentrava neles.

– Boa noite, Gerard – disse Grant em um tom suave.

Claro, aquele era lorde Gerard, o antigo protetor dela. Vivien se forçou a sorrir, embora seus lábios tremessem. Raiva, objeção, vergonha, tudo isso disparou pelas veias dela, fazendo seu sangue arder. Ela se sentia como se tivesse sido posta na vitrine para a diversão dos membros esnobes da aristocracia... e fora mesmo.

Gerard parecia embriagado demais para reparar na atenção que estavam atraindo. Segurou as mãos enluvadas de Vivien com mais força. Ele se inclinou para sussurrar no ouvido dela, a voz arrastada.

– Prometa que vai dar um jeito de se encontrar comigo mais tarde. Preciso falar com você.

– Prometo – murmurou ela, puxando as mãos até soltá-las.

Gerard saiu cambaleando e Vivien foi na direção oposta, sem saber direito aonde ia. Grant a seguiu e não parecia mais satisfeito do que ela com a situação. Vivien saiu pela porta do salão de visitas e viu uma longa galeria com quadros nas paredes e bancos estofados. Parou diante de um retrato de um ancestral da família Lichfield de expressão arrogante e cruzou os braços com força.

Ela sabia, sem precisar se virar, que Grant estava próximo, e falou entre dentes – a raiva deixava seu maxilar rígido, mas ela manteve o tom baixo, para não ser ouvida por outro casal que examinava as obras de arte no lado oposto da galeria.

– Como você conseguiu isso, pelo amor de Deus? Encontrei três dos meus antigos amantes em menos de dez minutos. De algum modo você conseguiu que todos os que aparecem no meu diário fossem incluídos na lista de convidados.

– Lady Lichfield foi persuadida a mandar alguns convites extras.

O tom de Grant era inexpressivo.

– Que prestativo da parte dela! – retrucou Vivien, a voz amarga.

– Quem diabo você achou que compareceria, Vivien? Você sabia que iríamos usar este baile como oportunidade para revelar que estava viva.

– Mas você fez mais do que isso. Convidou absolutamente todos que poderiam querer me fazer mal! Estou sendo exibida diante deles como uma isca. E você está só esperando para ver quem vai atacar!

– Há meia dúzia de patrulheiros e guardas aqui esta noite, Vivien. Para não mencionar a mim e sir Ross. Estamos todos atentos. Você não corre nenhum perigo.

As palavras dele tiveram o mesmo efeito que jogar um copo de conhaque em uma lareira acesa. Vivien ficou inflamada, mostrando os dentes.

– Você poderia ter me dito o que estava planejando! Mas não fez isso porque queria me pegar desprevenida, para que eu me sentisse humilhada e envergonhada diante da multidão de homens com quem já dormi.

– Então você acha que tudo isso é apenas uma punição sofisticada que planejei para você? – debochou Grant. – Tente de novo, Vivien. A central da Bow Street tem coisas melhores a fazer do que apoiar vinganças pessoais. Meu trabalho é pegar o homem que tentou matá-la, e essa é a melhor maneira de conseguir. Se, por acaso, se sente constrangida pelo seu passado, a culpa não é minha.

– Seu arrogante, manipulador...

Vivien tentou pensar na palavra mais desagradável possível enquanto erguia a mão para esbofeteá-lo.

– Vá em frente – disse Grant, baixinho. – Se isso a fizer se sentir melhor.

Vivien o encarou, tão belo nas roupas de noite pretas, tão forte e invulnerável que uma bofetada apenas o divertiria. Ela cerrou a mão erguida e a apertou contra o estômago, usando toda a força de vontade que possuía para controlar as emoções tumultuadas.

– Você não suportaria ferir alguém, não é? – murmurou Grant. – Mesmo quando a pessoa em questão merece. Mas isso não se parece com você, que tinha o hábito de arrancar o coração de um homem do peito e esmagá-lo sob seus pés como se matasse uma mosca. Que diabo aconteceu com você?

Até aquele momento, Vivien não havia se sentido como uma cortesã. De repente, pela primeira vez, ela desejou poder voltar a ser aquela outra Vivien, a mulher sem pudores e insensível que fazia apenas o que desejava. Talvez assim a dor da traição desaparecesse. Até então, vira Grant como seu protetor, seu amigo. Apaixonara-se por ele, embora não tivesse esperança de que isso levasse a alguma coisa. Mas ele não era amigo dela. Era um adversário, como todos os outros que estavam ali naquela noite. Vivien se sentiu extremamente só, como uma mulher prestes a ser apedrejada. Ora... que se danassem todos e que olhassem quanto quisessem.

Vivien ergueu a cabeça e encarou Grant com um olhar firme. Estava agora muito pálida a não ser por um rubor intenso concentrado no alto dos malares.

– Muito bem – disse ela, em voz baixa. – Esta noite darei a todos, inclusive a você, o que quiserem.

– Que diabo quer dizer com isso?

– Só que pretendo tornar seu trabalho mais fácil.

Ela endireitou os ombros e saiu da galeria com passos determinados, entrando de volta no salão como um gladiador pronto para o combate.

Grant a seguiu devagar, o olhar fixo no corpo pequeno e delgado. Vivien deixara para trás qualquer traço de vergonha ou timidez. Passou por entre os convidados com a coluna reta e uma inclinação régia da cabeça. Parecia que a Vivien de que ele se lembrava estava de volta, atraente e sedutora como sempre.

Ao flertar e provocar abertamente, Vivien começou a atrair um enxame de homens, como moscas ao redor de um pote de mel. Não demorou muito para ela estar no meio de um círculo de cinco cavalheiros. Três deles eram antigos amantes e, ao que parecia, estavam mais do que dispostos a renovar os antigos arranjos com ela. Vivien bebeu rápido demais todo o vinho da taça que segurava entre os dedos delicados e logo aceitou outra.

Grant se adiantou, sentindo-se como um homem faminto sendo forçado a assistir a outros se banquetearem com o piquenique *dele*. Naquele momento, percebeu a mão de sir Ross em seu ombro, contendo-o.

– Deixe-a – murmurou Cannon, em um tom frio. – Ela está fazendo o que precisa ser feito. É inteligente, essa sua amiga.

– Vivien está apenas voltando ao que sempre foi – comentou Grant com amargura. – Ela não vai descansar até fazer com que todo homem neste salão a deseje.

– É verdade – comentou Cannon, então sua voz saiu irônica e reprovadora. – Olhe com mais atenção, Morgan, e diga-me o que está vendo.

– Uma cortesã divertindo-se loucamente.

Grant tomou um longo gole de conhaque.

– É mesmo? Vejo uma mulher com uma leve camada de suor na testa segurando a taça de vinho com muita força. Vejo a tensão de uma mulher cumprindo um dever desagradável apesar da vergonha que isso lhe causa.

Grant deu um risinho debochado.

— Ela não é capaz de sentir vergonha.

Cannon o encarou com curiosidade.

— Se você diz... Embora neste momento eu não tenha muita fé na sua objetividade.

Grant esperou que o magistrado o deixasse para murmurar baixinho:

— Nem eu.

Ele continuou a observar Vivien enquanto o ciúme e a fúria se agitavam em seu peito. Era assim que se sentiria qualquer homem que fosse tolo o bastante para se permitir gostar dela. Ele a observou conversando e flertando com antigos amantes e não conseguiu evitar a lembrança de detalhes nauseantes do que ela fizera com cada um deles. Grant teve vontade de socar, de desfigurar alguém... qualquer coisa que aliviasse aquela violência que o sufocava. Não imaginara até então que fosse capaz de sentir uma fúria tão irracional, e isso o estarreceu.

~

Até aquela noite, Vivien não imaginava que fosse possível mostrar uma fachada de prazer e alegria enquanto por dentro a pessoa se sentia absolutamente infeliz. Fingir atração sexual pelos homens que a cercavam – quando tudo o que queria era ficar sozinha – era o pior tipo de tortura.

Ela não olhou direto para Grant, mas o viu pelo canto do olho, um gigante carrancudo que parecia ter engolido um vespeiro. Vivien não conseguiu evitar o pensamento de que ele era a causa de seus problemas... embora isso não fosse de todo justo. Se ela não tivesse levado o tipo de vida que resultara em toda aquela maldita confusão, não precisaria da proteção dele. A culpa pela situação era dela mesma. Mas Grant – maldito fosse, com aquele jeito arrogante – não precisava tratá-la com tanta dubiedade: gentil e carinhoso em um momento, sarcástico e arrogante no minuto seguinte. Seria mais fácil para ambos se ele se decidisse se gostava dela ou se a odiava em vez de atormentá-la com suas flutuações de humor.

Lorde Gerard capturou de longe o olhar dela. Ele estava parado perto de portas de vidro que levavam aos jardins externos e inclinou a cabeça, indicando a porta.

Vivien percebeu que ele queria que ela o encontrasse do lado de fora e piscou, concordando, embora seu coração saltasse no peito de terror diante dessa perspectiva. Não havia dúvida de que ele tentaria seduzi-la... ou estrangulá-la. Sendo um antigo protetor dela e tendo a reputação de ser um homem ciumento, poderia muito bem ter sido ele quem a jogara no Tâmisa. Vivien estava com medo de ficar a sós com ele. Porém Grant dissera que estaria segura, e ela acreditava nele.

Vivien percebeu que precisava se afastar da multidão que se aglomerara a seu redor, então olhou em volta à procura de Grant. Seus olhos pararam por um segundo em um homem mais velho, alto, com cabelos cheios e grisalhos e um rosto longo e anguloso. Ele a encarava com um olhar intenso. Embora não fosse belo, tinha uma aparência distinta. O que atraiu a atenção de Vivien foi o ódio naqueles olhos.

Sentindo-se desconfortável, ela desviou o olhar e continuou a procurar por Grant. Ao encontrar a silhueta alta e familiar em meio aos convidados, lançou-lhe um olhar expressivo. Em um instante ele se pôs ao lado dela, afastando com os ombros a horda que a cercava. Grant ignorou os protestos dos outros homens e a arrancou do meio deles.

— O que foi? — perguntou baixinho, inclinando a cabeça para ouvir a resposta murmurada.

— Dance comigo.

Ele não recebeu bem a proposta.

— Não danço bem.

— Lorde Gerard indicou que gostaria que eu me encontrasse com ele no jardim. Pensei que você poderia dançar comigo me conduzindo até as portas, do outro lado do salão, e me ajudar a sair de forma discreta.

Grant hesitou, o olhar se dirigindo rapidamente para o lado de fora das portas. Era bastante provável que um encontro entre Gerard e Vivien gerasse informações preciosas. O fato de Vivien se dispor a encontrar o ex-amante que poderia ter tentando matá-la e a encará-lo sem a ajuda das lembranças era uma prova da coragem dela. No entanto, Grant não queria que ela fizesse isso. Ele estava com ciúmes, preocupado com a segurança dela, e, naquele momento, não havia nada no mundo que desejasse mais do que ficar a sós com ela.

— E seu tornozelo? — perguntou ele.

— Vou conseguir — respondeu Vivien na mesma hora. — Só sinto uma pequena pontada de vez em quando.

– Uma vez do lado de fora, fique perto da casa – alertou Grant baixinho. – Não se aventure além das portas que levam aos gramados mais abaixo. De acordo?

– Sim, é claro.

Com relutância, ele a puxou para acompanhar o giro de uma valsa que começava. Apesar da tensão que dominava ambos, ou talvez por causa dela, Vivien se sentiu tentada a rir. Grant não usara de falsa modéstia – ele não era *mesmo* um bom dançarino. Fazia o que se esperava na dança, mas dificilmente poderia ser chamado de gracioso, e segurava a parceira como se ela fosse uma boneca de pano.

Eles continuaram corajosamente, fazendo um progresso lento até o outro lado do salão. Enquanto seguia de forma mecânica os passos da valsa Grant observava os cachos cintilantes de Vivien presos no alto da cabeça. Pareciam labaredas. Ele estava apavorado com a possibilidade de pisar nos pés dela. Bastaria um passo em falso para aleijá-la.

Vivien estava em silêncio, aparentemente tão pouco à vontade quanto ele. Então Grant ouviu um som abafado que parecia choro. Ele quebrou o ritmo da valsa para levar os dedos ao queixo dela e forçá-la a olhar para cima. Os lábios de Vivien tremiam e seus olhos de um azul profundo cintilavam com o riso contido.

– Isto está horrível! – disse ela em um arquejo e mordeu o lábio para controlar uma gargalhada.

Grant se sentiu ofendido e aliviado ao mesmo tempo.

– Eu avisei – grunhiu ele.

– A culpa não é sua. De verdade. Você se sairia muito melhor com uma parceira de dança mais alta. Não combinamos.

Vivien balançou a cabeça e uma suavidade melancólica dominou sua voz.

– Somos incompatíveis.

– Sim.

Contudo, Grant não concordava – ou, mais precisamente, não se importava. Ele amava as pernas curtas, a cintura alta e as mãos pequenas dela. Amava tê-la nos braços. Amava cada detalhe de Vivien, os perfeitos e os imperfeitos. Essa constatação se espalhou dentro dele como ópio, fazendo-o sentir que subia muito alto para então despencar a uma velocidade nauseante. De todas as mulheres que conhecera... por que tinha que ser ela?

A música chegou a um crescendo e o salão de baile virou um borrão de luz e cor. Nesse momento, Grant empurrou Vivien na direção da porta que levava ao exterior da casa.

– Vá – murmurou ele. – Gerard está esperando.

Ele a protegeu da vista do salão com o próprio corpo enquanto ela escapava sem ser vista para encontrar o antigo amante.

CAPÍTULO 10

Nos fundos da mansão, o declive era recortado em três níveis. Degraus largos e com uma leve inclinação levavam à extensão aveludada do gramado mais baixo, cercado por sebes cuidadosamente aparadas. Era um jardim à moda antiga, muito bem-cuidado, com canteiros de flores em formas geométricas e trilhas bem marcadas. Um portão de ferro fundido se abria para os gramados, os pilares altos de pedra encimados por urnas de bronze.

Não vendo sinal de lorde Gerard, Vivien desceu a escada. Grant a alertara para não ir para os gramados mais abaixo, mas não parecia haver opção. Ela conteve um suspiro tenso e virou o corpo em um círculo completo. O jardim farfalhou e uma coruja piou alto.

– Vivien.

Era o sussurro arrastado de lorde Gerard.

– Por aqui.

Ela viu a mão aparecer entre as grades de ferro fundido do portão, o movimento do dedo dele chamando-a.

Que fosse, então, nos jardins mais abaixo. Vivien estremeceu com o frio da noite, passou pelo portão e confrontou Gerard. Sob a luz azulada da lua, o rosto dele parecia pálido e flácido como um manjar. Era um homem de altura e constituição medianas, os cabelos começando a rarear e retroceder no alto da cabeça. Vivien o observou. Se realmente havia sido amante daquele homem, deveria se lembrar de alguma coisa, de qualquer coisa sobre ele, supôs. No entanto, nem a imagem do rosto de Gerard nem o som de sua voz evocaram alguma coisa no vazio da memória dela.

Ele se adiantou para abraçá-la, e Vivien recuou na mesma hora.

Gerard riu baixinho e balançou a cabeça, admirado.

– Vivien, sua provocadora – murmurou. – Está esplêndida como sempre! Deus sabe que meus olhos sentiram falta da visão que você é.

– Não ficarei muito tempo aqui – retrucou ela, forçando-se a fazer um biquinho atraente. – Não quero perder nem uma palavra das fofocas do baile, já que fiquei fora da cidade por tanto tempo.

– Onde esteve no último mês? Vamos, pode confiar neste seu velho amigo.

– Você é meu amigo? – retrucou ela, em um tom suave.

– Se não sou, então você não tem nenhum.

Infelizmente, aquilo podia muito bem ser verdade. Vivien inclinou a cabeça em uma pose coquete e enrolou uma mecha de cabelo ao redor de um dos dedos delgados.

– Onde eu estive não é da sua conta, milorde.

Gerard andou ao redor dela em um semicírculo.

– Acredito ter direito a algumas perguntas, meu bem.

– Tem cinco minutos. Depois retornarei ao baile.

– Muito bem, então. Vamos começar com nosso caro amigo Morgan. O que ele é para você? Não é possível que o tenha aceitado como seu mais recente protetor... ou seus padrões caíram a esse nível desde a última vez que nos encontramos? Ah, imagino que ele exerça uma atração primitiva sobre algumas mulheres... mas é um plebeu. Um pega-ladrões, pelo amor de Deus. Que tipo de farsa você está planejando?

– Farsa nenhuma – retrucou Vivien com desprezo velado.

Como aquela criatura indolente e de barriga mole ousava insultar a ausência de sangue azul em Morgan? Sim, Morgan tinha seus defeitos, mas era cem vezes mais homem do que Gerard jamais poderia ter esperança de um dia vir a ser.

– Ele é um homem atraente.

– Um macaco superdesenvolvido – debochou Gerard.

– Ele me diverte. E pode bancar meus gostos. É o bastante por enquanto.

– Você combina muito mais comigo – comentou ele, baixinho. – Nós dois sabemos disso.

Os olhos cor de obsidiana a examinaram de cima a baixo com uma cobiça indisfarçada.

– Agora que o problema que nos separou está aparentemente resolvido, não vejo por que não retomarmos nosso antigo relacionamento.

Problema? Que problema? Vivien disfarçou a curiosidade por trás de um bocejo delicado.

– Você conversou com Morgan sobre mim – disse, a voz lenta.

O tom de Gerard se tornou carregado de arrependimento.

– Achei que estivesse morta, caso contrário não teria dito nem uma palavra àquele desgraçado.

– Você comentou com ele sobre nosso "problema"?

– É claro que não. Eu não contaria a ninguém a respeito. Além do mais, à luz do seu desaparecimento, temi que isso pudesse acabar fazendo com que eu fosse visto como suspeito.

Ele fez uma pausa, então perguntou em um tom quase envergonhado:

– A propósito, como terminou?

– Como o que terminou?

– Não seja obtusa, querida. A gravidez, é claro. Obviamente você sofreu um aborto ou talvez tenha...

Ele se interrompeu, parecendo desconfortável.

– Depois de muito refletir, admito que estava errado ao me recusar a reconhecer o bebê, mas você sabe muito bem como é o relacionamento com a minha mulher. A saúde dela é delicada, e saber de sua gravidez a teria perturbado demais. E não há prova de que a criança era minha.

Vivien se virou de costas, a mente em fogo. *Gravidez*. Carregara uma criança no ventre. Ela levou a mão ao abdômen liso e estremeceu ao pressionar a barriga. Não podia ser verdade, pensou, desesperada. Santo Deus, se engravidara, o que fora feito da criança?

Ondas de frio e calor percorreram alternadamente o corpo dela enquanto avaliava as possibilidades. Provavelmente sofrera um aborto, porque a outra opção era algo que não desejava sequer imaginar.

Vivien fechou os olhos com força, horrorizada. Não teria tirado o filho de propósito... teria? Os "comos" e "por quês" da questão pairavam ao redor dela como pássaros atacando-a e bicando-a até ela se encolher.

– Entendo – falou Gerard, percebendo o desconforto óbvio da jovem e deduzindo que Vivien havia, de fato, dado fim à gravidez. – Ora, não precisa se culpar, querida. Você na certa não faz o tipo maternal. Seus talentos são em outro âmbito.

Ela abriu os lábios, mas não conseguiu emitir nenhum som. Sentia uma culpa e uma dor tamanhas que só era capaz de se concentrar em um fato avassalador. Grant não poderia saber. Se descobrisse o que ela provavelmente fizera, a aversão que ele sentiria não teria limites. Grant a desprezaria por toda a eternidade... mas não mais do que ela mesma o faria.

– Vivien.

A voz de Gerard penetrou o turbilhão desesperado de pensamentos dela. Ele se aproximou por trás e segurou as mãos enluvadas de Vivien, acariciando-as lentamente.

— Vivien, deixe Morgan e volte para mim. Esta noite. Ele no fundo não é ninguém. Não pode fazer por você o que eu posso. Você sabe disso.

Palavras furiosas e carregadas de veneno chegaram à ponta da língua de Vivien, mas ela conseguiu contê-las. Seria melhor não tornar Gerard um inimigo... ele ainda poderia lhe ser útil. Ela se virou para ele com um sorriso trêmulo.

— Vou considerar a ideia – disse. – No entanto, não espere por mim esta noite. Agora... vamos voltar para o salão separados. Não vou envergonhar Morgan aparecendo com outro homem por lá.

— Um beijo antes de ir – exigiu Gerard.

Ela abriu um sorriso lento e provocante.

— Eu não conseguiria parar em um, querido. Apenas vá, por favor.

Gerard pegou a mão dela, a apertou e pousou um beijo nas costas da luva. Assim que ele se afastou, o sorriso de Vivien desapareceu. Ela passou as costas dos dedos pela testa coberta por uma camada de suor frio e se esforçou para não começar a chorar. Então, pegando um caminho diferente do que Gerard tomara, seguiu devagar para a mansão.

Ainda sentindo-se consumida pela culpa e por um medo amargo, Vivien parou perto de uma sebe densa que cercava uma enorme estátua de Cronos. Uma brisa bem-vinda a atingiu. Ela se sentia febril, zonza, e sabia que precisava se recompor antes de entrar no salão outra vez. Não queria encarar o aglomerado de convidados e, principalmente, não queria encarar Grant.

— Meretriz!

Uma voz masculina carregada de ódio cortou o silêncio, fazendo Vivien se sobressaltar.

— Não descansarei até que esteja morta.

Surpresa, Vivien girou o corpo, buscando a origem da voz. Sombras dançavam ao redor. O coração dela disparou. O som de passos fez com que saísse em disparada, como um coelho assustado. Vivien suspendeu a barra do vestido, deixou escapar um soluço abafado e subiu correndo os degraus de pedra, tropeçando e cambaleando na direção das luzes da mansão.

O pé dela escorregou em um ponto mais úmido da trilha, ou talvez em uma folha seca, e ela caiu, batendo com a canela em um degrau. Deixou escapar um grito de dor e se preparou para correr novamente, mas era tarde demais – um par de braços começara a se fechar ao seu redor.

– Não – choramingou ela, debatendo-se para se defender, mas já estava presa.

Uma voz rouca sussurrou em seu ouvido e ela levou vários segundos até reconhecer o som familiar.

– Vivien, fique quieta. Olhe para mim, maldição.

Ela piscou e ficou olhando para ele até sua visão clarear, não mais dominada pelo pânico.

– Grant – falou, deixando o ar escapar em arquejos doloridos.

Ele provavelmente a vira da casa e correra em seu auxílio no instante em que ela entrara em pânico. Grant se sentou nos degraus de pedra, puxou-a para o colo e a abraçou, o rosto moreno a poucos centímetros do dela. A luz do luar se refletia no nariz longo dele e lançava sombras dos cílios grossos sobre o rosto. Vivien se agarrou a ele, tremendo de alívio, os braços passados com força ao redor de seu pescoço.

– Graças a Deus...

– O que aconteceu? – perguntou ele sem rodeios. – Por que você correu?

Ela umedeceu os lábios secos e se esforçou para falar com coerência:

– Alguém atrás da estátua falou comigo.

– Foi Gerard?

– Não, a-acho que não... não parecia a voz dele, mas eu não... ah, olhe!

Ela apontou para uma silhueta escura passando pela estátua e desaparecendo ao redor das sebes.

– Aquele é Flagstad – murmurou Grant. – Um dos patrulheiros. Se houver um homem na área, Flagstad irá encontrá-lo.

– Você não deveria ir atrás do homem também?

Grant brincou com um dos cachos dela, que se soltara do penteado, e o colocou de volta no lugar. De repente, um sorriso que mais parecia uma carícia brotou nos lábios dele.

– Está sugerindo que eu a deixe sozinha?

– Não – respondeu ela imediatamente, os braços enlaçando o pescoço dele com mais força. – Não depois do que ele me disse.

O sorriso de Grant desapareceu na mesma hora.

– O que ele disse, Vivien?

Ela hesitou, consciente da própria necessidade de ser cautelosa. Nada sobre a gravidez deveria ser mencionado... ao menos até que ela descobrisse mais a respeito. Vivien se acomodou melhor nos braços dele, aliviada por ter o corpo musculoso de Grant ao seu redor, e respondeu com cautela:

– Que não vai descansar até eu estar morta.

– A voz lhe soou familiar?

– Não, de jeito nenhum.

Grant ajeitou uma das luvas dela, que afrouxara, e seu polegar pousou na maciez da depressão abaixo do braço dela. Embora a mão dele também estivesse enluvada, o toque foi firme e a tranquilizou.

– Você está machucada? – perguntou Grant.

– Minha perna... bati a canela, mas acho que não foi grave...

Vivien deixou escapar um gritinho de protesto quando ele começou a levantar a frente da saia dela.

– Não, não aqui! *Espere...*

– Não parece haver nenhum corte.

Grant examinou com atenção a pele já inchada e ignorou o fato de Vivien se contorcer com determinação.

– Fique parada.

– Não vou ficar parada enquanto você expõe a minha... Ah, solte!

Mortificada, Vivien percebeu que outra pessoa se juntara a eles na escada. Grant abaixou a saia dela, cobrindo a perna machucada, mas não antes de sir Ross alcançá-los. Vivien pressionou o rosto muito vermelho contra a frente do paletó de Grant e levantou os olhos para Cannon.

– Flagstad não conseguiu reconhecer o homem na escuridão – falou Cannon em um tom monocórdio. – No entanto, disse que nosso amigo é alto, de cabelos grisalhos e constituição esguia. E, por uma interessante coincidência, uma carruagem pertencente a lorde Lane, que combina com essa descrição, está partindo da propriedade neste exato momento.

– Lane – repetiu Grant, o cenho franzido. – Ele não está na lista de suspeitos.

– Foi mencionado no caderno da Srta. Duvall?

– Não – disseram Grant e Vivien em uníssono.

Hesitante, Vivien puxou a frente do paletó de Grant.

– Havia um homem mais velho me encarando no salão... Ele parecia me odiar. O nariz lembrava o bico de um falcão. Poderia ser lorde Lane?

– Poderia – respondeu Grant, pensativo. – Mas, sinceramente, não consigo imaginar que ligação ele poderia ter com você. Ninguém o mencionou antes.

– Permita-me investigar que relevância ele pode ter no caso da Srta. Duvall – falou Cannon.

Embora suas palavras fossem ditas em forma de pedido, ele claramente não estava em busca de permissão.

– Por acaso, Lane fez oposição a meu projeto de expandir os guardas noturnos – comentou Cannon com um sorriso sinistro. – Gostaria de retribuir o favor.

– Como quiser – respondeu Grant.

Ele tirou Vivien do colo e a ajudou a se levantar. Ela ficou grata pela escuridão parcial ao redor deles, já que estava muito consciente do desalinho em que se encontrava e de como as mãos de Grant se demoraram na curva de seu quadril.

– Posso ir para casa agora? – perguntou Vivien, em voz baixa.

– Não vejo por que não – foi sir Ross quem respondeu. – Saiu-se bem esta noite, Srta. Duvall. Na minha opinião, não deve demorar para esse caso ser concluído. Logo estará livre para voltar a sua antiga vida.

– Obrigada – disse Vivien com desânimo.

Talvez estivesse sendo ingrata, mas a perspectiva de voltar à antiga vida dificilmente era algo pelo qual ansiava. E quanto à perda da memória? Como e quando suas lembranças voltariam? Será que voltariam? E se ela tivesse que levar o resto da vida sem passado, sem os segredos e lembranças que tornavam uma pessoa completa? Mesmo se Cannon e Grant resolvessem o mistério da tentativa de assassinato dela e a deixassem segura de que não voltaria a ser atacada, Vivien ainda encararia o próprio futuro com medo. Não sabia quem era, quem deveria ser. Que estranha punição, ser roubada da primeira metade da vida.

Talvez percebendo o desespero que a dominava, Grant a segurou pelo braço com gentileza. Ele a guiou na direção de um caminho que dava a volta na mansão e levava até uma fileira de carruagens estacionadas ao longo da entrada circular da casa.

– O que lady Lichfield e os outros vão pensar se eu desaparecer sem me despedir? – perguntou Vivien.

– Vão presumir que saímos cedo para que eu pudesse levá-la para casa e para a cama.

Ela o encarou, perplexa pela declaração tão direta, enquanto arrepios percorriam cada centímetro de sua pele. Sem saber como estaria o humor de Grant, Vivien se sentiu tentada a perguntar se era aquilo que ele pretendia fazer. Mas as palavras se embolaram e ficaram presas na garganta, sufocando-a... porque ela se deu conta de que era exatamente aquilo que queria que ele fizesse.

Essa vontade tinha algo a ver com imprudência, com desesperança e com a simples necessidade de alguns momentos de intimidade e prazer. Que mal faria se ela se entregasse a Grant? Já havia feito aquilo antes. Apenas não conseguia se lembrar. Por que não deixaria que acontecesse de novo? Afinal, não tinha nenhuma reputação a proteger. Ela se sentia vazia, solitária e assustada... Queria dar prazer a ele... e a si mesma.

Deveria ter ficado horrorizada com o rumo que seus pensamentos estavam tomando. Em vez disso se sentiu ousada e desagradavelmente tonta, como se já tivesse se comprometido com um curso de ação do qual fosse tarde demais para recuar.

O criado os viu aproximando-se da carruagem e se adiantou para colocar o degrau portátil para Vivien subir. Ele era eficiente demais para mostrar surpresa diante da partida prematura deles e também não fez perguntas a não ser para confirmar qual seria o destino deles.

– Para casa – respondeu Grant em um tom ríspido.

Ele mesmo ajudou Vivien a entrar na carruagem, depois de gesticular para que o criado dissesse ao cocheiro para onde iriam.

Vivien enfiou a mão por baixo da saia para tocar a canela machucada, que latejava, e se encolheu discretamente.

– Está com dor? – perguntou Grant, sério.

– Não exatamente, mas...

Ela olhou de relance para o compartimento embutido na carruagem que guardava várias garrafas de cristal.

– Posso tomar um pouco de conhaque? Ainda me sinto um pouco abalada pelo que aconteceu.

Sem dizer nada, Grant serviu uma dose de conhaque em um copo pequeno que ofereceu a ela. Vivien aceitou o copo, levou-o aos lábios e virou tudo de um só gole. O fogo aveludado lhe desceu pela garganta, aqueceu o peito e deixou seus olhos úmidos. Ela controlou a tosse e estendeu o copo.

– Mais, por favor – pediu com a voz rouca.

Grant arqueou uma sobrancelha enquanto a observava com atenção, mas voltou a encher o copo. A segunda dose de conhaque desceu mais suavemente e espalhou o calor agradável por todo o corpo dela. Vivien suspirou baixinho, entregou o copo a Grant e se aconchegou no canto do assento.

– Ah, assim está melhor – murmurou.

– Não há motivo para sentir medo, Vivien – disse Grant, tendo deduzido que aquele era o motivo de ela querer o conhaque. – Não vou permitir que Lane ou qualquer outra pessoa lhe faça mal.

– Eu sei.

Ela se voltou para ele com um sorriso confiante, que Grant fez morrer com suas palavras seguintes.

– Sobre o que você e Gerard conversaram?

– Nada importante – disse Vivien.

– Conte-me o que foi dito. Decidirei se foi importante ou não.

Como não havia nada no mundo que pudesse fazê-la contar a ele sobre a gravidez, Vivien buscou algum outro assunto para comentar.

– Bem... lorde Gerard perguntou por que eu estava com você e disse que você não passava de um plebeu.

Isso provocou um sorriso forçado. Vivien deduziu que Grant já havia sido alvo de provocações semelhantes muitas vezes.

– Eu diria que ele é um bom juiz de caráter – comentou ele, com ironia. – Continue.

– Então ele me pediu que deixasse você e voltasse para ele.

– O que você respondeu?

– Não disse que sim nem que não, apenas que pensaria a respeito.

– Uma manobra sagaz – falou Grant, frio. – Na sua posição, é melhor manter todas as opções em aberto.

– Não vou me tornar amante dele de novo – declarou Vivien, insultada por Grant presumir que isso seria possível.

– Quem sabe?

Ele parecia tentar deliberadamente contrariá-la.

– Quando tudo isso tiver terminado...

– É isso que você quer que eu faça? – perguntou ela, irritada. – Que eu volte para lorde Gerard? Ou que encontre algum outro homem para me manter?

– Não. Não é isso que eu quero.

– Então o que *você*...

Vivien arquejou quando Grant a alcançou, rápido como um tigre, e a puxou para o colo. Ele cravou uma das mãos grandes nos cabelos dela, arruinando o penteado, soltando os cachos e fazendo os grampos se espalharem no piso da carruagem.

A respiração de Grant saía em arquejos instáveis e seu rosto estava afogueado. Ele estava com ciúmes, frustrado, dolorosamente excitado, tudo por causa da criatura provocante em seus braços. Estava cansado de desejar o que não podia ter, de esbarrar repetidamente no muro da própria consciência. Vivien era toda carne e seda em seu colo, e ele ansiava por se perder em seu calor.

– Quero que fique comigo – disse ele, a voz rouca. – Quero que seja minha.

Vivien o encarou com os olhos azuis atentos, as pálpebras pesadas, parecendo compreender o tormento dele. E tocou com delicadeza o rosto masculino com a mão fria enluvada.

– Então eu serei – murmurou ela, o cheiro doce de conhaque em seu hálito acariciando o rosto dele. – Porque eu também quero você.

As palavras dela libertaram o demônio que espreitava dentro dele. Incapaz de se controlar, Grant arrancou a luva de Vivien e pressionou a mão dela com força contra a própria boca, contra o maxilar, ansiando por saborear a pele macia. Então colou os lábios na palma da mão dela e fechou os olhos, inundado de desejo e prazer.

Vivien puxou a mão e, assim que conseguiu soltá-la, deslizou os dedos trêmulos pelo pescoço forte. Grant não precisou de mais incentivo. Baixou a cabeça e capturou a boca macia dela, exigindo que se abrisse. Vivien afastou os lábios, ansiosa por recebê-lo, a língua acompanhando as carícias determinadas da dele. Grant gemeu e a puxou mais para perto, o beijo tornando-se mais agressivo, até frenético, enquanto buscava o sabor mais profundo de Vivien. Mas, em vez de se saciar, a ânsia dele só aumentava. Ele queria mais.

Grant afastou a boca da de Vivien com um grunhido e seu olhar examinou o rosto enrubescido dela.

– Não consigo me saciar de você – murmurou. – É tão linda, tão doce... Vivien, posso...

As mãos dele tatearam as costas do vestido, então deram um puxão que arrancou os botões na parte de cima. O tecido bronze cedeu, os colchetes se soltaram e a frente se dobrou, expondo a pele pálida.

– Posso... – murmurou Grant mais uma vez, um braço ao redor do corpo esguio para evitar que ela se afastasse.

A mão dele envolveu o seio redondo e firme, o polegar roçando no bico macio e rosado até ele se enrijecer e ganhar um tom rosa um pouco mais escuro. Vivien mordeu o lábio e se contorceu enquanto Grant inclinava a cabeça sobre o peito dela. O calor úmido da boca dele cercou seu seio enquanto ele lambia o bico.

Perdida em uma bruma de conhaque e sensações, Vivien passou os dois braços ao redor da cabeça dele. Grant sugou o mamilo dela com gentileza e perícia, o corpo grande tremendo com a ferocidade do desejo que sentia. Vivien fechou os olhos e se rendeu à pura sensação física. Apenas um breve lampejo de constrangimento atravessou seus pensamentos, a consciência aguda de que só uma mulher desavergonhada, uma cortesã, permitiria que um homem fizesse aquilo com ela dentro de uma carruagem. Mas ela não se incomodava. Não importava como, quando ou onde Grant a tocasse. Ela o desejava com o mesmo desespero com que ele parecia desejá-la, e nada no mundo os afastaria naquele momento.

Grant passou para o outro seio, fechou os dentes ao redor do bico macio, o acariciou com a língua, ora descrevendo movimentos circulares, ora arremetendo, até Vivien arquear o corpo com um gemido. A cada carícia da língua de Grant, uma vibração deliciosa se espalhava no fundo do abdômen dela e descia até o meio das coxas. Agitada, Vivien juntou as pernas com força e levantou os joelhos, buscando instintivamente alívio para a ânsia que crescia.

Grant tirou a própria luva e segurou o tornozelo dela, a mão calosa raspando na meia de seda. Ele afastou bem os dedos e deixou que subissem até o joelho dela e mais acima, até o lugar onde a liga prendia a meia. Explorou a pele macia acima da liga e deslizou a mão por baixo da calçola de linho. A mão continuou a subir em busca da trilha de pelos entre as coxas.

Em um reflexo de pudor, Vivien resistiu. Seu corpo estremeceu no colo dele e ela deixou escapar um arquejo abafado de protesto. Na mesma hora, a boca de Grant se colou à dela em um beijo exigente. Vivien gemeu e passou os braços ao redor dos ombros largos, qualquer ideia de recusa derretendo-se como gelo ao sol. A mão de Grant buscou a fenda arrematada com fita na frente da calçola e seus dedos seguiram com gentileza por entre os pelos, o polegar traçando os sulcos preciosos que protegiam as partes mais secretas do corpo dela. Vivien estremeceu com uma mistura de confusão, medo e desejo e deixou a cabeça pender no ombro dele.

A exploração maliciosa continuou, a ponta do dedo de Grant repetindo a carícia longa e suave até os lábios íntimos se tornarem inchados e insuportavelmente sensíveis. Ele tocou o ponto pequeno e pulsante onde se concentrava o desejo de Vivien e o acariciou em movimentos circulares, deixando-a aturdida diante de um prazer tão visceral que quase a fez gritar.

Vivien se contorceu no colo dele, contra o volume protuberante que pressionava suas nádegas. Então deixou escapar uma risadinha trêmula ao se dar conta de que Grant estava mais do que pronto para possuí-la ali, na carruagem.

Os dedos dele encontraram a fonte úmida do corpo dela e se arriscaram mais além. Sem aviso, ele deixou o dedo médio penetrá-la. A princípio, Vivien resistiu, ainda que o toque fosse suave, e um leve ardor a fez se sobressaltar e arquear o corpo em uma tentativa de afastá-lo. Mas em seguida a carne dela envolveu o dedo dele com força, as coxas fechando-se ao redor da mão que a investigava tão intimamente, e Grant sussurrou palavras tranquilizadoras e deu beijos na pequena depressão atrás da orelha dela.

– Você está tão apertada – disse ele, a voz rouca. – Por quê? Está com medo?

– Sim – sussurrou ela, os sentidos em turbilhão.

– Não tem nada a temer.

– Não... não me lembro de como fazer isso – falou Vivien, a voz presa na garganta.

O dedo de Grant deslizava com mais facilidade agora, o canal cada vez mais úmido para recebê-lo. Uma arremetida, outra, em um ritmo sedutor que a fez arquear de novo o quadril, só que pedindo mais. O prazer foi ficando mais intenso, mais agudo, até Vivien estremecer e se agarrar com força às costas do paletó dele.

O mundo pareceu sair do eixo, girando fora de controle. Ela precisava tocar a pele dele, mas as camadas de roupas, os acessórios engomados e os botões impediam isso. Grant a deitou no assento da carruagem e se debruçou sobre ela, um dos pés apoiados no piso. Ele acomodou a cabeça de Vivien na dobra do braço e a beijou. Foi um beijo intenso, quente, agitado, ambos gemendo do prazer devastador que sentiam.

A carruagem se tornou um casulo de sombras e couro, oscilante, o ar perfumado pelo aroma de baunilha que exalava da pele dela. Vivien estendeu os braços, passou-os ao redor dos ombros largos e afundou o rosto com força no pescoço dele.

– Eu amo você – sussurrou Grant, deitando a cabeça dela no assento e encarando-a.

– Não precisa dizer isso – falou Vivien, hesitante, embora as palavras provocassem uma onda de prazer por todo o seu corpo.

– Eu amo você – repetiu ele, os olhos verdes cintilando como os de um gato na escuridão.

Vivien se perguntou se Grant estaria consciente do que dizia, se ele seria o tipo de homem que não distinguia amor de desejo, e ficou encarando-o sem palavras.

A carruagem parou e Vivien se deu conta de que haviam chegado à King Street. Grant deixou a cabeça pender, a voz baixa e sedutora no ouvido dela.

– Faça amor comigo esta noite, Vivien.

CAPÍTULO 11

Já era tarde e a criadagem tinha se recolhido a não ser pelo criado que abriu a porta. Após uma primeira reação de surpresa, o rapaz desviou os olhos da figura pequena e desalinhada nos braços do patrão.

Grant carregou escada acima a carga preciosa envolta em seu casaco e encarou o rosto semioculto de Vivien. Ela estava ruborizada e silenciosa, com uma expressão de incerteza, mas não de falta de vontade. Embora não se arrependesse das palavras de amor que dissera na carruagem, Grant se lembrou delas e sentiu a face enrubescer. Era a primeira vez em toda a sua vida adulta que dizia a uma mulher que a amava. Ele descobrira um lado de si mesmo que nunca soubera existir e queria mostrar a Vivien toda a ternura e paixão de que era capaz.

Chegaram ao quarto dele e Grant pousou Vivien no chão, ao lado da cama. Passou as mãos pelos cabelos desarrumados dela e beijou sua boca, moldando os lábios aos da jovem. Então tirou os grampos que ainda prendiam alguns cachos e soltou as tranças, deixando os cabelos caírem macios e quentes em suas mãos.

— Diga-me o que fazer — sussurrou Vivien, e passou as mãos por baixo do casaco dele, explorando as linhas firmes da cintura e das costas. — Não sei como satisfazê-lo. Não me lembro de nada disso.

— Você não tem que se lembrar — garantiu Grant, a voz suave e determinada.

Ele a segurou contra o corpo, muito excitado, a respiração acelerada pela sensação deliciosa de tê-la junto a si. Colou a boca ao pescoço de Vivien, beijou e saboreou a pele delicada, descendo até chegar ao vale do decote dela, que cheirava a baunilha. Vivien estremeceu e se inclinou, apoiando-se no braço dele enquanto seu coração batia rápido sob a pressão da boca determinada.

Grant a despiu devagar, soltando os fechos que prendiam suas roupas e deixando-as cair ao redor de Vivien. A pele recém-exposta era clara e luminosa, o corpo, macio, as curvas, abundantes... Ele cerrou os olhos por um instante, esforçando-se para domar a paixão violenta que sentia.

Quando voltou a abri-los, Vivien havia se afastado e subido na cama, cobrindo o corpo. O acanhamento dela era tão genuíno, tão... bem... *virginal* que Grant se perguntou se ela um dia fora daquele jeito, antes de embarcar em sua carreira de cortesã.

– Não se cubra – pediu ele. – Seu corpo é lindo demais para ficar escondido.

As cobertas não desceram nem um centímetro.

– Estou com frio – disse Vivien, ofegante, o rosto ruborizado.

– Vou aquecê-la – prometeu ele com um rápido sorriso, e começou a se despir.

Vivien ficou observando as roupas dele serem descartadas, deixando à mostra a pele muito mais firme e morena do que a dela, coberta por pelos em certos lugares e por cicatrizes em outros. Ela ficou encantada com a força e a graciosidade do corpo de Grant, que havia sido trabalhado, castigado e exercitado até não restar nenhum traço de suavidade.

– Você estava certo – comentou Vivien, a voz trêmula. – É *mesmo* uma visão impressionante despido.

Ele sorriu, se aproximou e pousou as mãos, uma de cada lado, no quadril de Vivien, inclinando-se sobre ela. Vivien sentiu o roçar delicado da boca masculina contra os cabelos.

– Tem alguma dúvida se quer continuar? – perguntou Grant. – Diga-me agora, antes que eu suba na cama com você.

A resposta de Vivien foi passar os braços ao redor do pescoço dele e puxá-lo. Logo sentiu toda a extensão do corpo de Grant contra o dela e, de repente, não conseguia ouvir nada além da pulsação em seus ouvidos. Qualquer pensamento desapareceu da cabeça de Vivien, restando apenas sensações... o calor surpreendente da pele de Grant, os pelos grossos do peito, o prazer da boca dele deslizando por seu pescoço, pelo ombro, chegando ao seio. As mãos de Grant estavam por toda parte, acariciando e explorando, deslizando por entre os membros dela, sem se preocupar com o decoro.

Se restava a menor dúvida em Vivien, ela se dissolveu na mesma hora. Nunca teria imaginado que um homem que conhecia tão bem as durezas da vida fosse capaz de tanta ternura, as mãos tão absurdamente gentis enquanto exploravam os lugares mais íntimos do corpo dela.

A respiração de Grant estava acelerada, como se ele fizesse um grande esforço, e cada vez que ele exalava com força era como se o ar queimasse a pele de Vivien. Grant pressionou as costas dela contra o colchão e beijou a elevação dos seios, mordendo de leve os bicos rígidos.

Vivien arquejou e segurou a cabeça dele enquanto o prazer e uma tensão peculiar faziam com que se contorcesse. De repente, um pensamento atravessou sua mente. Como poderia ter feito aquilo com tantos homens? Aquele era um ato que exigia mais confiança e intimidade do que ela poderia ter imaginado. Não era possível... De algum modo, todos tinham que estar errados sobre ela... Mas, antes que pudesse aprofundar essa ideia, ela desvaneceu.

Vivien sentiu a mão de Grant se fechar ao redor do pulso dela e guiar seus dedos até uma extensão de pele quente e sedosa. Com um murmúrio rouco de encorajamento, ele pressionou a mão de Vivien contra o ventre. Curiosa e excitada, ela segurou o membro masculino rígido, acariciando-o timidamente e percorrendo toda a sua extensão. O toque delicado pareceu excitá-lo além do suportável. Grant a beijou com paixão, a língua invadindo a boca de Vivien enquanto ele afastava suas coxas e encaixava o quadril entre elas.

A pressão na abertura tenra do sexo de Vivien lhe causou um ligeiro ardor, um desconforto. Ela ficou rígida e sentiu o peso do corpo dele se acomodar com um pouco mais de força, indo mais além na invasão desconfortável. Antes que pudesse protestar ou tentar se desvencilhar, Grant deixou escapar um som gutural e arremeteu com força dentro dela.

Vivien perdeu o fôlego ao sentir uma dor aguda que nunca experimentara – disso tinha certeza; nenhuma mulher esqueceria uma dor como aquela. Ela espalmou as mãos contra o peito dele, agoniada, e tentou afastá-lo, mas Grant arremeteu de novo. De repente, ele estava dentro dela, a extensão colossal de seu membro enterrada fundo, com força.

Entre as lágrimas de dor e perplexidade que se acumulavam em seus olhos, Vivien viu de relance o espanto no rosto de Grant.

– Vivien, fique parada – disse ele.

Porém ela se debatia e se contorcia, ainda que estivesse presa, impotente sob o enorme corpo masculino.

Espantado com a tensão da pele que o cercava, com a óbvia dor que Vivien sentia e com a conclusão inevitável a que o cérebro dele estava chegando, Grant ajeitou o corpo para suavizar o peso em cima dela e evitar ainda mais desconforto.

– Você está me machucando – reclamou Vivien, em um arquejo.

Grant a abraçou com mais força e murmurou palavras tranquilizadoras em seu ouvido, dizendo que a amava, que tomaria conta dela, que afastaria qualquer dor se ela permitisse. Aos poucos, Vivien relaxou e se agarrou a ele, as unhas cravando-se com força nos músculos firmes das costas de Grant. Ainda dentro dela, ele deslizou a mão pelo corpo delicado e correu o polegar pela trilha úmida de pelos ruivos até alcançar o ponto sensível escondido ali. Grant deixou o dedo acariciar lentamente aquele ponto, em movimentos circulares, provocando-a até conseguir uma reação do corpo trêmulo.

Vivien gemeu e ergueu o quadril de encontro à carícia, e assim Grant soube que o desconforto estava cedendo. Ele continuou a acariciá-la e provocá-la ao mesmo tempo que se movia dentro dela com cuidado, indo mais fundo. Vivien gritou, o corpo se inclinando instintivamente para recebê-lo, as mãos agarrando sem descanso as costas dele.

Grant estabeleceu um ritmo lento, ajustando-se para satisfazê-la, totalmente concentrado no prazer que era penetrá-la. Vivien atingiu o clímax com uma rapidez impressionante, o corpo contraindo-se com força ao redor do órgão dele, os membros estremecendo de surpresa. Dentro dela, Grant experimentou um gozo mais intenso do que qualquer outro que já vivera. Ele gemeu e enterrou o rosto na curva do ombro de Vivien, o ventre latejando, a pulsação disparada, o corpo dominado pelo prazer.

No silêncio pesado que se seguiu, Grant saiu com cuidado de dentro de Vivien e encontrou um sinal revelador que desafiava toda lógica. Perplexo, arrependido e furioso consigo mesmo, ele se viu obrigado a aceitar um fato em que nunca teria acreditado sem uma prova física.

Ela era – ou tinha sido até aquele momento – virgem.

Grant encarou o rosto atordoado de prazer de Vivien e balançou a cabeça, sem acreditar. Ela se esforçou para puxar o lençol e se cobrir, devolvendo o olhar dele com uma mistura de confusão e dúvida. Ele descansou a mão na curva do quadril de Vivien, que seu encolheu, mas não o afastou.

– Por que doeu daquele jeito? – perguntou ela, a voz rouca.

Ele não respondeu na hora, a mente ocupada com uma avalanche de perguntas.

– Porque você era virgem – disse, por fim.

– Mas... não é possível. Sou... sou Vivien Duvall... não sou? Você me disse...

Ela parou de falar, encarando-o, estupefata.

– Meu Deus! – murmurou Grant para si mesmo, tentando entender como pudera cometer um erro de tamanha magnitude. – Você não pode ser Vivien.

– E se eu for? E se você e todos os outros estiverem errados a meu respeito? E se...

– Não há a menor chance de que Vivien Duvall fosse virgem – declarou Grant, encarando-a como se nunca a tivesse visto. – É impossível. Fisicamente vocês são idênticas, mas você não é Vivien.

– Mas como eu poderia ser idêntica a ela? A menos que tivéssemos algum parentesco... talvez até...

Ela ficou muda quando outro pensamento lhe ocorreu.

– Fossem gêmeas? – completou Grant, o rosto muito sério. – Dada a semelhança física entre vocês, é muito provável. Embora ninguém jamais tenha sequer imaginado a possibilidade de Vivien ter uma irmã, menos ainda uma gêmea idêntica.

– Tem certeza de que não sou Vivien? – indagou ela, em um sussurro estupefato. – As coisas que disse a meu respeito... os homens com quem dormi... o que está escrito naquele diário... nada disso fui eu?

– Não – respondeu ele baixinho.

Ela caiu em uma crise de choro que pegou Grant de surpresa. Cobriu o rosto enquanto as lágrimas escorriam por entre os dedos.

Grant a puxou para seus braços, abrigando-a contra o peito nu. Sentir as lágrimas de Vivien em sua pele lhe provocou um remorso doloroso. Ele praguejou e fez o melhor que pôde para confortá-la.

– Lamento muito por essa confusão horrorosa – murmurou Grant. – Não posso devolver sua inocência. Eu a feri de uma forma imperdoável.

– Não, não – disse Vivien aos soluços contra o ombro dele. – N-não estou cho-chorando por causa disso. Estou t-tão aliviada por não ser Vivien, ainda assim...

Ela tentou conter outro soluço, mas acabou voltando a chorar com força renovada.

– Eu achei que sabia quem era, e i-isso me dava algum conforto, mesmo eu não conseguindo me lembrar de na-nada. E agora...

Ela fungou e se engasgou com mais uma crise de choro.

– Quem eu sou? Não consigo mais suportar não saber. Eu me sinto tão...

O choro convulsivo a impediu de continuar.

Grant a abraçou enquanto ela chorava, sentindo-se mais culpado e mais cheio de remorso a cada segundo.

– Vou descobrir – disse ele, a voz tensa. – Juro que vou. Maldição! Não chore mais. Por favor.

Enquanto acariciava os cabelos revoltos da jovem, Grant se perguntava quem seria ela e como acabara no lugar de Vivien. E por que ninguém procurara por ela? Em algum lugar deveria haver uma família, amigos, alguém preocupado com a ausência dela. Era até possível que ela fosse noiva. Alguém com sua juventude e beleza provavelmente era comprometida. A ideia o abalou ainda mais.

A mulher nos braços dele tinha uma vida inteira a respeito da qual nenhum dos dois sabia nada.

E onde diabo estava a verdadeira Vivien? O homem que desejava assassiná-la já a teria encontrado e finalizado o trabalho que se dispusera a fazer?

Confuso com o rumo que os eventos haviam tomado, Grant esperou que Vivien – ele não conseguia pensar nela com outro nome – se acalmasse um pouco e a deitou com gentileza na cama.

Ele buscou um roupão vinho listrado, o vestiu, amarrou a faixa da cintura e foi tocar a sineta.

Kellow apareceu em menos de cinco minutos. O valete se vestira às pressas e chegara com os cabelos desalinhados e os olhos pesados de sono. Grant o encontrou na porta, mantendo-a parcialmente fechada para evitar que o rapaz visse Vivien.

– Um jarro de água quente e algumas toalhas pequenas – pediu.
– Sim, senhor.

O valete desapareceu e Grant voltou para a cama. Vivien não se movera. A princípio ele achou que talvez tivesse adormecido, mas, quando chegou ao seu lado, viu que os olhos dela estavam abertos. Seu olhar estava perdido, a mente cheia de pensamentos que ela não podia ou não queria compartilhar.

– Vou me redimir com você pelo que fiz – disse Grant baixinho.

Ela virou a cabeça para encará-lo com um sorriso inseguro.

– Não precisa fazer isso – sussurrou, os olhos cintilando de lágrimas. – Não foi culpa sua ter me confundido com Vivien... Todo mundo confundiu. Ninguém questionou minha identidade. Não posso culpá-lo por supor o que parecia ser óbvio.

Ela soltou um suspiro.

– E, no que diz respeito a *isso*... – continuou, fazendo um gesto rápido e constrangido para indicar as roupas de cama desarrumadas e baixando os olhos em seguida. – Eu estava mais do que disposta – completou em um sussurro acanhado. – E você não teria como saber que eu era virgem.

– Isso não me torna menos responsável.

Grant se sentou ao lado dela na cama e pegou um cacho ruivo, esfregando a mecha sedosa entre os dedos.

– Vivien... – disse ele, mas se deteve assim que o nome escapou de seus lábios. – Maldição! Como devo chamá-la agora?

Os lábios dela se curvaram em um sorriso sem graça.

– Pode continuar a me chamar de Vivien. A esta altura, já estou acostumada. Além do mais... não quero escolher outro nome errado. Só quero descobrir como me chamo de verdade.

– Estou feliz por você não ser realmente Vivien – murmurou Grant, ainda brincando com o cacho ruivo e olhando para ela. – Estou feliz por nenhum homem ter feito amor com você a não ser eu.

Ela hesitou antes de comentar a declaração, os olhos azuis questionadores ao encará-lo.

– Eu também.

Eles ficaram se encarando pelo que pareceu uma eternidade, perdidos em pensamentos não ditos sobre o que acabara de ocorrer entre os dois e como aquilo mudava tudo.

Grant se lembrou de como a tratara e se sentiu profundamente perturbado. Encontrava-se em uma posição inconcebível. Logo ele, que administrava a própria vida com tanta eficiência, com tanto cuidado. Agora se apaixonara contra a vontade, para em seguida descobrir que ela não era a mulher que ele pensava que fosse... Então, sem querer, acabara tirando a virgindade da jovem. Teria que fazer um ajuste de contas e tanto no dia seguinte. Sua única opção era contar a verdade a ela, expor as mentiras que contara e torcer para que ela fosse capaz de perdoá-lo e de continuar confiando nele. E, mesmo que isso acontecesse, ainda havia a chance de perdê-la quando ela recuperasse a memória e voltasse a sua antiga vida.

Grant nunca imaginara que viria a sentir tamanha responsabilidade por uma mulher, tamanha conexão física e emocional. O ato sexual parecera quase novo, como se tirar a inocência dela tivesse, de algum modo, feito com que ele recuperasse a própria inocência. Grant queria fazer amor com ela mais uma vez, ensinar, explorar, compartilhar. Embora houvesse reconhecido com relutância seu amor por ela antes daquela noite, o sentimento agora estava carregado de promessa e deslumbramento; cada gota de amargura se fora. Grant se sentia inseguro, quase desajeitado, como uma criatura grande e alucinada cuja única esperança de felicidade fosse absurdamente precária.

Impaciente, ele se perguntou onde estaria Kellow e por que tanta demora em cumprir uma simples tarefa. Grant abriu a porta e olhou para o corredor escuro. Seu pé encostou em um objeto no chão. Quando baixou os olhos, viu uma bandeja com água quente, toalhas... e também conhaque e um copo. Com muito tato, Kellow havia deixado a bandeja do lado de fora.

Grant a pegou e fechou a porta com o pé. Voltou para a beirada da cama e pousou a bandeja sobre a mesa de cabeceira.

– Pegue – falou, entregando uma toalha a Vivien.

Ela secou os olhos úmidos e assoou o nariz com um vigor infantil que quase o fez sorrir. Grant encheu uma bacia de porcelana com água quente, molhou e torceu outra toalhinha. Constrangida, Vivien desviou o rosto vermelho e inchado quando ele começou a secá-lo, passando o pano morno na pele delicada, tirando os vestígios de lágrimas salgadas.

Em silêncio, Grant fez com que ela se recostasse de novo nos travesseiros. Ele voltou a molhar a toalha e começou a lavá-la como se ela fosse uma criança. Banhou-a embaixo dos braços, no peito, na barriga, nas pernas. A atitude tranquila dele a acalmou e, aos poucos, Vivien relaxou e não opôs resistência nem quando ele a lavou no meio das coxas. Grant usou outra toalha quente e limpa para tirar qualquer traço de sangue e sêmen. Foi o mais gentil possível, mas, mesmo assim, ela se encolheu enquanto ele dava conta da tarefa tão íntima.

Quando terminou, Grant a cobriu, se despiu e se lavou também. Depois apagou o lampião, deixando o quarto no escuro, e se deitou ao lado de Vivien. Exausta, mas ainda desperta, ela ficou imóvel ao sentir o peso dele afundar o colchão.

– O que está fazendo? – perguntou em um sussurro.

– Abraçando você.

Ele beijou a têmpora dela, a curva da orelha, a lateral do pescoço, bem devagar, a boca roçando suavemente, os lábios cálidos. Vivien arquejou, surpresa, e empurrou o peito dele.

– De novo, não – pediu, a voz frágil. – Estou muito cansada.

Mesmo sem ver direito, Grant sentiu que ela enrubescia quando acrescentou:

– E dolorida.

– Não vou machucá-la. Prometo.

Ele capturou o mamilo dela com a boca, acariciando-o com a língua até sentir o bico sensível enrijecer. Então envolveu os seios com as mãos e se dedicou primeiro a um, depois a outro, até Vivien deixar escapar um suspiro trêmulo e pousar as mãos na cabeça dele. A princípio, Grant achou que ela planejava afastá-lo, mas ela cravou os dedos entre os cabelos dele, fazendo com que se aproximasse mais. Ele a segurou pelo quadril e deixou os lábios fazerem uma trilha de beijos até o umbigo, onde enfiou a ponta da língua delicadamente, uma vez, e outra. Conforme a boca de Grant seguia em uma trilha ardente na direção do triângulo de pelos avermelhados entre as coxas, Vivien arquejou e cobriu a área com uma das mãos.

– Espere – suplicou.

– Tire a mão – pediu Grant.

– Não posso.

Vivien arquejou mais uma vez quando ele beijou ao redor da barreira da mão dela, invadindo por entre os dedos. Grant colou a boca contra as costas da mão dela e desenhou círculos molhados ali, com a ponta da língua, até todo o corpo de Vivien vibrar de desejo, pegando-a de surpresa.

– Afaste a mão – pediu ele de novo, a voz rouca, e puxou o pulso dela com gentileza.

Vivien continuou a se cobrir e Grant lambeu cada dedo tenso, da base à ponta. A língua dele era ágil, incansável, brincando com o pulso dela, com a mão, os dedos, até ela gemer e dizer que não conseguia mais suportar.

– Então deixe-me fazer o que quero, ora – sussurrou Grant com carinho.
– Afaste a mão, meu bem.

Ela obedeceu, revelando o lugar que havia protegido, e Grant grunhiu de satisfação. Ele enfiou o rosto entre os pelos ruivos e usou os dedos para abri-la. Bastou uma lambida na depressão úmida e sedutora para que o corpo inteiro de Vivien estremecesse. Mais uma lambida, e ele se demorou na exploração gulosa, provocando, saboreando, levando os sentidos a uma espiral de prazer.

Grant sentiu que Vivien empurrava sua cabeça, mas ignorou o gesto e se concentrou na pele delicada sob sua língua. Os dedos dela tremiam na cabeça dele, e ela projetava o quadril para cima em uma oferta impotente.

Vivien estava incapaz de controlar as próprias reações, o corpo procurando e se contraindo em um ritmo inconfundível. Grant sabia que poderia fazer o que quisesse com ela naquele momento e, por um instante, sentiu-se tentado a penetrar o calor pulsante do corpo dela. Mas o desejo de senti-la chegar ao clímax em sua boca era igualmente tentador...

Ele ficou onde estava, a língua projetando-se em movimentos rápidos até Vivien abafar um grito e estremecer em um gozo longo e doce.

– Ah... – sussurrou Vivien, entre um suspiro trêmulo e outro. – Não sabia... nunca pensei...

O corpo dela tremia violentamente quando Grant se ergueu e a puxou contra o peito. Ele colou a boca nos cabelos suados de Vivien e os beijou.

– Isso é só o começo – prometeu. – É o mínimo que vou fazer você sentir.

~

Ela havia se atirado no fogo por vontade própria. Não poderia culpar ninguém além de si mesma por se queimar. Aquele foi o primeiro pensamento a surgir na mente de Vivien quando ela acordou sozinha, o corpo em diagonal na cama enorme. Ainda teve um lampejo de esperança de haver sonhado de forma mais vívida que o normal. Mas o travesseiro sob sua cabeça guardava um leve perfume masculino e ela estava nua. Abriu os olhos ainda turvos. Quando afastou as cobertas para o lado, viu manchas roxas nas pernas pálidas e no quadril, como se alguém a tivesse segurado com demasiada força.

Estava dolorida em lugares que nunca doeram antes. Sentia uma pontada desconfortável entre as coxas e os músculos estavam cansados em toda a parte interna dali até os joelhos. Seus ombros e pescoço também doíam. Assim que se deu conta de que ansiava por um banho quente, alguém entrou no quarto.

Ao ver Grant se aproximar da cama, Vivien puxou as cobertas até embaixo do queixo na mesma hora. Ele já estava banhado e vestido, o rosto barbeado e os cabelos úmidos e penteados. Grant parecia ter tomado um cuidado especial com a aparência naquela manhã, o nó da gravata de seda preta muito correto, a camisa engomada e branca como a neve em contraste com o paletó cinza imaculado e o colete chumbo. A calça creme havia sido elegantemente amarrada, e as botas pretas, engraxadas até exibirem um brilho ofuscante.

Quando encarou os olhos verdes muito alertas, Vivien se viu dominada por sentimentos conflitantes. Não podia culpar Grant por tirar sua virgindade, e não faria isso. Havia se entregado por conta própria. Os dois tinham compartilhado a experiência mais íntima que um homem e uma mulher poderiam ter, e uma parte de Vivien na verdade exultava com isso. No entanto, não queria admitir seu amor por ele em voz alta. Havia assuntos mais prementes com que lidar, assim como algumas suspeitas no fundo de sua mente.

Grant foi direto até ela, segurou seu rosto entre as mãos e lhe deu um beijo longo e ardente.

– Bom dia! – murmurou com um sorrisinho.

O modo íntimo com que a encarou fez Vivien enrubescer.

– Vo-você não deveria estar na Bow Street? – perguntou ela, a voz ainda carregada de sono.

A julgar pela intensidade da luz que se derramava no quarto, já era tarde. Grant costumava sair antes que o sol nascesse por completo.

– Não vou à Bow Street hoje de manhã – respondeu ele, e apoiou o quadril ao lado dela, seu peso afundando o colchão.

Vivien considerou essa declaração, e sua mão pequena torceu o lençol.

– Por causa da noite passada? – perguntou.

– Vamos fazer uma visita a Linley.

– Não preciso de médico – disse ela, e chegou mais perto para sentir o perfume gostoso dele. – A maior parte das mulheres sobrevive à primeira vez que faz sexo sem precisar de cuidados médicos depois.

– Talvez seja eu que precise de cuidados médicos – comentou Grant, irônico, e afundou o rosto nas mechas sedosas dos cabelos dela. – Só o diabo sabe que a noite passada foi um choque para mim tanto quanto para você.

Ele recuou, observou o rosto preocupado dela e acrescentou com gentileza:

– Você pode muito bem estar presente quando eu conversar com Linley. O bom doutor deve algumas respostas a nós dois.

Ele esticou a mão até o outro lado da cama e pegou um amontoado de seda vinho, que esticou e segurou para ela. Vivien percebeu que era o roupão dele e tentou enfiar os braços nas mangas sem revelar os seios.

– Vi milhares de sinais de sua inocência – comentou ele, ruborizando, a voz carregada de culpa.

Ele ergueu com cuidado a massa de cabelos dela e deixou que caísse em cascata pelas costas do roupão.

– Até a noite passada, considerei falsos cada um desses sinais. Não poderia imaginar que você fosse outra pessoa que não Vivien Duvall.

Grant pegou uma das mãos dela e pressionou a palma macia contra o rosto. Sua boca tocou a linha delicada do pulso.

– Perdoe-me – murmurou, com visível esforço, traindo quanto era difícil para ele dizer aquelas palavras.

– Não há nada a perdoar – disse Vivien, a mão vibrando com o calor do rosto liso, recém-barbeado. – Você não me causou mal nenhum. Ao contrário, me abrigou e me protegeu, e... vou continuar a confiar em você. No entanto...

Ela fez uma pausa enquanto buscava as palavras apropriadas, mas não as encontrou.

Grant abaixou a mão de Vivien e a encarou com cautela.

– No entanto...? – instou ele, o cenho franzido.

– Acho que não deve haver mais intimidades entre nós – forçou-se a dizer Vivien. – Ao menos não por algum tempo.

Embora o rosto dele ficasse subitamente impassível, Vivien sentiu que Grant se preparava para contra-argumentar.

– Por que não? – perguntou ele.

Vivien apertou mais o roupão ao redor do corpo e disse, com o máximo de dignidade que conseguiu:

– Prefiro não explicar agora.

Para o alívio dela, Grant não insistiu no assunto... embora ficasse claro que ele estava longe de concordar ou aceitar aquela decisão. Os lábios dele se curvaram em um sorriso sedutor.

– Você sabe que não vai se livrar de mim – disse ele, baixinho.

Vivien conteve uma risada triste, ao mesmo tempo comovida e preocupada ao perceber que ele estava determinado a conquistá-la. Ela permitiu que Grant a acompanhasse até o lavatório, onde uma fileira de toalhas havia sido deixada aquecendo perto da lareira, e a banheira esmaltada já estava com água quente. O roupão vinho ficava tão comprido nela que formava uma cauda de seda, e ela teve que recolher o tecido nas mãos para não tropeçar.

– Vou ajudá-la com seu banho – ofereceu Grant.

– Não, obrigada – disse Vivien com firmeza. – Quero alguns minutos de privacidade. Por favor.

– Estarei esperando no quarto ao lado.

Enquanto afundava na banheira e deixava a água quente acalmar as dores que sentia, Vivien desejou ter um momento de alívio das preocupações que a consumiam. No entanto, nada as tirava de sua cabeça. Dúvidas a atormentavam sem parar. Ela se perguntava quem – e o quê – ela era de fato. Com certeza não era nobre, filha de um aristocrata... não se sentia como um membro da nobreza. Mas também não era uma cortesã. Não tinha nome, nem família, nem memória. Estava afundando de novo, sentindo-se insignificante, frustrada, impotente. E se nunca descobrisse quem era? Seria possível criar uma nova vida para si sem nunca vir a saber o que e quem poderia ter deixado para trás – amigos, família, talvez um homem que amara?

Uma criada entrou para ajudá-la com o banho carregando um vestido feito de uma preciosa caxemira verde.

A roupa de modelo simples acompanhava as linhas do corpo dela e era presa na lateral por um fecho dourado. As mangas estreitas terminavam em um laço verde, assim como a gola ampla em forma de xale. O decote fundo do vestido era complementado com uma aplicação de renda muito branca, que contrastava com o tom suave de pedra preciosa da caxemira. A criada trançou os cabelos ainda úmidos de Vivien e os prendeu em um pesado coque no alto da cabeça.

Depois de agradecer à jovem que a ajudara, Vivien foi até a porta do quarto onde Grant a esperava. Ela hesitou antes de entrar, tentando tomar coragem para fazer a pergunta que a torturava e não lhe saía da cabeça. Estava quase com medo de saber a verdade. No entanto, não seria bom para ninguém, muito menos para si mesma, se comportar de forma covarde. A verdade deveria ser encarada, não importava quão desagradável pudesse ser. Vivien endireitou os ombros e entrou no quarto.

Grant estava sentado em uma cadeira perto da janela e se levantou assim que a viu.

– Como se sente? – perguntou baixinho.

Ela tentou sorrir, mas seus lábios estavam rígidos demais.

– Acho... – começou a dizer Vivien, mas teve que parar e respirar fundo. – Acho que há algumas coisas que você não me contou, não é mesmo?

A expressão dele não revelou nada.

– Tais como?

– Quero saber sobre seu relacionamento com a verdadeira Vivien.

CAPÍTULO 12

Depois de acomodar Vivien em uma poltrona de adamascado, Grant se sentou perto dela. Ele se inclinou para a frente, apoiou os braços nos joelhos e ficou olhando para os carvões na lareira pelo que pareceu um tempo excessivamente longo. Quando por fim falou, Vivien não gostou do modo escrupuloso como pareceu considerar as palavras, como se estivesse se preparando para apresentar uma situação horrível sob a melhor luz possível.

– Está certo – disse Grant afinal, olhando de relance para ela, os olhos semicerrados.

Ele suspirou e descansou os punhos nos joelhos.

– Você tem todo o direito de saber sobre meu comportamento no que se refere a Vivien Duvall... Mas, primeiro, deixe-me dizer...

Grant fez uma pausa, como se achasse difícil falar, e praguejou baixinho.

– Maldição! Já fiz coisas ruins na vida... poderia escrever uma lista de pecados de mais de um quilômetro. Alguns deles foram cometidos por uma questão de sobrevivência, outros por pura cobiça e egoísmo. E me arrependo. Porém, de todos os pecados que cometi, nada me causa sequer metade do arrependimento de ter mentido para você. Juro pela minha vida... não, juro sobre o túmulo de meu irmão... que jamais farei isso de novo.

– Sobre o que você mentiu para mim? – perguntou Vivien em voz baixa, sentindo um frio na barriga.

Grant desviou os olhos para a lareira, mas não respondeu.

Enquanto observava o perfil rígido como granito, ela compreendeu o motivo.

– É sobre Vivien Duvall? – arriscou. – Ela nunca foi sua amante, é isso? Nunca dormiu com ela, como alegou ter feito. Mas por quê?

Ela o encarou sem esconder a perplexidade.

– Por que mentiria sobre uma coisa dessas?

Grant precisou de toda a disciplina para se manter firme ante o olhar intenso dela. Ele nunca tivera dificuldade em assumir seus malfeitos. Sempre encontrara explicações com facilidade e alegava para si mesmo e para quem mais fosse preciso que, afinal, era apenas humano. No entanto, agora havia algo impossível de relevar e esquecer. Ele tirara vantagem de alguém – de uma mulher – e, o que era pior, sua vingança mesquinha se voltara contra a pessoa errada. A culpa pesava em sua voz quando ele voltou a falar.

– Eu queria vingança por causa de uma mentira que Vivien espalhou sobre mim por todos os círculos de fofoca de Londres. Na noite em que a encontrei e a trouxe para cá, decidi que dormiria com você, com ela, para salvar meu orgulho.

– E o que pretendia fazer? Usá-la e descartá-la? Magoá-la em vingança ao constrangimento que ela lhe causara?

Ele apenas assentiu, envergonhado.

Vivien respirou fundo. Talvez devesse se sentir melhor por outra mulher, não ela, ter sido o alvo de Grant. Entretanto, não foi o que aconteceu. Ela não queria pensar nele como alguém capaz de tamanha mesquinharia, de tamanha afronta. E doía demais se dar conta de que aquilo que fora uma total entrega para ela tinha sido apenas um ato de vingança para ele.

– Entendo.

– Não, você não entende.

– O fato de eu estar machucada e indefesa não importou para você – murmurou ela. – Na verdade, tornou mais fácil que tirasse vantagem de mim.

Os olhos dele cintilaram de frustração, e Vivien sentiu a ebulição súbita das emoções dele sob a superfície controlada.

– Tudo saiu errado desde o princípio. Você não se comportava como a mulher que eu achava que você fosse.

A calma de Vivien evaporou e ela experimentou uma sensação de profunda traição.

– Você era a única coisa sólida no mundo, a única pessoa em quem eu poderia confiar... e mentiu para mim desde o princípio.

– Só sobre o nosso suposto caso.

– Só? – repetiu Vivien, furiosa por ele tentar minimizar as próprias ações. – E se eu fosse mesmo Vivien e fosse tão promíscua, egocêntrica e desagradável quanto você supunha? Nem isso justificaria seu comportamento.

– Se eu soubesse quem você realmente era... ou *não era*, jamais a teria magoado.

– Mas magoou – rebateu ela com amargura.

– Sim, o dano está feito – confirmou ele, sem a menor emoção na voz. – E tudo o que posso fazer agora é tentar reparar meus atos e lhe pedir perdão.

– Não é a mim que tem que pedir perdão – corrigiu ela. – É a Vivien.

Grant a encarou como se ela tivesse enlouquecido.

– Nem sonhando eu vou atrás daquela mulher com o rabo entre as pernas.

– Essa é a única reparação que aceitarei.

Ela o encarou sem piscar.

– Quero que se desculpe com Vivien quando a encontrar, por suas intenções cruéis em relação a ela. E eu o perdoarei *se* ela o perdoar.

– Pedir perdão a Vivien... – repetiu ele, erguendo a voz. – Mas não dormi com ela. Foi com você que dormi.

– E se você realmente tivesse dormido com ela como planejava? Ficaria arrependido?

– Não – retrucou ele, irritado.

– Quer dizer que não se arrependeria de manipular e enganar alguém se achasse que a pessoa merecia?

O rosto dela estava tenso de decepção e censura.

– Eu não teria imaginado que fosse capaz de tamanha crueldade e mesquinharia!

– Eu disse que sentia muito, maldição!

– Mas não sente – retrucou Vivien, determinada. – Você não se arrepende de ter arquitetado esse plano horrível, só se arrepende de não ter feito mal à pessoa que pretendia atingir. E eu não conseguiria amar um homem que se comporta dessa maneira.

Ela quase sentiu prazer ao vê-lo esforçar-se para controlar o gênio difícil. Grant fechou os olhos e conseguiu se conter, embora o rosto estivesse vermelho e o maxilar vibrasse de tensão.

– É hora de irmos – falou ele por fim. – Mandei um recado para Linley avisando que o visitaríamos.

~

Embora a residência elegante do Dr. Linley ficasse a uma curta distância a pé, Grant havia mandado preparar a carruagem. O trajeto – que, felizmente, durou pouco – foi feito em um silêncio desconfortável. Vivien olhava de relance com frequência para o homem enorme e irritado sentado diante dela. Grant parecia consternado e aborrecido, mais do que pronto para uma batalha – só que não havia contra quem lutar.

Vivien desconfiou que ele estivesse relembrando a discussão recente e avaliando em silêncio os argumentos dela. Ela ansiava por dizer algo mais sobre o próprio ponto de vista e abrandá-lo com súplicas, talvez até convencê-lo a concordar com ela. No entanto, manteve a boca fechada. Grant precisava resolver aquele assunto por si mesmo. Vivien compreendia que ele não gostasse da verdadeira Vivien Duvall, mas aquilo não justificava as ações dele. Um homem não tinha o direito de mentir ou tirar vantagem de outra pessoa apenas por não respeitá-la.

Eles chegaram à casa de Linley, uma em uma longa fileira de residências com frontões gregos, adornadas com arabescos em gesso e colunas de um branco imaculado. Grant ajudou Vivien a descer da carruagem e subiu com ela o pequeno lance de escada.

Foram imediatamente recebidos pelo mordomo, que os fez entrar. O Dr. Linley os aguardava na biblioteca, um cômodo pequeno mas muito bem-arrumado, com estantes de carvalho, cadeiras elegantes com encosto em forma de escudo vazado e uma mesa combinando.

O médico os cumprimentou com simpatia e acomodou Vivien em uma poltrona perto do fogo. Ele sorriu e afastou uma mecha de cabelos louros que tinha caído sobre a sua testa.

– Srta. Duvall, espero que não esteja se sentindo mal.

Vivien abriu a boca para responder, mas a fechou e se manteve muda. Encarando o médico, sentiu um rubor quente se espalhar pelo rosto ao se dar conta de que o principal propósito daquela visita era falar sobre a inesperada descoberta da virgindade dela e o que isso representava para o caso. Como acabara naquela situação humilhante?

Linley a encarou com certa perplexidade e voltou a atenção para Grant, que tinha uma expressão muito séria no rosto. Os olhos do médico cintilaram, questionadores.

– Tive que cancelar duas consultas por causa do recado que me mandou esta manhã, Morgan – lembrou. – Poderia me explicar a urgência desta visita?

– Há um novo dado em relação ao caso da Srta. Duvall – falou Grant, e se apoiou na pesada mesa da biblioteca. – Presumo que mantenha fichas médicas de seus pacientes. Quero ver a da Srta. Duvall, sem que seja omitido nenhum detalhe.

– A ficha médica é apenas para meu acesso e da Srta. Duvall – retrucou Linley no mesmo tom.

– Isso é relevante para a investigação.

Grant fez uma pausa, o desconforto visível, as narinas dilatadas.

– Diga-me, Linley, quando examinou a Srta. Duvall... ela era virgem?

O olhar perplexo do médico se voltou para o rosto abatido de Vivien e de volta para o de Grant.

– Posso lhe assegurar que não – respondeu e voltou a colocar no lugar a mecha loira que havia caído mais uma vez sobre sua testa.

– Bem, ela é... ou era, até a noite passada – declarou Grant.

Um silêncio se abateu sobre o cômodo. O rosto do médico se manteve cuidadosamente composto.

– Estão certos disso? – perguntou, dirigindo-se a ambos.

Vivien enrubesceu e se recusou a encontrar o olhar dele.

– Não sou um rapazola inexperiente, Linley – resmungou Grant.

O médico adotou um tom prático:

– Então esta não é a mulher que eu examinei. Vivien Duvall estava em início de gravidez. Quando a atendi em sua casa, Grant, presumi que ela houvesse sofrido um aborto espontâneo ou que se livrara do bebê. Percebi que não havia mais nenhuma distensão do útero nem sangramento. Não cabia a mim comentar a decisão dela. E não estava procurando evidências de virgindade.

– Meu Deus!

Enquanto assimilava a informação, Grant se voltou para Vivien. A ausência de surpresa dela diante da notícia fez com que ele estreitasse os olhos, desconfiado.

– Você sabia – acusou. – De algum modo, sabia sobre a gravidez.

– O bebê provavelmente era de lorde Gerard – disse Vivien. – Ele me falou a respeito quando conversamos no jardim, ontem à noite.

– E por que diabo não me contou?

– Eu sabia qual seria sua reação se acreditasse que eu havia interrompido a gravidez – falou ela. – Você teria me desprezado. Então decidi guardar essa informação só para mim por um tempo.

Grant respondeu com uma cascata de impropérios e se voltou para o médico com um olhar ameaçador.

– A ficha médica, Linley. Gostaria de ver que outros detalhes menores está escondendo de mim.

Muitos homens teriam se sentido intimidados, mas Linley não mostrou nenhum desconforto em relação ao gigante irado à sua frente.

– Está certo, Morgan, você pode ver a maldita ficha. Mas não antes de eu ter uma conversa com a Srta. Duvall... digo, com esta jovem... em particular.

– Por que em particular? – questionou Grant.

– Porque minha primeira preocupação é com o bem-estar dela. Já atendi mulheres recém-casadas histéricas depois da noite de núpcias. Gostaria de me certificar de que ela está bem, e não ajuda em nada os nervos dela, ou os meus, por sinal, ver você irado como um javali.

– Nervos! – repetiu Grant, e sua boca formou um sorriso zombeteiro. – Os nervos dela estão ótimos.

Ele olhou para Vivien, que mantinha o rosto virado para o outro lado, e sentiu uma pontada de preocupação.

– Não estão? – perguntou a ela.

Vivien não respondeu, apenas permaneceu sentada, torcendo as mãos no colo.

– Para fora – ordenou Linley bruscamente, parecendo feliz com o raro privilégio de dizer a Grant o que fazer. – Conhece a casa, amigo. Vá se distrair na sala de bilhar. Tome um drinque, fume. Mandarei chamá-lo daqui a alguns minutos.

Um grunhido escapou pela garganta de Grant, mas ele obedeceu.

Vivien levantou os olhos quando Linley se aproximou, a expressão cautelosa. Ela se preparou para ver censura no rosto dele, mas só encontrou bondade e preocupação. O médico pediu permissão para sentar-se em uma cadeira próxima a ela e a encarou com um leve sorriso.

– Apesar de toda a arrogância e das rabugices, ele é um dos melhores homens que já conheci – falou. – Morgan é talentoso sob vários aspectos, mas não no que se refere a mulheres. Digo, ele não costuma ser um sedutor de inocentes.

– Ele queria se vingar de alguma desfeita que a verdadeira Vivien fez – respondeu ela, devagar. – Planejou dormir com ela e depois deixá-la.

Linley balançou a cabeça.

– Isso não parece algo que ele mesmo aprovaria – ponderou o médico.

– Agora ele quer se redimir, é claro – falou Vivien. – Acredito que esteja até tentando se convencer de que me ama.

– Depois do que aconteceu, eu diria que a senhorita merece qualquer compensação que Morgan possa oferecer.

– Não – murmurou ela. – Não quero nenhuma compensação... só quero saber quem eu sou.

– É claro.

O médico a encarou com franca simpatia.

– Temo que não haja muito que eu possa fazer para ajudá-la em relação a isso. No entanto, gostaria ao menos de lhe assegurar que o desconforto que certamente sentiu é temporário. Tudo se tornará mais fácil nas ocasiões subsequentes.

Em vez de dizer a ele que não haveria ocasiões subsequentes, Vivien assentiu devagar.

– Compreendo – falou ela. – Não é preciso dizer mais nada, Dr. Linley.

Ele a encarou com um sorriso reconfortante.

– Por favor, me dê só mais um minuto. Preciso lhe dizer que, nesse ato entre um homem e uma mulher, deve haver honestidade, afeto e confiança. Não se entregue a menos que acredite que vocês dois compartilham tais sentimentos. Então a experiência se torna maravilhosa, algo de que ninguém se esquivaria.

Vivien pensou no homem que andava de um lado para outro na casa enquanto ela estava ali, conversando com o médico, e sentiu um aperto no peito. Perguntou a si mesma se, de algum modo, voltaria a confiar em Grant e se ele era digno dessa confiança.

– Morgan é um bom sujeito – garantiu Linley, parecendo ler os pensamentos dela. – Arrogante, teimoso... mas também cheio de compaixão e coragem. Espero que não desista dele tão facilmente, minha cara. Ainda mais levando em consideração o que ele sente a seu respeito.

– A meu respeito? – perguntou Vivien, surpresa. – Não sei o que quer dizer.

O médico deu um sorriso irônico.

– Faz cinco anos que conheço Grant Morgan e nunca o vi nesse estado por mulher nenhuma. Culpa é a menor das emoções com as quais ele está lidando.

– Se está sugerindo que Morgan está apaixonado por mim... – começou a dizer Vivien, cautelosa.

– Não importa o que eu esteja sugerindo. O fato é: ele *está* apaixonado por você.

Linley se levantou e foi até a porta. Antes de abri-la, acrescentou tranquilamente:

– Cabe a você decidir o que fará com isso.

Linley encontrou Grant na sala de bilhar, sentado em uma cadeira diante da mesa forrada com um tecido grosso, o braço e o queixo apoiados na beirada da mesa. Ele rolava as bolas de marfim uma por uma, em sucessão, descrevendo uma variedade de traçados para mandá-las para uma caçapa em um canto, onde se juntavam no saco de seda verde. Grant continuou olhando para as bolas quando falou:

– Como ela está?

– Considerando tudo pelo que passou desde a noite em que foi resgatada no Tâmisa... muito bem, na verdade. É uma moça forte.

Grant sentiu a garganta relaxar. Confiava em Linley. E, já tendo tratado de uma variedade de problemas físicos e emocionais de muitas mulheres em Londres, o homem devia ser um especialista. Grant pegou a última bola de marfim, fechou-a na mão, depois a deixou rolar gentilmente até a caçapa.

– Tenho uma questão pendente com você, Linley – falou, aborrecido. – Seu silêncio em relação à gravidez de Vivien...

– Eu tinha a obrigação de ficar em silêncio – afirmou o médico, sem se abalar. – A Srta. Duvall deixou claro no dia da consulta que o futuro do bebê, talvez até mesmo a vida dele, dependia do segredo sobre o assunto. E, embora ela parecesse dada a certo drama, me senti inclinado a acreditar. Ela não ficou muito feliz quando confirmei a gravidez e partiu com uma pressa que considerei suspeita. Como se estivesse com medo de algo... ou de alguém.

– Você deveria ter me contado!

Grant se levantou e passou os dedos pelos cabelos curtos.

– Pelo amor de Deus, alguém está tentando matá-la. O fato de estar grávida poderia ser uma das pistas mais importantes sobre o que aconteceu e por quê.

– Morgan – disse Linley com toda a calma –, você sabe o que aconteceria à minha prática de medicina se soubessem que divulguei uma informação particular sem o consentimento da mulher envolvida? Sabe quantas pacientes minhas são obrigadas a manter as circunstâncias de uma gravidez em segredo por uma razão ou por outra?

– Nem consigo imaginar – respondeu Grant em um tom irônico.

As damas respeitáveis da alta sociedade de Londres com frequência escapavam de seus casamentos arranjados e sem amor aceitando amantes.

Às vezes fingiam que um filho ilegítimo era, na verdade, do marido. Sem dúvida, o popular Dr. Linley era o guardião dos seus segredos.

– Compreendo o conceito de confidencialidade – continuou Grant. – No entanto, a verdadeira Vivien provavelmente continua viva e escondida. Ela pode ainda estar grávida e, com certeza, corre perigo... E a moça que você atendeu hoje também está em perigo. Assim, se houver algo mais que se lembre de Vivien ter lhe dito naquele dia, faria bem em me contar.

– Está certo. Porém, antes de voltarmos à biblioteca para examinar meus arquivos, gostaria de lhe dar um conselho. Diz respeito a Vivien... isto é, à jovem que está esperando por nós. Ela está compreensivelmente pouco inclinada a discutir a recente, bem... experiência que tiveram, mas parece ser uma criatura sensata, e suponho que não tenha sofrido tanto.

– Achou que dormir comigo pudesse provocar uma crise nela? – perguntou Grant, ácido.

Um sorriso sem humor curvou os lábios de Linley.

– Você ficaria surpreso com o que um médico descobre sobre as mulheres, Morgan. Já atendi algumas tão recatadas que não conseguiam dizer as palavras "estômago" ou "seios" em voz alta. Há mulheres que nem conseguem me contar o que as aflige. Eu deixo uma boneca de pano em uma gaveta da minha mesa e mostro a elas, para que apontem a parte do corpo em que sentem dor. Acredite ou não, estou falando de mulheres adultas, casadas. Às vezes acredito que, em grande parte, se trata de um pudor fingido, mas há aquelas que, sem a menor sombra de dúvida, se sentem profundamente desconfortáveis com tudo o que diz respeito ao sexo e ao corpo.

– Vivien não é tão melindrosa, graças a Deus.

– Você está certo – concordou o médico, no mesmo tom tranquilo. – Mesmo assim, ela pode ter alguns medos e preocupações íntimos que só você ou o próximo amante dela poderão aplacar.

– Não haverá um "próximo amante" – retrucou Grant, ultrajado diante da mera ideia. – Sou o único homem que ela terá.

– Bem, para grande parte das mulheres, a segunda experiência sexual é ainda mais importante do que a primeira. Ou confirma ou afasta os piores medos delas. Na minha opinião profissional, a maior parte das mulheres que atendo e que alegam ser frias por natureza na realidade foram negligenciadas pelos maridos ou amantes.

Grant encarou o amigo com irritação.

– Sei como satisfazer uma mulher, Linley. Ou está se preparando para comentar sobre sua vasta experiência com as mulheres?

O médico deu uma gargalhada súbita.

– Não, deixo isso para você.

Eles voltaram à biblioteca e descobriram Vivien ao lado de uma estante cheia de grossos volumes médicos e científicos. O olhar dela deixou as fileiras de livros pesados, com títulos em latim e grego, e se voltou na hora para o rosto de Grant. Os dois trocaram um olhar cauteloso enquanto Vivien se perguntava o que havia sido dito entre ele e Linley. Grant tinha uma expressão rabugenta, as sobrancelhas negras franzidas.

O Dr. Linley se ocupou em vasculhar armários e gavetas até encontrar uma pasta fina de documentos fechada com um cordão.

– Ah, aqui está – falou, e espalhou alguns papéis em cima da mesa da biblioteca.

Grant logo estava ao seu lado.

– Está vendo? – continuou Linley, passando o dedo por uma página com anotações. – Nada fora do normal a não ser...

Ele procurou entre os documentos e, de repente, um pequeno pedaço de papel deslizou para o chão. Vivien se adiantou para pegá-lo. Era uma carta, lacrada com cera marrom e endereçada a "V. Devane. White Rose Cottage, Forest Crest, Surrey".

– O que é isso? – perguntou Grant.

Vivien ficou em silêncio fitando o endereço na carta. Algo no modo como as palavras se uniam, o nome "White Rose Cottage", pareceu alcançar suas lembranças adormecidas e sacudi-las. Ela entreabriu os lábios e, em silêncio, leu e releu o endereço.

– E então, Linley? – indagou Grant, interrompendo a concentração de Vivien.

O médico deu de ombros, um pouco envergonhado.

– Santo Deus! Eu tinha me esquecido disso.

– De onde veio isso? – perguntou Grant, impaciente.

– A Srta. Duvall deixou aqui no dia em que confirmei a gravidez dela. Como eu lhe disse, ela parecia muito perturbada. Em sua pressa de partir, deixou cair a bolsa, espalhando tudo o que havia dentro. A Srta. Duvall correu para guardar seus pertences, mas, depois que saiu daqui, descobri que tinha deixado para trás essa carta, que obviamente pretendia enviar para alguém. Eu ia devolver na consulta seguinte dela. Guardei junto da ficha médica para que não se perdesse.

– Não passou pela sua cabeça que a carta poderia ser importante?

– Sou um homem ocupado, Morgan – retrucou o médico, na defensiva, cruzando os braços diante do peito. – Tenho coisas mais importantes a fazer do que ficar bisbilhotando a correspondência das minhas pacientes. Agora, você pode continuar me censurando por um pequeno esquecimento ou pode abrir essa maldita carta e ler.

Vivien já rompera o lacre. Ela abriu o papel cuidadosamente dobrado e descobriu algumas linhas escritas em uma caligrafia floreada. As palavras haviam sido postas com pressa no papel.

Meu bem,
Não, você não deve vir para a cidade. Estão surgindo problemas aqui, mas nada que eu não consiga solucionar. Estou partindo para resolver algumas pendências, depois irei para Surrey. Logo nos encontraremos, meu bem.
Vivien

Ela continuou a olhar para a carta, sem dar muita atenção ao fato de Grant ler junto, por cima de seu ombro.

– Ela pretendia mandar a carta para um amante? – murmurou ela.

– Provavelmente.

– Acha que Vivien poderia estar lá agora? Na White Rose Cottage?

– Vamos descobrir. Irei para lá hoje – disse Grant. – Logo depois de me reportar a Cannon, na Bow Street.

– Quero ir com você.

– Não sabemos quem estará lá nem o que esperar. Você ficará mais segura aqui.

– Mas isso não é justo! – exclamou a jovem. – Se a verdadeira Vivien estiver em Surrey, também quero vê-la. Talvez ela possa explicar como acabei em seu lugar. Talvez até saiba quem eu sou. Preciso ir com você!

– Não – reiterou Grant. – Você vai ficar em Londres, na proteção da minha casa. Deixarei um dos patrulheiros de guarda, tomando conta de você esta noite, caso eu precise me demorar mais do que o esperado.

Ao ver a expressão aborrecida de Vivien, ele passou um braço ao redor da cintura dela, inclinou a cabeça e falou baixinho:

– Não vou arriscar nem um fio dos seus preciosos cabelos. Não sei o que posso encontrar em Surrey... então prefiro que fique aqui, confortável e em segurança. Deixe-me cuidar disso sozinho.

Vivien assentiu, sentindo-se confortada pela preocupação dele com ela.

– Vai voltar o mais rápido possível? – perguntou.

Grant pressionou os lábios na testa dela e Vivien sentiu que ele sorria contra a sua pele.

– Acredite em mim... o único lugar no mundo em que eu quero estar é onde você também esteja.

~

Vivien ficou olhando para a carta em seu colo durante o curto caminho de volta. Traçava a letra feminina com a ponta do dedo. V. Devane... aquele nome a incomodava, mexia com ela. Como tantas outras coisas, parecia familiar, mas não evocava nenhuma lembrança. V. Devane...

– Você se lembra do pequeno quadro no quarto de Vivien, perto da penteadeira? – perguntou ela. – Era um chalé rodeado de rosas brancas... e tinha sido assinado por Devane. Esse homem deve significar muito para Vivien, se ela mantém um quadro dele no quarto e recorre a ele quando está com problemas.

Ela ficou dobrando e desdobrando a carta até Grant finalmente estender a mão.

– Me dê essa carta antes que você a deixe em pedacinhos – falou.

Vivien lhe entregou o papel sem protestar.

– Acredita mesmo que Vivien ainda esteja viva? – perguntou ela, baixinho.

Grant levou a mão ao joelho dela e apertou carinhosamente, para tranquilizá-la.

– Acredito que ela tenha caído de pé, como um gato.

Vivien ficou aliviada com a resposta.

– Eu me sinto muito protetora em relação a ela. Acha que podemos ser irmãs?

– Vocês se parecem demais para não serem.

Ela fechou os olhos e soltou um suspiro tenso.

– Quero descobrir sobre minha família... sobre os meus amigos... quero saber por que ninguém parece estar procurando por mim. Uma pessoa não pode desaparecer sem que *ninguém* perceba... Não estão sentindo minha falta? – questionou ela, e a voz saiu quase num sussurro quando completou: – Ninguém me ama?

– Ama.

Surpresa, Vivien levantou os olhos para ele, que a encarava com uma expressão determinada que fez o coração dela disparar. Grant devia estar se referindo a si mesmo, pensou, encantada.

– Se eu encontrar Vivien hoje – disse ele, os olhos verdes muito cálidos –, isso não mudará nada entre mim e você. E, quando recuperar sua memória, não dou a mínima para de que ou de quem você vai se lembrar. Não fiz parte do seu passado... mas pretendo fazer parte do seu futuro.

– Se-se você está se referindo a se redimir de algum modo da no-noite passada, já lhe disse que não é necessário.

– Não, não estou me referindo a isso. Estou falando sobre meus sentimentos por você.

As palavras dele provocaram nela prazer e consternação ao mesmo tempo. Vivien não conseguia imaginar alegria maior do que ser amada por um homem como Grant Morgan. No entanto, temia que ele ainda se sentisse culpado por ter tirado a virgindade dela e não queria que a pedisse em casamento apenas porque ela fora "desonrada". Acima de tudo, Vivien não deveria ser uma obrigação impingida a ele. E ela não havia esquecido a postura de Grant a respeito do casamento. Ele não precisava de uma esposa, dissera. Não queria ser fiel a uma mulher por toda a vida. Se Grant tivesse soado menos cheio de certezas, menos cínico... mas ele não deixara espaço para dúvida. Caso se visse preso a uma esposa que nunca desejara, talvez acabasse ressentido dela.

– Não me faça promessas – pediu Vivien, e o silenciou pondo os dedos em seus lábios antes que ele pudesse dizer algo mais. – Ainda não.

Grant pegou a mão dela, beijou os dedos, a palma e as veias frágeis do pulso.

– Vamos conversar quando eu voltar.

A carruagem parou e Vivien percebeu que eles estavam em casa.

– Faça uma boa viagem – desejou ela, os dedos fechando-se com força ao redor dos dele.

– Não se preocupe – falou Grant. – Pretendo encontrar Vivien Duvall e solucionar essa confusão dos infernos. E, depois disso...

Ele parou e fez uma careta.
- ... vou me desculpar com ela, maldição.
- Vai?
Vivien o encarou com evidente surpresa, entreabrindo os lábios de leve.
- Ainda que isso me mate.
Um sorriso zombeteiro curvou os lábios dele.
- O que é bem capaz de acontecer - acrescentou com uma risadinha.
Então se inclinou para a frente, para roubar um beijo antes de ajudá-la a descer da carruagem.

CAPÍTULO 13

O vilarejo de Forest Crest ficava na região pantanosa de Surrey. Preservado e semioculto pelas colinas cobertas de tojos e urzes que o cercavam, tinha duas ruas principais, uma igreja e um parque cheio de acácias. Parecia que a libélula era o símbolo do lugar, pois estava entalhada nas placas de algumas lojas e na frente da estalagem da cidade. E de fato havia muitas delas zumbindo ao redor do parque. Grant parou o cabriolé na lateral da rua principal e entrou na padaria. O ar estava quente e doce e ele o inalou com prazer enquanto seguia até o fundo da loja.

Uma mulher roliça de braços fortes tirava do forno um tabuleiro grande de pãezinhos.

– Vai querer alguns pães, senhor?

Grant fez que não com a cabeça.

– Obrigado, mas estou procurando pela White Rose Cottage... Pode me dizer como chegar lá?

– Ah, sim. Por anos foi o lar do diretor da escola e da filha, os Devanes. Adoráveis, os dois, sempre cercados por livros e crianças. Mas o pobre Sr. Devane morreu há dois anos... coração fraco. A filha ainda mora no chalé. Siga pela Cottage Street até a alameda que passa pela igreja. Já na charneca, o senhor vai ver o chalé. Cuidado para não assustar a moça, ela é do tipo tímida. Não a vemos na cidade há semanas. Só a empregada vem.

A mulher fez uma pausa e indagou, com um leve franzir do cenho:

– Posso lhe perguntar o que deseja com ela, senhor?

Grant sorriu.

– A senhora pode até perguntar, mas não vou lhe dizer.

A esposa do padeiro deu uma risadinha.

– Eu diria que ela é uma jovem de sorte: um homem grande e bonito assim aparecendo na porta dela... Até logo!

Grant voltou para o cabriolé e colocou os cavalos em movimento com um brandir impaciente das rédeas. O veículo leve sacolejou pela estrada até Grant chegar ao chalé de estrutura de madeira e teto simples. A pequena casa ficava no fim de uma alameda com uma profusão de roseiras. Era um lugar tão tranquilo que Grant conseguia ouvir o bater de asas das libélulas e o zumbido dos insetos em meio às flores. O aroma pesado e doce das rosas o cercou quando ele se aproximou da porta em arco ladeada por dois postes de madeira. O chalé parecia uma ilustração de conto de fadas, com um telheiro feito de pedras no jardim e um riacho correndo em meio a um bosque de salgueiros e teixos.

Sem perceber, Grant prendeu a respiração quando bateu na porta com os nós de dois dedos. Ele sentiu movimento dentro da casa, algo sendo arrastado, depois um sussurro: a compreensão súbita de que um estranho surgira sem avisar. Depois do que pareceu uma espera interminável, ele bateu de novo, dessa vez com mais força, usando a lateral do punho.

Uma jovem criada abriu a porta, os cabelos escuros presos embaixo de uma touca azul, uma expressão desconfiada.

– Bom dia, senhor – murmurou.

– Gostaria de falar com a dama que mora aqui.

– Ela não está em casa, senhor – falou a moça, que não mentia bem. – Não tem mais ninguém aqui.

Grant pensou com ironia que as pessoas nunca estavam "em casa" quando recebiam a visita de um patrulheiro.

– Vá chamá-la – aconselhou ele, a voz tranquila. – Tenho pouco tempo e menos paciência ainda.

A criada enrubesceu, obviamente perturbada.

– Por favor, senhor, pode ir embora?

Antes que ele pudesse retrucar, uma voz fria e aveludada falou de dentro do chalé.

– Eu falarei com ele, Jane. Talvez *isto* o convença a partir.

Grant empurrou a porta para abri-la. Havia uma mulher parada no meio da sala. Usava um vestido de musselina estampada com raminhos, o tecido delicado cobrindo o ventre alargado. O olhar de Grant passou pela silhueta grávida da mulher e se demorou na pistola que ela segurava na mão pequena e firme.

A arma vacilou de leve quando a mulher viu o rosto dele.

– Meu Deus! – arquejou ela. – É você, Morgan.

– Vivien? – falou ele em um tom carregado de uma ironia sombria. – Ou há mais de duas de vocês pela Inglaterra?

CAPÍTULO 14

A White Rose Cottage transmitira uma sensação de aconchego, embora deixasse claro que os Devanes eram educados porém pobres. O lugar era cheio de livros, enfiados em todos os cantos possíveis; volumes antigos, com as capas rasgadas. Pequenos quadros mostrando cenas do vilarejo cobriam as paredes, todos pintados em um estilo amador mas alegre. Todas as obras eram assinadas pela mesma pessoa: Victoria Devane.

Victoria. Finalmente ele havia descoberto o nome de sua amada. Na viagem de volta a Londres, Grant ficara repetindo esse nome para si mesmo.

Victoria e Vivien eram realmente gêmeas. Vivien tinha mudado o sobrenome para Duvall quando começara sua carreira de cortesã. Victoria permanecera em Forest Crest, com o pai.

Mesmo depois de conversar com Vivien naquela tarde, Grant ainda achava difícil acreditar que duas mulheres idênticas por fora pudessem ser tão opostas sob todos os outros aspectos. Victoria era uma jovem do campo, de boa família, inocente, que passava o tempo lendo, dando aula para as crianças locais, pintando e colhendo braçadas de urzes na campina. Vivien, ao contrário, amava o prazer e a indulgência... tinha uma bússola moral definitivamente descalibrada.

Uma parte da conversa que tivera com Vivien voltou à mente de Grant – o momento em que ele a acusara de atrair a irmã até Londres na esperança de afastar o perigo de si mesma.

– Você a atirou aos lobos para se salvar – acusara Grant, peremptório. – Queria que ela fosse confundida com você, e ela foi. E, depois de se livrar de sua irmã, você decidiu ficar aqui, fingindo ser ela.

A acusação fizera os músculos do rosto de Vivien se contraírem de raiva. Ela parecia um felino rosnando quando retrucou:

– Eu escolhi ficar aqui porque claramente não estou em condições de sair em busca de minha irmã desaparecida. Andei louca de preocupação por não saber onde ela estava ou o que poderia ter acontecido. Tinha certeza de que, se ela tivesse ido para Londres e descobrisse que eu não estava lá, acabaria voltando. E, para sua informação, mandei uma mensagem avisando-a que *não* fosse para Londres!

– Esta? – perguntara Grant, em tom de escárnio, ao tirar a carta do bolso do casaco.

Vivien pegara o papel dobrado e o lera depressa.

– Como conseguiu isto?

– Você deixou no consultório do Dr. Linley.

– Não deixei, não! – negou ela, enfurecida. – Postei esta carta assim que...

Vivien parara subitamente e levara os dedos aos lábios, interrompendo-se.

– Devo ter... – sussurrara, depois de algum tempo. – Tenho quase certeza de que mandei a carta, mas... havia tanto com que me preocupar... ah, Deus!

Ela deixara o papel cair como se fosse uma cobra e ficara encarando-o com tristeza.

– Não queria que Victoria fosse para Londres. Foi culpa dela mesma o que aconteceu, por se intrometer onde não foi chamada. Eu me recuso a sentir culpa pelo que aconteceu a ela, já que ela deveria ter tido o bom senso de permanecer aqui.

– Ninguém está pedindo que se sinta culpada – retrucou Grant, calmo. – Tudo o que peço é que me ajude, para assim ajudar sua irmã, respondendo a algumas perguntas.

Vivien tinha concordado na mesma hora, deixando claro que estava mais do que pronta para se livrar da ameaça que pairava sobre sua cabeça.

– Eu lhe contarei tudo o que quiser saber – garantira ela. – No entanto, depois que terminarmos, há outra pessoa com quem vai querer falar. Lorde Lane.

~

Infelizmente lorde Lane não pôde ser encontrado em sua residência em Londres naquele fim de tarde. Contudo Grant conseguiu arrancar do mordomo a informação de que Lane passava a maior parte do tempo livre no clube Boodle's, um refúgio para aristocratas que preferiam conversar sobre caça a falar de política.

Com o céu ribombando de forma agourenta e a escuridão caindo, Grant guiou o cabriolé até a St. James Street. Estava impaciente e cansado da viagem e, mais do que tudo, queria voltar para Victoria.

Ele se encheu de expectativa ao pensar no momento em que finalmente se encontraria com ela e poderia esclarecer tudo – seu nome, a identidade, os "comos" e "porquês" de tudo o que acontecera com ela. Queria fazer com que a jovem se sentisse em segurança, a salvo. Ela enfrentara muitos obstáculos, e Grant queria ajudá-la a compreender que o pior já passara. Dali em diante, se ela permitisse, ele tornaria a vida dela confortável e prazerosa.

Grant nunca se sentira daquele jeito: a cabeça cheia de planos e o humor próximo do otimismo, por mais incrível que parecesse. Ele daria fim à confusão que envolvia Vivien Duvall e se dedicaria a ser feliz com Victoria. Após anos de trabalho como patrulheiro, já não aguentava apartar brigas de beco e dispersar tumultos, não tinha mais paciência para perseguir criminosos em espeluncas e pocilgas. Estava na hora de deixar que algum outro pobre desgraçado fizesse esse trabalho. Estava na hora de ter alguma diversão, algum prazer na vida.

O Boodle's fora batizado em homenagem ao chefe dos garçons do clube original. Era um lugar propositalmente sem graça, onde os cavalheiros podiam encontrar paz e relaxamento. Eles se sentavam em poltronas fundas, com charutos e conhaques nas mãos, cercados de quadros com cenas de caça e de outras atividades do campo. Os únicos sons na atmosfera pacífica eram o farfalhar ocasional de um jornal e o murmúrio de algum criado atendendo aos cavalheiros no café. Era o tipo de lugar que nunca admitiria Grant no quadro de sócios. Ele talvez possuísse fortuna suficiente, mas não tinha um sobrenome distinto nem propriedades no campo, e seus talentos para a caça se limitavam em geral a presas humanas.

Assim que entrou no clube, Grant parou para olhar pela célebre janela em arco onde cavalheiros se sentavam para fumar. Foi abordado no mesmo instante por um atendente que não pareceu nada satisfeito em vê-lo.

– Senhor? – falou o atendente, o rosto tão expressivo quanto o de um peixe. – Posso perguntar o que deseja?

– Fui informado de que poderia encontrar lorde Lane aqui. Sou Morgan, da central da Bow Street.

Um ligeiro brilho de surpresa surgiu nos olhos do atendente. Claramente era inconcebível para ele que um frequentador do Boodle's pudesse estar envolvido com assuntos pertinentes à central.

– Lorde Lane está à sua espera, Sr. Morgan?

– Não.

– Então terá que procurá-lo outra hora, senhor. Em outro lugar.

O homem estendeu a mão para a porta, dispensando Grant e já se preparando para deixá-lo do lado de fora.

Um pé grande, calçado com bota, se fincou no caminho da porta, e Grant abriu um sorriso insolente para o homem.

– Perdoe-me, eu lhe passei a impressão errada. Deve ter achado que pedi sua permissão. O fato é que eu *vou* me encontrar com lorde Lane. Hoje. Aqui. Agora vai me dizer em que salão ele está ou devo revistar o lugar eu mesmo? Entenda: não sou sempre muito cuidadoso nas minhas buscas. Acabo quebrando coisas pelo caminho.

O rosto do atendente ficou rígido de pânico quando o homem imaginou o caos que um patrulheiro da Bow Street grande e irritado poderia espalhar pelo clube tranquilo.

– Isto é muito inconveniente – disse o funcionário em um arquejo. – O senhor não deve perturbar os membros do clube. Que absurdo! Acredito que lorde Lane esteja no salão de café. Se for capaz de agir com o mínimo de discrição, eu lhe peço...

– Sou o homem mais discreto que conheço – garantiu Grant com um sorriso largo. – Acalme-se... vou ter uma conversinha com Lane e já terei ido embora antes mesmo que os outros sócios percebam minha presença.

– Duvido muito – comentou o atendente, olhando com preocupação enquanto o intruso invadia o terreno sagrado para os frequentadores do clube.

Grupos de homens estavam sentados diante de mesas redondas, reclinados em cadeiras com encosto em forma de escudo vazado e estofadas com crina de cavalo. Um candelabro com pesadas gotas de cristal se erguia no teto abobadado feito de painéis e pintado de branco. Um quadro sombrio de uma caçada a um veado estava pendurado acima do console da lareira, emprestando uma sólida atmosfera masculina ao ambiente.

Várias cabeças se voltaram para Grant assim que ele entrou no salão de café, e olhares críticos avaliaram as roupas empoeiradas de viagem e os cabelos curtos e revoltos do recém-chegado. Grant se recusou a parecer envergonhado pela própria aparência, apenas perscrutou cada mesa até avistar um homem sentado sozinho perto da lareira.

O cavalheiro era alto, de membros longos, com cabelos grisalhos e um rosto anguloso marcado por rugas profundas e com nariz aquilino. Estava concentrado lendo um jornal e tinha diante de si um prato com biscoitos, um pedaço de queijo maduro e um pouco de geleia de frutas vermelhas.

Grant se aproximou da mesa com um passo estudado.

– Lorde Lane – chamou em voz baixa.

O homem não levantou os olhos do jornal, embora tivesse ouvido.

– Sou Morgan, da Bow Str...

– Sei quem você é – murmurou Lane.

Sem pressa, pareceu terminar um último parágrafo antes de se dignar deixar o jornal de lado. A voz dele era educada, mas seca e áspera, como o som de ossos velhos sendo friccionados.

– Quero conversar com o senhor.

Os olhos estranhamente embaçados de Lane o fitaram com frieza.

– Como ousa me abordar no meu clube?

– Podemos ir para outro lugar, se preferir – sugeriu Grant em um tom polido demais, inegavelmente zombeteiro.

– O que eu prefiro, Morgan, é que vá embora.

– Lamento não poder atendê-lo, milorde. O que tenho a discutir não pode esperar. Agora... vamos conversar aqui, na frente de seus amigos, ou em uma das salas privadas?

Lane olhou de relance para um criado próximo à lateral do salão que os observava com uma expressão ansiosa, sem saber como lidar com a invasão inesperada.

– Acho que terei que pedir ao gerente que o retire do recinto – falou o lorde e estalou os dedos para o criado, que se aproximou na mesma hora.

Grant levantou a mão para sinalizar que o criado parasse e acenou para que voltasse para onde estava, junto à parede. Então sorriu sem o menor bom humor para Lane.

– Não estou com disposição para brincadeiras, milorde. Na verdade, estou perto assim – ele mostrou um espaço de cerca de meio centímetro entre o polegar e o indicador – de arrastá-lo para fora daqui e levá-lo para ser interrogado na sala de detenção da Bow Street.

Um rubor de ultraje coloriu as faces fundas de lorde Lane.

– Você não ousaria.

– Ah, ousaria, sim – garantiu Grant. – Agrada-me bastante a ideia de prender um membro do Boodle's no salão de café do clube... só para mostrar aos outros sócios que isso pode acontecer. Entretanto vou me controlar, milorde, se o senhor fizer o esforço de colaborar e me der as respostas que busco.

Os olhos de Lane arderam de fúria e impotência.

– Seu lixo, escória da sarjeta...

— Eu sei, eu sei...

Grant fez um sinal para o criado, que se adiantou, parecendo desconfortável.

— Um bule de café, por favor. Puro — pediu.

Ele fez uma pausa e se virou para Lane com a sobrancelha arqueada, na expectativa.

— Onde vamos conversar, milorde?

— A sala quatro está livre? — grunhiu Lane para o criado.

— Acredito que sim, milorde.

— Vamos para a número quatro, então — disse Grant. — Tomarei meu café lá.

— Sim, senhor.

Os dois homens passaram pelas mesas com a atenção do salão inteiro fixa neles e saíram. Seguiram por um corredor que dava para uma sucessão de salas privadas.

— Não tem ideia da extensão da minha influência — escarneceu Lane. — Posso tirar seu chefe magistrado do cargo dele em um dia, se desejar. Posso fazer com que seja preso por sua insolência, seu vira-lata ignorante!

— Vamos falar sobre Vivien Duvall — sugeriu Grant apenas.

A cor no rosto de lorde Lane, que já não era boa, se apagou até adquirir um tom de pergaminho envelhecido.

— De que, em nome de Deus, você está falando?

O criado entrou na sala com uma bandeja de café e biscoitos, serviu uma xícara para Grant e saiu depressa. Quando a porta se fechou, Grant tomou metade do café em um único gole e encarou o rosto atento de Lane com um olhar firme.

— Alguém tentou matar Vivien Duvall há um mês — falou. — Desconfio que o senhor possa esclarecer um pouco o incidente.

O nome dela fez o homem mais velho cerrar os dentes de raiva.

— Eu me recuso a dizer qualquer coisa relacionada àquela meretriz maldosa.

— Ela também não está na minha lista de pessoas favoritas — replicou Grant. — Mas o senhor tem mais motivos para odiá-la do que a maioria, não é mesmo? Culpa Vivien Duvall por ter causado o suicídio de seu filho.

— Ela é responsável pela morte de Harry — reconheceu Lane. — Já disse isso a muitas pessoas.

– Responsável de que forma?

Embora fizesse um esforço para disfarçar suas emoções, a voz de lorde Lane mostrava tremores que revelavam dor e fúria.

– Meu filho sofreu de melancolia por anos. Isso fez com que ele se voltasse para todo tipo de comportamentos excessivos. Harry foi uma presa fácil para apostadores e ladrões... e para mulheres como aquela criatura. Ela teve um caso com meu filho e, quando terminou o relacionamento, ele se matou com um tiro.

– Isso não é tudo o que o senhor tem contra ela – afirmou Grant. – Depois da morte de Harry, Vivien seduziu Thomas, seu único neto, e planejou se casar com ele.

Houve um longo silêncio, durante o qual Lane se esforçou para mascarar as próprias emoções.

– Não estou a par de nenhum plano envolvendo meu neto – disse ele, friamente.

Lane era bom em mentir, pensou Grant, mas aquele assunto abalava seu coração e causava uma raiva grande demais para que ele conseguisse esconder a verdade por muito tempo.

– O senhor comprou uma patente militar para Thomas e o fez embarcar no primeiro navio para a Índia assim que descobriu que Vivien estava atrás dele – continuou Grant. – Acredito que julgou que ele estaria mais seguro enfrentando pântanos, caçadas insanas e doenças exóticas do que se permanecesse exposto à influência de Vivien. Deus sabe que talvez estivesse certo. Mas deveria ter parado por aí, milorde. Ao contratar alguém para matar Vivien, o senhor foi longe demais.

– Tolice – disse Lane, seco. – Se eu quisesse que essa vagabunda morresse, eu mesmo teria feito o trabalho.

– Homens em sua posição nunca fazem eles mesmos esse tipo de trabalho. Mas me surpreende o fato de ter contratado um idiota para resolver seus assuntos sujos. Ele não terminou o trabalho. O imbecil foi incompetente a ponto de não conseguir matar uma mulher pequena e indefesa... e o senhor descobriu isso no baile de lady Lichfield, quando viu Vivien. E, compreensivelmente, quis que o desgraçado terminasse o trabalho que tinha sido pago para fazer.

O ultraje indisfarçado no rosto de Lane ganhou toques de astúcia e presunção.

– Que provas tem de qualquer uma dessas alegações?

– Terei todas as provas de que preciso quando a investigação for concluída e eu tiver capturado o assassino que o senhor contratou.

Então algo estranho aconteceu... algo inédito em todos os anos em que Grant trabalhava como investigador. A barreira defensiva se rompeu e Lane o encarou com um brilho malicioso e triunfante nos olhos. E fez uma confissão em três palavras:

– Nunca o pegará.

A admissão de culpa foi inesperada. Se Grant estivesse na posição de Lane, teria mentido até o fim e se escondido atrás da idade, da respeitabilidade e da influência política. Não havia razão para que ele confessasse nada. No entanto, mais tarde Grant chegaria à conclusão de que aquilo era compreensível à luz da sensação de invulnerabilidade de Lane. O aristocrata estava certo de que um homem em sua posição – um nobre – jamais seria condenado pela morte de uma prostituta. Além disso, estava tão enfurecido com o suicídio do filho que, no fundo, queria que alguém soubesse que a morte de Harry fora vingada. Lane era um homem velho, com poucos anos de vida pela frente, e perdera o único filho.

Sem fazer nenhum movimento, Grant encarou o homem que permanecia tão seguro, mesmo em seu silêncio, que lhe provocou um arrepio frio na espinha.

– Vivien Duvall logo estará no fundo de uma cova e o assassino dela vai desaparecer da Inglaterra. Você não poderá fazer nada para impedir.

Enervado, Grant teve que lembrar a si mesmo que Victoria estava em segurança na casa dele, com um patrulheiro para protegê-la.

– O imbecil que contratou não vai conseguir chegar nem perto de Vivien – afirmou Grant em um tom tranquilo. – Até agora, ele não conseguiu encostar um dedo sequer nela. Desde o início desse maldito contrato que fez com o senhor, o assassino está atrás da mulher errada. *A mulher errada*, entendeu? A mulher que foi atacada e jogada no Tâmisa, a mesma que eu acompanhei ao baile de lady Lichfield, não é Vivien Duvall, e sim a irmã dela. Vivien está escondida esse tempo todo, e o homem que o senhor contratou vem tentando matar a irmã inocente dela.

– Isso não é verdade!

Lane ficou de pé tão rápido que a cadeira em que se sentara tombou para trás. A mera sugestão de que Vivien Duvall gozava de boa saúde e estava fora de perigo tinha sido o bastante para deixar o homem insano. Até as pontas dos cabelos grisalhos dele pareciam estalar de fúria.

— Seu patife mentiroso! Só um idiota acreditaria em uma tolice dessas...

— A irmã de Vivien tem passado o diabo por causa de sua estupidez — falou Grant, a própria raiva indo à tona em um fluxo incontrolável. — E o pesadelo que ela vem vivendo vai terminar hoje.

Antes que tivesse consciência do que estava fazendo, Grant fechou as mãos ao redor do pescoço do homem.

— Devo fazer com o senhor o que fizeram com ela? — perguntou. — Vamos ver como se sente depois de ser estrangulado e largado no Tâmisa...

— Tire... as mãos... *de mim*... — arquejou o outro homem.

— Diga-me o nome do homem que contratou, para que eu possa pôr logo fim a toda essa sandice — ordenou Grant, ameaçador. — Diga logo, desgraçado!

O rosto de lorde Lane estava roxo, os olhos saltados de fúria.

— Se isso for verdade — disse ele, a voz engasgada — ... se houver duas dela... destruirei ambas, só para ter certeza...

— Nunca. *Acabou*, entendeu?

Grant apertou a garganta do homem com mais força.

— O nome dele — repetiu, em um tom sombrio, encarando os olhos lacrimejantes do velho aristocrata como um anjo da vingança.

Lane cuspiu o nome com tanta força que espalhou gotas de saliva no rosto de Grant.

As mãos de Grant se afrouxaram e ele encarou o homem diante de si, que tossia e arquejava.

— O que disse? — perguntou, tentando ouvir acima do súbito zumbido nos próprios ouvidos.

Lorde Lane cambaleou para trás e repetiu o nome como se fosse uma palavra profana.

— Keyes — falou. — Neil Henry Keyes... um de seus malditos companheiros. Um *patrulheiro*.

Ele deu uma risada rouca.

— Ele precisava de dinheiro. E me garantiu que seria uma tarefa fácil. Eu deveria ter imaginado que alguém de sua laia se provaria incompetente para o serviço. Mas contratarei outra pessoa, está me ouvindo? Vivien Duvall nunca estará a salvo!

Grant balançou a cabeça e se virou na direção da porta com a sensação de caminhar sobre areia movediça. Estava sufocando e precisou se esforçar para respirar.

– Meu Deus! – arquejou, o horror eliminando qualquer pensamento coerente.

Pela primeira vez na vida, se viu dominado por um pânico tão grande que o deixou sem ação. Keyes era o patrulheiro que tinha sido designado para tomar conta de Victoria naquela noite. Ela fora entregue nas mãos do próprio assassino, com a aprovação de Grant.

– Se algo acontecer a ela, sua vida estará acabada – sussurrou para Lane. E a dele também.

Grant saiu correndo, tropeçando, abrindo caminho pela atmosfera sepulcral do clube até alcançar o lado de fora, onde a chuva fria o fustigou.

– Minha vida acabou junto à de Harry – gritou Lane, que disparara atrás de Grant, e sua voz ecoou no silêncio perplexo que se abatera sobre o Boodle's.

Uma dor intensa atingiu o idoso no peito, apertando, pressionando. Tomado pelo ódio, ele a ignorou.

– Agora meu único motivo para viver é ver aquela meretriz morta! Não descansarei até que ela morra, entendeu? Nem que eu tenha que arrancar o último suspiro de vida dela... com as minhas mãos...

Lane parou no meio do grande salão enquanto funcionários e membros do clube corriam até ele. Foi cercado por uma bruma escura e gritou em meio ao atordoamento cada vez maior, com uma dor lancinante que aumentava e se espalhava pelo peito. Mãos surgiram para ajudá-lo, vozes para acalmá-lo, mas aquilo o enfureceu ainda mais. Seus gritos se transformaram em arquejos insistentes de vingança, e ele percebeu que caía. E então Lane se dissolveu no mar de ódio do qual nunca, jamais conseguiria sair.

CAPÍTULO 15

– O patrulheiro chegou, minha querida – avisou a Sra. Buttons, parada na porta da biblioteca. – Chama-se Keyes e é um cavalheiro bom e gentil... o homem mais experiente que sir Cannon poderia oferecer. O Sr. Morgan o estima muito. Estaremos em boas mãos, pode ter certeza.

– Agradeça ao Sr. Keyes por mim, por tomar conta de tudo durante a ausência do Sr. Morgan – murmurou Vivien.

Ela parou diante da janela da biblioteca com um livro na mão e ficou olhando para a tempestade que se formava do lado de fora. Nuvens pesadas tinham escurecido a tarde a ponto de parecer noite e rajadas de vento agitavam as árvores e os canteiros do jardim. A chuva já começava a cair, gotas pesadas que indicavam que o pior ainda estava por chegar.

– Não seria melhor que a senhorita mesma agradecesse a ele? – sugeriu a governanta. – O Sr. Keyes está no saguão de entrada e parece querer lhe falar imediatamente.

– É claro – concordou Vivien com relutância. – Poderia trazê-lo até aqui?

– Sim, senhorita.

Vivien segurou um livro de poesia contra o peito, espalmando os dedos na capa de couro gravada, e deixou escapar um longo suspiro. Não queria conversar com o Sr. Keyes, queria que Grant voltasse logo. Saber que ele estava longe a deixava estranhamente inquieta. Passara a se apoiar tanto nele que detestava a ideia de estarem separados, mesmo que por um dia e uma noite.

Porém não podia se permitir aquele tipo de sentimento. O relacionamento deles, do jeito que era, logo terminaria. Ela precisaria manter o mínimo de dignidade quando se separassem. Se revelasse quanto ansiava pela atenção de Grant, pelos sorrisos, pela companhia dele, acabaria envergonhando os dois. Ela antevia todo um futuro longe de Grant Morgan, e era melhor se acostumar a viver sem ele.

Vivien respirou fundo, relaxou as mãos que seguravam o livro e se voltou para a porta bem no momento em que a Sra. Buttons entrava com o patrulheiro na biblioteca. O Sr. Keyes era um homem de porte mediano e usava um casaco salmão obviamente caro. Trazia um chapéu cinza de aba larga em uma das mãos. Era atraente e vistoso, os cabelos prateados armados e jogados para trás.

Vivien não conseguiu afastar os olhos dele. A aparência tão vaidosa contradizia a forma como imaginava um patrulheiro da Bow Street. Ela colocou um sorriso educado nos lábios e fez uma cortesia quando ele se aproximou. A Sra. Buttons já se preparava para sair quando Keyes a deteve com um ligeiro toque.

– Espere, por favor, Sra. Buttons – falou. – Pode muito bem ouvir o que tenho a dizer à Srta. Duvall.

– Sim, senhor.

Ela cruzou as mãos e ficou ali, o cenho franzido com um toque de perplexidade.

– Para começar, Srta. Duvall – disse o patrulheiro, com um refinamento antiquado –, fico grato, para dizer o mínimo, por ser designado com o dever de protegê-la.

– Obrigada – falou Vivien, reparando que a chuva começara, porém ainda ficaria mais pesada. – A Sra. Buttons me garantiu que o senhor é muito estimado pelo meu...

Ela se deteve, subitamente chocada e confusa, e um rubor intenso lhe percorreu o rosto e o pescoço.

– Pelo Sr. Morgan – conseguiu dizer Vivien, a voz saindo engasgada.

Que outras palavras traiçoeiras teriam escapado caso não tivesse se contido? *Meu...* não tinha o direito de usar aquele pronome para se referir a Grant. Aquilo indicava posse, um relacionamento. Grant não era dela em nenhum sentido. Como podia ter se esquecido disso tão rápido?

Keyes ignorou o lapso dela e pareceu tentar não constrangê-la. O rosto bonito e já com marcas do tempo se franziu em um sorriso.

– Farei tudo o que estiver em meu poder para justificar a confiança do Sr. Morgan em mim.

– Obrigada, Sr. Keyes.

– Por falar nisso – continuou ele, com muito cuidado –, devo informá-la de que houve uma ligeira mudança de planos. Não fique perturbada: a senhorita não corre perigo, mas, pouco antes de chegar aqui, recebi um recado de sir Ross dizendo que eu deveria levá-la para a Bow Street.

– Prefiro ficar aqui – falou Vivien, surpresa, e levou a mão à garganta.

Keyes assentiu.

– Compreendo, Srta. Duvall. No entanto, sir Ross recebeu uma nova informação durante a ausência de Morgan que o levou a requisitar sua presença no escritório dele.

– Que tipo de informação poderia ser, senhor? – perguntou a Sra. Buttons, adiantando-se para se colocar ao lado de Vivien.

– Não tenho permissão para dizer – respondeu Keyes, dando um breve sorriso para as duas mulheres preocupadas. – Porém lhes asseguro que o Sr. Morgan iria querer que colaborassem. Além disso, não há lugar mais seguro em Londres do que a nossa central.

– Por quanto tempo devo ficar lá? – indagou Vivien. – Até que o Sr. Morgan volte?

– Possivelmente.

De repente, um lampejo de impaciência o fez torcer os lábios.

– Srta. Duvall, estamos perdendo tempo. Sir Ross me pediu que a levasse imediatamente até ele.

– Está certo.

Vivien ficou abalada com a mudança de planos e foi tomada por uma sensação desagradável. O Sr. Keyes parecia ser um bom homem, mas havia algo nele de que ela não gostava, algo difícil de identificar. Parecia que a fachada cordial escondia alguma coisa desprezível e fria. O instinto dela dizia para evitá-lo. Vivien sentiu o coração disparar de ansiedade. Era estranha aquela reação do corpo dela, se a mente não conseguia encontrar nenhum motivo razoável para desconforto.

O desejo de fugir daquele homem ficou mais forte e ela teve dificuldade para se conter e não sair correndo.

– Sr. Keyes, posso levar uma das criadas comigo? – conseguiu dizer. – Eu gostaria de ter uma companhia feminina.

– Mary irá com a senhorita – falou a Sra. Buttons, aprovando a ideia.

Keyes fez que não com a cabeça na mesma hora.

– Não há necessidade disso. Não se trata de uma visita social, Srta. Duvall, mas de negócios em caráter oficial. Prefiro partir agora, se não se importa. Antes que a tempestade piore.

Vivien trocou um olhar longo e questionador com a governanta. *Ele é confiável?*, perguntou com os olhos, e a Sra. Buttons respondeu, silenciosamente, *Acredito que sim.*

A governanta estava preocupada, mas inclinou a cabeça, assentindo, impotente.

– Srta. Duvall – murmurou –, se o Sr. Keys acha que deve ir, acredito que não haja muito mais a dizer a respeito.

A Sra. Buttons franziu o cenho, perturbada.

– E ele está certo... não há lugar mais seguro para a senhorita do que a Bow Street.

Vivien olhou de relance para a janela, para o céu que escurecia.

– Muito bem – disse com calma. – Se me dá licença, Sr. Keyes, gostaria de trocar meus sapatos e pegar um agasalho com capuz.

– É claro, Srta. Duvall.

Vivien recuou um passo e o encarou. Uma lembrança tentou aflorar em sua mente, forçando caminho através do muro de esquecimento.

– Senhor... já nos encontramos antes, não é mesmo?

– Acredito que não, senhorita.

O olhar dele foi de uma hostilidade contida que fez Vivien sentir uma súbita pontada de medo no estômago. Ele não gostava dela, percebeu. Provavelmente ouvira os terríveis rumores a seu respeito – a respeito da verdadeira Vivien, que fosse – e acreditara em cada um deles.

O ribombar de um trovão quebrou o silêncio e Keyes se virou em direção à janela cada vez mais escura. Algo em seu perfil, uma ligeira saliência no alto do nariz, a linha dos cabelos, o modo como o queixo pequeno encontrava as dobras macias do pescoço, fez os nervos dela se agitarem em alarme.

Keyes voltou a olhar para Vivien e percebeu a tensão em seu rosto.

– Não temos muito tempo, Srta. Duvall.

Ela se virou e saiu da biblioteca, forçando-se a caminhar normalmente, embora o pânico tivesse começado a se espalhar por dentro dela. Respirando em arquejos, Vivien lançou um olhar rápido por cima do ombro. Keyes estava parado ao pé da escada, fitando-a. Parecia um demônio maligno que planejava arrastá-la para as entranhas do inferno.

A escada se erguia como a encosta de uma montanha diante dela, que cambaleou um pouco antes de conseguir subir. Tudo o que Vivien queria era permanecer escondida na segurança do próprio quarto, com a porta trancada.

Depois do que pareceu uma eternidade, Vivien se viu diante da porta do quarto. Ela entrou e se trancou com dificuldade. Então ficou parada, tremendo. Estava perdida na sensação de afogamento, lutando para respirar, os membros rígidos no frio penetrante que a cercava.

Grant. Vivien tentou dizer o nome dele em uma súplica desesperada por ajuda, mas havia perdido até a capacidade de sussurrar. *Grant...*

Ela caiu de joelhos quando a lembrança a invadiu. A noite do ataque... o homem de cabelos prateados com o rosto implacável... mãos de aço ao redor do pescoço dela, polegares apertando sua garganta até fechar a faringe... Ela perdendo a batalha, não conseguindo mais respirar e a escuridão a consumi-la... então viera o frio torturante do rio, a água negra puxando-a para o fundo.

O Sr. Keyes fizera aquilo com ela. Vivien sabia disso no fundo de sua alma. Ele tentara matá-la e, como falhara na primeira vez, tentaria de novo.

Uma sensação momentânea de traição atravessou o horror que a dominava.

Grant... como pôde mandar esse homem aqui? Como pôde me deixar aqui com ele?

Contudo não era culpa de Grant, rebateu o coração dela. Ele jamais faria algo assim com ela.

Estava em perigo no lugar que havia sido um refúgio tão perfeito até aquele momento. Tremendo e arquejando, ela se arrastou em busca do urinol escondido no armário ao lado da cama. Teve dificuldade para abrir a porta do armário, mas logo a onda de náusea cedeu e ela encheu os pulmões com enormes lufadas de ar.

Então fechou os olhos e se apoiou na lateral lustrosa do armário de mogno, saboreando o frescor da madeira contra o rosto quente e úmido. Pela primeira vez em semanas, lembrou o próprio nome.

– Victoria Devane – disse em voz alta. – Victoria. Sou eu.

Os lábios dela se moveram sem parar, repetindo aquele som... o nome dela... o nome *verdadeiro*. Foi como uma chave destrancando todos os lugares lacrados de sua mente. Imagens do passado desfilaram diante dela... o chalé no campo onde ocupava seus dias com livros e alunos. Os amigos do vilarejo... uma viagem para a beira-mar, muito tempo antes... o velório do pai.

Victoria fechou os olhos com força e se lembrou do rosto bondoso e paciente do pai. Ele fora um acadêmico, um filósofo, um homem que preferia os livros à dura realidade do mundo real. Victoria o adorara e passara horas e horas lendo ao lado dele.

Ela nunca amara homem nenhum no sentido romântico, nunca desejara isso. Desde que a mãe partira de Forest Crest, Victoria só se importara com o pai e com a irmã, que raramente via. Não houvera espaço para mais ninguém. O amor era perigoso demais; era muito melhor permanecer sozinha e em segurança. No refúgio tranquilo do vilarejo, Victoria tinha poucas responsabilidades além de tomar conta de si mesma. Ela nunca teria se aventurado para longe de lá se a irmã irresponsável não tivesse arrumado mais problemas do que poderia resolver.

O alívio de se redescobrir, de recuperar a memória, a identidade, foi avassalador. No entanto, o homem no andar de baixo estava convencido de que ela era a irmã.

– Ah, Vivien – suspirou Victoria, a voz trêmula. – Se eu sobreviver a isso, você vai ter muito que explicar.

Ela secou o suor que escorrera pelo rosto até a ponta do queixo. Sentia-se como um rato encurralado por um gato. Seu primeiro impulso foi enfiar-se na cama, cobrir a cabeça com a manta e torcer para que Keyes a deixasse em paz. Mas era claro que ele não faria isso. O patrulheiro insistiria em arrastá-la dali e os criados não fariam nada para detê-lo. Eles acreditariam em Keyes e não nela... presumiriam que a amnésia a deixara desequilibrada. Ninguém aceitaria alegações de que o respeitado patrulheiro fosse na verdade um assassino cruel.

Contudo, aonde quer que Keyes planejasse levá-la, não era a Bow Street. Em desespero, Victoria tentou decidir o que fazer. Com Grant longe, o único homem em quem ela confiava para protegê-la era sir Ross. Precisava entrar em contato com ele. Um suspiro trêmulo escapou de seus lábios e ela secou a testa suada na manga do vestido. Não sabia exatamente onde era a Bow Street, apenas que ficava em algum lugar do outro lado de Covent Garden. Mas era um endereço muito conhecido; não seria difícil de encontrar.

Victoria se colocou em ação no instante em que a ideia lhe ocorreu. Correu até o armário, encontrou uma capa verde-escura de mangas compridas e capuz como o de um monge, que escondia o rosto e os cabelos. Depois de vesti-la e calçar botas de caminhada de cano alto, abriu a porta do quarto e olhou de um lado para o outro no corredor vazio.

Ela apertou o batente da porta com dedos trêmulos. Era difícil agir com cautela quando seus instintos lhe diziam para disparar como um coelho apavorado. Suas artérias pulsavam em alerta. Ela deu um passo cauteloso para o corredor, então outro, e caminhou depressa na direção da escada – não a principal, mas os degraus em espiral que ficavam nos fundos e eram usados pela criadagem. A luz pálida que entrava pelas janelas pequenas mal iluminava o caminho quando ela disparou pelos degraus. Victoria se segurava no corrimão a intervalos regulares, para manter o equilíbrio, enquanto seus pés voavam.

Uma sombra se materializou no patamar do primeiro andar, e Victoria parou com um grito engasgado na garganta. *Keyes*, foi seu primeiro pensamento... mas na mesma hora ela percebeu que se tratava de uma mulher pequena. Era Mary, a criada, carregando uma cesta de roupas de cama e banho dobradas.

A criada parou e olhou para Victoria com uma mistura de surpresa e confusão.

– Srta. Duvall? – perguntou, hesitante. – O que está fazendo aqui, na escada dos criados? Quer que eu pegue algo para a senhorita? O que eu...

– Não conte a ninguém que me viu – disse Victoria, a voz baixa e urgente. – Quero que todos pensem que ainda estou no meu quarto.

O olhar de Mary pareceu questionar a sanidade de Victoria.

– Mas para onde a senhorita está indo, com uma tempestade tão assustadora se formando lá fora?

– Prometa-me que não vai contar a ninguém.

– Quando vai voltar? – perguntou a criada, preocupada. – Senhorita, se algo lhe acontecer e eu não contar a ninguém que a vi sair, posso perder meu emprego. Poderia acabar na rua! Ah, senhorita, por favor, não vá a lugar nenhum...

– Mary, não tenho tempo para ficar parada aqui – disse Victoria, desesperada. – Vou voltar quando o Sr. Morgan estiver em casa. Nesse meio-tempo, não mencione isso para ninguém, ou, se precisar mesmo fazê-lo, ao menos aguarde alguns minutos. É uma questão de vida ou morte para mim.

Victoria passou pela criada e continuou sua corrida até o porão. Após chegar ao pavimento mais baixo, ela passou pela porta que dava para o depósito de carvão e, depois dele, pela cozinha. Felizmente, não encontrou mais nenhum criado quando chegou à porta que dava para o lado de fora e a abriu.

O ar estava pesado com a promessa de chuva forte. Victoria respirou fundo, atravessou a pequena rua de serviço e correu pela trilha de cascalho que levava ao jardim fechado. Grossas sebes de choupo se erguiam acima dos muros de tijolos cobertos de hera. Ela passou sob o arco com frontão e correu pelos cerca de quinze metros do jardim, contornando uma mesa de pedra cercada por cadeiras de madeira maciça e vasos de pedra contendo pés de nectarina floridos.

Estava cansada e seu coração batia mais forte, porém não diminuiu o passo ao sair pelo portão na parte posterior do jardim. Conforme se afastava da casa, uma sensação de esperança e alívio ganhava volume em seu peito. Ela contornou os estábulos e a cocheira e passou rapidamente pelas cavalariças que ficavam nos fundos da fileira de casas da King Street.

Não tinha a menor dúvida de que sair da casa era o certo a fazer. Que Keyes ficasse lá, esperando e acreditando que a encurralara. Ela já estaria longe quando ele se desse conta de seu sumiço. Victoria imaginou a frustração dele ao descobrir que ela partira e uma risada nervosa, quase eufórica, escapou de seus lábios. Ela acelerou o passo e rumou na direção do burburinho e da desordem tão bem-vindos de Covent Garden.

As pedras grandes e lisas do caminho das carruagens se tornaram mais ásperas e soltas quando Victoria seguiu para a Garden Piazza. Ela se manteve na calçada pavimentada e puxou o capuz para baixo, para esconder o rosto, enquanto passava por homens que lavavam as entradas das casas elegantes, por acendedores de lampiões que subiam até os globos suspensos em suportes de ferro e por músicos itinerantes que tocavam rabeca e tamborim. A rua fervilhava de carroças, charretes, carruagens e animais, em uma massa de som que agredia os ouvidos de Victoria.

Mais algumas gotas de chuva caíram, prometendo alívio dos odores de fumaça e esterco que pairavam no ar pesado. Mas a tempestade estava se contendo, como se esperasse por uma deixa para cair. Os protetores metálicos dos sapatos das damas, que os guardavam da lama e da sujeira, tilintavam nas calçadas, enquanto se viam guarda-chuvas sob os braços dos cavalheiros, que lançavam olhares furtivos para as nuvens. A escuridão prematura dava um ar sinistro à cena, e Victoria estremeceu sob a capa.

A Bow Street ficava a uma curta distância a pé, lembrou a si mesma. Ela só precisava atravessar Covent Garden da forma mais discreta possível, então chegaria ao porto seguro que era o escritório de Cannon.

~

A pedido do Sr. Keyes, a Sra. Buttons serviu vinho enquanto eles esperavam que Vivien descesse. Ele segurou entre o polegar e o indicador a haste do cálice de prata raro e examinou a peça. A forma era simples e elegante, com a parte superior ligeiramente alargada e o corpo liso muito polido.

– Morgan se sai muito bem – comentou, soando nada satisfeito. – Mais rico do que qualquer patrulheiro que já conheci. Ele leva jeito para ganhar dinheiro, não é mesmo?

– O Sr. Morgan trabalha muito, senhor – retrucou a governanta, colocando-se na defensiva pelo patrão.

Morgan era um homem inteligente, corajoso e renomado. Era certo que fosse bem-pago por seus feitos.

– Não mais do que o restante de nós – observou Keyes com um sorriso enquanto os olhos permaneciam frios. – Ainda assim, *ele* vive como um rei, enquanto eu...

A voz do homem morreu e sua expressão se tornou impassível, como se ele se arrependesse do que dissera.

– Bem, eu gostaria de lhe agradecer em nome dos empregados do Sr. Morgan por tomar conta da Srta. Duvall – disse a Sra. Buttons, disfarçando seu desconforto. – Temos confiança em que ela estará tão segura sob sua proteção quanto estaria com o próprio Sr. Morgan.

– Sim – concordou Keyes baixinho. – Vou tomar conta do precioso bichinho de estimação de Morgan.

A Sra. Buttons inclinou a cabeça, em dúvida se tinha ouvido direito.

– Senhor?

Entretanto, antes que ele pudesse se explicar, os dois foram interrompidos por uma criada pequena, de cabelos escuros, com o rosto tenso e marcado de lágrimas. A mulher estava agitada e trêmula, de punhos cerrados.

– Sra. Buttons, madame – chamou baixinho, parando meio escondida na lateral da porta. – Sra. Buttons, achei que deveria vir logo procurá-la, embora ela tenha me dito para não fazer isso... Ah, não sei o que fazer, mas não a magoaria por nada neste mundo, sinceramente!

– Mary – disse a governanta, preocupada, aproximando-se da jovem.

Keyes endireitou o corpo na cadeira.

– O que foi? – perguntou ele, ríspido. – A quem está se referindo? À Srta. Duvall?

A criada assentiu, nervosa.

– Ela se foi, senhor.
– Ela se foi? – repetiu a Sra. Buttons, surpresa.
Keyes se levantou da cadeira de um pulo.
– Que diabo quer dizer com se foi? – rosnou ele.
O tom rude fez as duas mulheres o encararem, surpresas.
– A me-menos de cinco minutos – respondeu Mary em um balbuciar. – Passei por ela na escada dos criados e ela me disse para não... Ah, eu jamais deveria ter falado, mas... ai, ela está em *perigo* lá fora, não está?
A jovem olhou, transtornada, para a governanta.
– Sra. Buttons, eu agi errado?
– Não, Mary – tranquilizou-a a mulher mais velha com palmadinhas no braço. – Você fez o que o Sr. Morgan desejaria que fizesse.
– Aquela bruxa maldita! – explodiu Keys, jogando o cálice no chão.
Nem ao menos se importou com o vinho que se espalhou pelo elegante tapete feito à mão, formando uma feia mancha vermelha na estampa amarela e azul.
– Ela não vai escapar de mim – jurou, e saiu pisando firme da biblioteca e berrando que lhe trouxessem seu casaco e seu chapéu.
A Sra. Buttons esfregou a testa ao sentir uma dor de cabeça começar a perturbá-la. Seu rosto estava tenso, com linhas fundas de preocupação.
– Ele se comportou de forma estranha – comentou, mais para si do que para a moça a seu lado. – Está claro que não tem grande apreço pela nossa Srta. Duvall.
– Espero que ele a encontre – comentou Mary, em um tom abatido. – Aí ela estará a salvo, não é mesmo?
A governanta não respondeu, apenas caminhou até o saguão de entrada e se encolheu quando a pesada porta da frente bateu depois da saída apressada do patrulheiro.

~

Embora Covent Garden tivesse começado com algumas praças repletas de mansões espaçosas de aristocratas e uma pequena igreja projetada pelo renomado arquiteto Inigo Jones, passara por várias mudanças ao longo dos séculos. Naquele momento, fervilhava com os teatros mais famosos do mundo, para não mencionar os cafés cheios de escritores, músicos e artistas. Um enorme mercado coberto estendia seus tentáculos desde as praças até as ruas e becos que as cercavam. Ocupava no mínimo meio hectare e seu barulho e agitação pareciam crescer a cada ano. A nobreza havia muito deixara as mansões elegantes, é claro, e agora os prédios antigos e imponentes, com suas escadarias majestosas, eram ocupados por lojas, tavernas e figuras do submundo de Londres.

Victoria seguiu com cautela por baixo da arcada coberta onde as pessoas se aglomeravam ao redor de lojas e barracas. Misturou-se à multidão, deixando-se levar pelo fluxo de pedestres que a guiou por uma profusão de cestos de flores e de senhoras idosas fazendo buquês por encomenda. Dezenas de mãos tocavam legumes e verduras, os apalpavam e juntavam o que desejavam comprar. Nas barracas dos peixeiros, onde homens limpavam e estripavam os peixes mais frescos e depois os embrulhavam, havia fileiras de enguias penduradas. Um vendedor de pássaros exibia um papagaio pousado em sua luva enquanto gaiolas cheias de canários, cotovias e corujas anunciavam ruidosamente sua disponibilidade para venda.

Victoria passou pela porta de uma loja de ervas e raízes que vendia também potes de vidro contendo sanguessugas, todos enfileirados em prateleiras de madeira, depois por uma perfumaria com a vitrine cheia de unguentos e óleos muito aromáticos guardados em jarros de vidro coloridos.

– Ei, menina – chamou uma voz arranhada.

Victoria se virou, assustada, quando a mão que mais parecia uma garra a segurou pela manga. Uma velha muito enrugada e miúda, que usava roupas chamativas, além de braceletes, lenços e saia vermelha, agarrara o braço dela com força.

– Deixe-me ler sua sorte, queridinha. Só 1 xelim para saber todos os segredos do amanhã! Só 1 xelim, veja só... e, com um rostinho desses, que belo futuro deve ser.

– Obrigada, mas não tenho dinheiro – disse Victoria em voz baixa, puxando o braço para se desvencilhar e já se afastando.

No entanto, a cartomante insistiu e seguiu Victoria a um passo rápido, segurando-a novamente pelo pulso.

– Lerei seu futuro sem cobrar, menina! – ofereceu a senhora, e aumentou o tom de voz até se tornar um guincho muito semelhante ao do papagaio do vendedor de pássaros. – Venham todos... Quem quer ouvir a sorte da linda jovem?

Ao perceber que a mulher pretendia usá-la como uma espécie de chamariz, Victoria puxou a mão com mais força.

– Não! – disse, irritada. – Deixe-me em paz.

A pequena confusão atraiu alguns olhares e Victoria observou de relance a multidão, com cautela, até conseguir por fim se livrar da cartomante. De repente, ela avistou um chapéu de cavalheiro cinza-claro e seu peito se contraiu em um doloroso alarme. Parecia com o que o Sr. Keyes usava. Mas ele não poderia tê-la alcançado tão rápido, poderia?

Ela procurou pelo chapéu, mas não o avistou mais. Talvez tivesse sido sua imaginação, pensou, ansiosa, e se apressou no sentido leste, em direção ao enorme pórtico de pilares do edifício da ópera. As quatro colunas estriadas muito altas que ficavam na frente do prédio faziam as pessoas aglomeradas ali parecerem uma colônia de formigas. Estava acontecendo um protesto: a massa de gente gritava para as portas fechadas. Cavalheiros e pedintes contribuíam para o tumulto, todos berrando e bradando contra o recente aumento nos preços das entradas para os espetáculos.

– Preços antigos! – gritavam alguns, irritados. – Queremos os preços antigos!

– Alto demais, alto demais! – berravam outros.

Victoria se enfiou no meio da turba barulhenta e abriu caminho até chegar ao abrigo de uma das colunas dóricas. Ela se apoiou contra a pedra fria e ficou imóvel, a pulsação disparada, enquanto a multidão se agitava e vaiava ao seu redor. Victoria olhou fixamente os relevos no painel diante dela – a figura entalhada de Shakespeare, as musas gregas e, no alto, uma estátua da musa da comédia em um nicho.

Keyes a seguia; Victoria podia *sentir* isso.

Ele achava que ela era Vivien e iria matá-la ou por vingança ou porque fora contratado para isso. Se Keyes descobrira que ela havia deixado a casa, imaginaria que o primeiro lugar em que pensaria seria o número quatro da Bow Street. E faria tudo o que estivesse em seu poder para impedi-la de chegar a sir Ross.

De repente, Victoria sentiu uma raiva profunda diante da situação injusta em que se encontrava. Estava em perigo sem que tivesse feito nada para isso. Fora para Londres preocupada com a irmã, depois uma sequência de eventos bizarros a levara àquilo.

Naquele instante, o céu pareceu arrebentar em torrentes de água, fazendo a multidão se dispersar em busca de abrigo. O temporal castigava guarda-chuvas e chapéus e encharcava roupas e sapatos.

Victoria respirou fundo e olhou ao redor da coluna mais uma vez, vasculhando a multidão. Notou o chapéu cinza e ficou apavorada ao reconhecer que era mesmo Keyes. Ele estava parado a cerca de cinquenta metros, interrogando alguém, o rosto composto e frio, a postura traindo sua extrema tensão.

– Ah, meu Deus! – sussurrou Victoria.

Como se sentisse o olhar dela, Keyes se virou e a encarou. O rosto até então neutro se contorceu de raiva. Ele empurrou o homem com quem falava e partiu na direção de Victoria com uma expressão assassina nos olhos.

Ela saiu em disparada na mesma hora, abrindo caminho entre a multidão que se dispersava e correndo ao longo do prédio da ópera. Victoria viu a esquina da Russell Street, tropeçou na via de paralelepípedos e se esforçou para recuperar o equilíbrio, ciente de que Keyes diminuía a distância entre eles. *Você não vai me deter*, pensou ela, com uma determinação sombria. Ela *chegaria* à Bow Street, maldito fosse Keyes... Ela já havia progredido muito para fracassar agora.

～

Grant entrou de supetão pela porta da frente e seu rosto ficou pálido como um fantasma quando percebeu a concentração fora do comum de criados no saguão, todos ao redor da Sra. Buttons.

– Sr. Morgan! – exclamou a governanta, e se adiantou para ele, apressada, sem a compostura habitual.

Ela parecia ansiosa, confusa, com alguns fios de cabelos grisalhos escapando do coque em geral imaculado no alto da cabeça. Grant nunca a vira tão descomposta.

– Onde está ela? – perguntou ele, em um tom feroz, embora já gritasse por dentro, em negação, diante da resposta óbvia.

– Graças a Deus o senhor voltou! – exclamou a Sra. Buttons, nervosa. – Eu estava prestes a mandar um recado para a Bow Street, já que não sabíamos quando o senhor retornaria, e achei importante confirmar o pedido de sir Ross...

– De que diabo está falando?

Grant voltou os olhos para os criados reunidos, todos com expressões funestas.

– Onde está Victoria? – perguntou, irritado.

A pergunta fez com que todos os rostos voltados para ele mostrassem uma expressão confusa.

– Victoria? – repetiu a governanta, sem entender.

Grant balançou a cabeça com impaciência.

– Vivien. A Srta. Duvall. A mulher que tem morado aqui nas últimas semanas, maldição. Onde está ela? E onde está Keyes?

Seguiu-se um momento de pesado silêncio, o que deixou os nervos dele ainda mais abalados, a fúria mais intensa. Grant percebeu que ninguém queria responder e, em seu desespero, repetiu a pergunta aos berros, o que fez todos se sobressaltarem.

– *Alguém pode me dizer o que aconteceu, maldição!?*

Mary se adiantou, os ombros curvados, a cabeça ligeiramente baixa como se desconfiasse que ele talvez se sentisse tentado a bater nela.

– Foi culpa minha, senhor – disse baixinho. – Eu vi a Srta. Duvall deixar a casa. Pela escada dos criados, indo em direção à saída, pela cozinha. Ela me pediu que não contasse a ninguém. Disse que era uma questão de vida ou morte para ela. Mas achei que era melhor contar logo para a Sra. Buttons, e foi o que fiz.

O sangue fazia as veias de Grant latejarem, ecoava em seus ouvidos.

– De vida ou morte – repetiu ele, a voz pesada.

De algum modo, Victoria se dera conta do perigo que corria e escapara.

A Sra. Buttons passou a mão várias vezes pela frente do avental, como se não conseguisse secar as palmas suadas de nervosismo.

– Entenda, senhor: assim que chegou, o Sr. Keyes disse que teria que levar a Srta. Duvall para a Bow Street a pedido de sir Ross. Os modos dele estavam estranhos e frios. Eu o conheço há anos e nunca o vi daquela maneira. Ficou claro que a Srta. Duvall não queria ir com ele, mas ela pediu licença para calçar os sapatos de caminhada. E, enquanto esperávamos que voltasse, na biblioteca, ela saiu escondida de casa. Imagino que qualquer mulher em sua posição ficaria com medo de estranhos.

– Eu a vi da janela quando ela saiu – voltou a falar Mary. – A Srta. Duvall parecia ir na direção do mercado. E o Sr. Keyes foi logo atrás dela.

– Ela está indo para a Bow Street – murmurou Grant.

Até onde Victoria sabia, era o único lugar seguro além daquela casa. Ele ordenou a um dos criados que pegasse um cavalo e fosse para a Bow Street em disparada.

– Diga a Cannon para chamar todos os homens disponíveis. Diga que espalhe oficiais, patrulheiros e guardas por todos os centímetros de Covent Garden e das ruas ao redor, até que a Srta. Duvall e Keyes sejam encontrados. Agora. *Depressa!* Quero você no escritório de Cannon em menos de cinco minutos.

– Sim, senhor.

O criado disparou na direção dos fundos da casa, pegando o caminho mais curto para os estábulos.

Grant saiu correndo de casa também, mal se dando conta da chuva forte que lhe ensopava os cabelos e as roupas. Uma estranha sensação tomou conta dele, um medo que nunca sentira. Jamais dera a mínima importância à própria segurança, já que confiava em sua sagacidade e sua força física para enfrentar qualquer perigo em que se encontrasse. Mas aquele medo por outra pessoa, aquela mistura de amor, terror e fúria, era o pior tipo de agonia.

Ele correu a toda a velocidade na direção de Covent Garden, enquanto animais e carruagens disparavam pelas ruas sujas e molhadas e pedestres buscavam abrigo da tempestade. Se algo acontecesse a Victoria... Essa ideia provocou uma pontada de dor no peito de Grant, deixando-o com a sensação de que seus pulmões estavam cheios de fogo em lugar de ar.

Ele passou pelo cemitério da igreja de St. Paul, o solo sagrado onde jaziam dois séculos de restos mortais humanos. O cheiro fúnebre de ossos acumulados o atingiu quando ele deu a volta pelo pórtico leste da igreja. Covent Garden se estendia diante dele, uma imensa mistura de tráfego e imundície. Batedores de carteiras, cafetões, ladrões e valentões andavam livremente por ali... e todos teriam grande interesse em uma mulher desacompanhada de rosto bonito e cabelos ruivos. O pânico cresceu no peito de Grant enquanto ele tentava decidir se Victoria teria contornado o jardim e seguido através das ruelas escuras, cheias de vagabundos e criminosos, ou se poderia ter atravessado direto a praça do mercado. Ele tinha que encontrá-la antes de Keyes.

– Victoria, onde está você? – murmurou Grant, a frustração aumentando a cada minuto que passava.

Ele precisou de todo o autocontrole que possuía para não bradar essa pergunta.

~

Victoria piscou com força para conseguir enxergar em meio ao dilúvio que caía e usou as duas mãos para afastar a água do rosto. Ela desceu uma rua lateral que saía da Russell e logo percebeu, em desespero, que fora na direção errada. Já deveria ter chegado à Bow Street àquela altura. Se ao menos soubesse o caminho... Se ao menos mais alguns minutos tivessem se passado antes que Keyes descobrisse sua ausência...

A saia encharcada se embolava ao redor das pernas de Victoria enquanto ela corria para o meio de um aglomerado de prédios. Como todos os lugares em Londres, a área era uma confusão de prostíbulos, berçários do crime e barracos enfiados atrás de ruas que, na frente, eram limpas e tinham fachadas elegantes. Sem parar para olhar por sobre o ombro, entrou no primeiro abrigo que viu. Ela desceu correndo os degraus que levavam ao porão de um prédio de dois andares sem nenhuma placa que o identificasse como uma casa de apostas.

Ainda se esforçando para recuperar o fôlego, Victoria abriu uma porta de madeira e entrou em um salão cheio de sombras, iluminado por lampiões. Havia pelo menos uma dúzia de homens ali, todos concentrados demais no que acontecia para reparar na presença dela de imediato. Cavalheiros e homens do povo se aglomeravam diante de um balcão que expunha potes de tabaco e pacotes de charutos enquanto examinavam listas de probabilidades na parede dos fundos. Um agente de apostas usando uma bolsa de couro pesada de cada lado do quadril se postava com arrogância atrás do balcão, conduzindo as transações em ritmo rápido.

– ... tem um bom soco, comparado aos outros... – disse ele, esfregando as extremidades das costeletas encaracoladas entre o polegar e o indicador, então anotou as apostas com um lápis pequeno.

Havia um cheiro masculino rançoso no ar, uma mistura de suor, tabaco e tecido molhado de chuva. Victoria cobriu o rosto com o capuz e se encolheu em um canto com os braços apertados ao redor do corpo. Rezava em silêncio para que Keyes passasse direto pela casa de apostas e continuasse procurando por ela em outro lugar. No entanto, ela temia que sua esperança fosse vã. Aquela área de Londres era conhecida de Keyes, já que todos os patrulheiros eram designados rotineiramente para vasculhar as espeluncas ali em busca de criminosos. Aquele era o grande talento dos patrulheiros: caçar e capturar a presa.

– Ora, ora – soou a voz elegante de um cavalheiro, interrompendo os pensamentos de Victoria, e um par de botas leves de montaria se aproximou dela. – Parece que um belo passarinho encontrou um lugar seco para se abrigar durante a tempestade.

As apostas foram temporariamente interrompidas quando a presença de Victoria foi notada. Ela mordeu o lábio inferior e se forçou a não se encolher quando o homem afastou o capuz que escondia seu rosto. Ela o ouviu prender a respiração e logo sentiu a mão carnuda pegar uma mecha úmida dos cabelos ruivos brilhantes.

– Uma coisinha adorável – disse o homem, a voz arrastada, e riu, o corpo pairando sobre o dela. – O que está querendo, passarinho? Busca uma companhia para a noite? Se for isso, então encontrou seu homem. Tenho uma moeda grande e reluzente em meu bolso para você.

– Não é só o que está no bolso dele, aposto – disse alguém, e todos gargalharam.

Desesperadamente consciente de que se tornara alvo da atenção de todos, Victoria encarou com firmeza o homem diante dela. Ele tinha a aparência de um cavalheiro, talvez fosse até um membro da pequena nobreza, robusto, o rosto redondo recém-barbeado, calça marrom-escura e um casaco de colarinho alto feito de tecido de boa qualidade, com a gravata amarrada de forma elegante.

– Eu estava sendo importunada no mercado – falou Victoria, em voz baixa. – Pensei em me desvencilhar dele escondendo-me aqui por alguns minutos.

O homem estalou a língua em falsa solidariedade e passou os braços ao redor das costas dela com uma familiaridade inconveniente.

– Pobre pombinha. Eu lhe darei toda a proteção que deseja.

Ele estendeu a mão para a capa que ela usava e começou a abri-la, ignorando o arquejo ultrajado de Victoria.

– Não precisa protestar... só quero dar uma boa olhada na mercadoria.

Agora toda a atenção da sala estava de fato neles. Até o agente de apostas parara para assistir ao desenrolar da cena e se juntara aos gritos de encorajamento dos outros homens, que também queriam ver o que estava escondido sob a capa.

– Vim aqui para evitar ser molestada por um homem – falou Victoria, empurrando as mãos que se estendiam em sua direção e encolhendo-se mais no canto. – Não à procura de outro.

O imbecil apenas riu do comentário, como se acreditasse que ela estava fazendo um joguinho de sedução com ele.

– Estou lhe oferecendo uma noite com um garanhão cheio de desejo e uma generosa recompensa por seus serviços – falou. – O que mais uma mulher poderia querer?

– *Eu* lhe darei uma recompensa se me ajudar a chegar à Bow Street – contra-argumentou Victoria. – Com certeza já ouviu falar do Sr. Grant Morgan, o patrulheiro. Sei que ele consideraria um favor pessoal se o senhor me levasse até lá em segurança.

Parte da luxúria pareceu desaparecer da expressão do homem, que a encarou com interesse renovado.

– Sim, já ouvi falar de Morgan. Que ligação a senhorita tem com ele?

Um fiapo de alívio acalmou um pouco a agitação dela. O nome de Grant definitivamente capturara a atenção dele. Se aquele homem pudesse de algum modo ser persuadido a levá-la à Bow Street, ela estaria a salvo de Keyes. Em sua ânsia para convencê-lo a ajudá-la, Victoria segurou o homem pela manga e apertou o braço dele com força. No entanto, antes que ela pudesse dizer mais uma palavra que fosse, alguém entrou na casa de apostas.

Depois de um único olhar para o homem de chapéu cinza, Victoria deixou escapar uma exclamação abafada de medo.

– É ele – falou, a voz trêmula.

– O homem que estava perturbando a senhorita? – perguntou o suposto protetor dela.

Victoria assentiu, a garganta parecendo se fechar diante da visão de Keyes. A respiração dele estava acelerada por causa do cansaço, o rosto com uma expressão tensa e furiosa. Assim que a viu, seus olhos cintilaram em um triunfo maligno.

– Sou um patrulheiro da Bow Street em perseguição a uma suspeita – disse ele em uma voz fria e clara. – Entregue-me essa mulher.

O anúncio de um patrulheiro no lugar provocou um burburinho de consternação entre o pequeno aglomerado de homens. O agente de apostas saiu de trás do balcão e começou a falar alto:

– Estou à frente de um negócio honesto, ouviu? O que é preciso para manter vocês fora da minha cola, seus porcos?

Era bem conhecido que os agentes de apostas e os patrulheiros desprezavam uns aos outros, já que as autoridades com frequência invadiam casas de apostas em busca de criminosos. Os patrulheiros consideravam que os agentes de apostas estavam apenas um pequeno degrau acima dos criminosos de verdade e costumavam tratá-los da mesma forma.

– Estou a serviço da Coroa – continuou Keyes com rispidez, adiantando-se na direção de Victoria. – Agradecerei se me entregar a meretriz, já que ela está sendo requisitada para interrogatório.

– Ele está mentindo – falou Victoria e se jogou em cima do cavalheiro ao seu lado, agarrando-se a qualquer mísera proteção que conseguisse encontrar. – Não fiz nada de errado!

– De que crime ela é acusada? – perguntou o homem, passando um braço ao redor de Victoria.

– Não tenho tempo para enumerar as ofensas – retrucou Keyes. – Agora, vamos, solte a mulher e volte aos seus negócios.

– Faça o que ele diz – ordenou o agente de apostas. – Deixe que ele pegue a mercadoria e vá embora. É ruim para os negócios ter um patrulheiro por aqui.

O homem suspirou e começou a empurrar Victoria gentilmente.

– Ora, você queria ir para a Bow Street, pombinha. Parece que agora tem um acompanhante.

– Ele não vai me levar para lá – gritou Victoria, agarrando-se a ele. – Vai me matar. Não me deixe!

– Matar? – repetiu o homem, e riu do que lhe soou como um exagero. – Vamos, pombinha, seja o que for que tenha feito, não pode ter sido tão ruim. Quando estiver na corte e abrir seu sorriso mais lindo para o magistrado, não tenho dúvida de que logo será liberada.

– Por favor – pediu Victoria, desesperada. – Ajude-me a chegar a sir Ross. Ou ao Sr. Morgan. Estou... estou implorando pela minha vida.

Uma sombra de incerteza passou pelo rosto do homem quando baixou a cabeça para encará-la. E pareceu convencido pelo que leu nos olhos dela. O braço ao redor de Victoria a segurou com mais força.

– Está certo – falou. – Sem dúvida eu poderia ter coisas piores a fazer do que resgatar uma dama em perigo nesta noite chuvosa.

Ele levantou os olhos para Keyes com um sorriso afável e condescendente.

– Com certeza não terá qualquer problema se eu acompanhar a moça até a Bow Street – falou. – É aonde quer levá-la, certo? Que diferença faria se eu a levasse?

Victoria ficou tensa quando Keyes se aproximou deles, os olhos escuros e letais no rosto tranquilo. Ele parecia estar pensando em uma resposta, como faz um homem em uma conversa civilizada.

– Eu lhe mostrarei que diferença faria – disse baixinho.

No momento em que falou, Keyes puxou um objeto de dentro do casaco e o levantou em um movimento rápido, em um arco. Victoria percebeu que era o bastão que os patrulheiros usavam para render criminosos rebeldes. Ela deixou escapar um grito agudo e se afastou bem no instante em que Keyes atacou o homem na cabeça e nos ombros, três vezes, em rápida sucessão. Ela sentiu o impacto dos golpes ressoar pelo corpo pesado do homem e ele caiu no chão, gemendo, e a soltou.

Keyes a puxou para si e dobrou um dos braços dela para trás, torcendo-o até Victoria sentir a dor se espalhar por suas costas e seus ombros. Ela grunhiu entre dentes e se inclinou para a frente, para aliviar um pouco a pontada lancinante. Uma sucessão de gritos de raiva ecoou pelo salão e a voz de Keyes se fez ouvir acima da cacofonia.

– Se alguém quiser se colocar no meu caminho, farei com que seja acusado de interferir no trabalho de um oficial cumprindo com seu dever. Estão interessados em passar uma noite na prisão de Newgate?

Ele deu uma risada desdenhosa ao ver o grupo calar-se.

– Achei que não – debochou. – Continuem de onde estavam, cavalheiros, e tirem essa mocinha da mente de vocês.

– Saia do meu estabelecimento! – falou o agente de apostas, com raiva, e se juntou ao pequeno grupo reunido ao redor do homem ferido no chão.

– Com prazer – retrucou Keyes, empurrando Victoria degraus acima, de volta para a tempestade.

– Não pode me matar agora – gritou ela, contra a chuva que atingia com força o seu rosto. – Há testemunhas... todos vão dizer que foi você que me levou embora. Você será condenado... enforcado...

– Estarei longe daqui muito antes de a investigação sequer começar –

zombou Keyes e continuou a torcer o braço dela enquanto a empurrava pela rua e contornava uma vala de esgoto alagada.

Victoria olhava freneticamente para um lado e para outro da rua, na esperança de encontrar alguém para ajudá-la. Olhares impotentes assistiam à cena das profundezas dos porões lotados. O fedor de um matadouro clandestino os cercou quando eles passaram pela porta, onde nem mesmo a chuva torrencial conseguia lavar as camadas de sangue e gordura secos. Ela sentiu os olhos ardendo e as lágrimas se misturarem à chuva que escorria por seu rosto.

– Por que está fazendo isso comigo? – perguntou.

Surpreendentemente, Keyes a escutou através do barulho da tempestade.

– Sou velho demais para ser patrulheiro e tenho só umas poucas libras para me aposentar. E de jeito nenhum viverei como um cão pelo resto dos meus dias.

– Q-quem lhe pagou para me ma...

Ela se interrompeu com um grito de dor quando ele levantou um pouco mais o braço dobrado nas costas.

– Chega de tagarelar – determinou ele.

Eles dobraram uma esquina e adentraram uma área de extrema pobreza. Então seguiram em direção a uma fábrica deserta. As paredes do prédio pareciam se desintegrar, tão instáveis que ninguém ousava ocupá-lo, nem mesmo os pobres que viviam por perto, espremidos nos cortiços como coelhos em gaiolas.

Victoria gritou e cravou os calcanhares no chão quando Keyes tentou forçá-la a passar pela porta. Então sentiu uma dor aguda na lateral da cabeça. Zonza, percebeu que ele acabara de atingi-la, com força suficiente para conter a resistência dela.

Vergada contra ele, a mente zumbindo, ela se esforçou para se recompor. Ele a amordaçou com eficiência, usando a própria gravata, e Victoria se encolheu ao sentir o gosto de goma e suor. Então Keyes juntou as mãos dela atrás das costas e as prendeu com algemas frias de metal.

Impotente, Victoria cambaleou quando o patrulheiro a empurrou na direção de um lance de escada quebrado. O que restava dos degraus gemia e rachava conforme eles subiam. O prédio estaria um breu se boa parte do telhado não tivesse apodrecido e caído. Buracos e rachaduras largas nas paredes também deixavam alguma luz entrar. O ar parado fedia, cada superfície visível coberta por uma poeira oleosa que mal se erguia quando o vento jogava a chuva para dentro.

Ninguém a encontraria agora, pensou Victoria, a mente embotada, e arquejou para tentar respirar quando Keyes a empurrou por um segundo lance de escada. O piso estava sujo de excremento de ratos, e as paredes, rachadas, cobertas de sujeira, teias de aranha e ninhos de pássaros. Eles ouviram o som de guinchos e de focinhos farejando quando os ocupantes da fábrica correram para se esconder. A chuva escorria pelo telhado quebrado e empoçava no meio do piso. Keyes arrastou Victoria para um canto e a empurrou, fazendo-a cair de costas e a saia subir até os joelhos.

Então ele ficou imóvel olhando para as meias molhadas dela. O rosto dele se contorceu de um modo que deixou Victoria nauseada.

– Estava planejando acabar logo com você – falou. – Agora quero algo mais pelas dificuldades por que passei, sua bruxa encrenqueira. Não vou me importar em provar um pedaço do que Morgan tem.

De repente, nada parecia real. Entorpecida, Victoria pensou que devia estar tendo um pesadelo, que logo despertaria e Grant estaria ali, dizendo a ela que estava tudo bem. Sua mente se voltou para dentro e, em desespero, ela se concentrou na ideia de que era tudo um sonho terrível. Nem sequer se mexeu quando Keyes se agachou acima dela e começou a abrir o fecho da calça.

– Você não será nenhuma perda para o mundo – murmurou ele. – Já vi milhares do seu tipo. Uma coisa eu tenho que admitir... você é uma megerazinha durona. Nenhuma mulher teria sobrevivido ao que sobreviveu.

O tom dele saiu carregado de inveja.

– Só o melhor para Morgan... É, você é uma mulher e tanto – continuou a murmurar com raiva, e levantou a saia de Victoria.

Ela desejou já estar morta.

CAPÍTULO 16

Como Grant havia exigido, Covent Garden e seus arredores logo estavam cheios de guardas, oficiais, patrulheiros e vigias. Uma patrulha montada formada por soldados aposentados da cavalaria dividiu a área em setores, que foram vasculhados com precisão militar. Cannon, é claro, permaneceu na Bow Street e deu a ordem de que qualquer desenrolar fosse reportado imediatamente a ele.

Grant sabia que o desejo de Cannon de que Victoria e Keyes fossem encontrados ia além da preocupação pessoal. O povo, desconfiado, estava sempre em busca de sinais de corrupção no grupo da Bow Street. Se houvesse algum malfeito da parte de Keyes, isso seria usado contra Cannon – contra todos eles – para atrapalhar a reorganização e a expansão do sistema que o magistrado planejava. Era provável que aquela preocupação tivesse influenciado a mente de todos os patrulheiros, fazendo com que se dedicassem ainda mais à busca.

– Morgan – chamou Flagstad, preocupado, inclinando a aba do chapéu contra a cascata de gotas de chuva. – Pelo amor de Deus, não consigo imaginar uma razão plausível para a Srta. Duvall fugir de Keyes desse jeito. Ela deve apenas ter perdido a cabeça, entrado em pânico... mas por quê? Todos nós temos certeza de que Keyes é um bom homem.

Grant balançou a cabeça enquanto caminhava na direção da ópera. Era difícil para ele responder por entre os dentes cerrados.

– Não tenho certeza de nada – respondeu, tenso.

– Mas é claro que tem – insistiu Flagstad, apressando o passo para tentar acompanhar o ritmo de Grant. – Keyes não fez nada fora do normal... ele está só procurando pela Srta. Duvall, assim como nós, para levá-la de volta em segurança.

O testemunho de Flagstad em favor do amigo de longa data poderia ter comovido Grant. O rosto castigado do homem estava tenso de preocupação por conta dos eventos inexplicáveis da noite. Flagstad conhecia Keyes havia anos e ficaria abalado diante de qualquer implicação de que o amigo tivesse feito algo errado.

Grant sabia que deveria reagir com compreensão, talvez dizer uma palavra ou duas para tranquilizar a perturbação óbvia de Flagstad. Em vez disso se viu parando e segurando o outro homem pela frente do casaco.

– Então onde diabo ele está?

A fúria reprimida com dificuldade até aquele momento explodiu, incendiada pela frustração.

– Não me diga que tipo de homem é Keyes... só me ajude a encontrar o desgraçado!

– Sim... sim...

Flagstad pousou as mãos sobre as do outro patrulheiro para incentivá-lo a soltar seu casaco. Encarou Grant com perplexidade e consternação.

– Acalme-se, Morgan. Meu Deus, nunca o vi tão... Ora, você sempre manteve a cabeça fria, mesmo durante grandes tumultos!

Grant soltou Flagstad com um grunhido de fúria. Sim, ele sempre se mantivera frio durante tumultos, manifestações, brigas e conflitos. Mas aquela situação era diferente. O tempo se escoava para Victoria. Ela corria perigo mortal. Não conseguir encontrá-la estava provocando nele uma reação selvagem. Grant percebeu de repente que precisava manter o autocontrole senão acabaria matando alguém. Ele se forçou a continuar até o prédio da ópera para falar com um capitão da guarda a pé que havia parado dois homens.

– Não acha que eles fugiram juntos, acha? – ponderou Flagstad em voz alta. – Quero dizer, as damas parecem gostar de Keyes, e a Srta. Duvall sem dúvida tem uma reputação nesse sentido...

– Saia de perto de mim – ordenou Grant, em voz baixa e letal. – Antes que eu o mate.

Flagstad compreendeu que não era uma ameaça vazia. Ele empalideceu, parou e se afastou depressa.

– Acho que vou ver com o capitão Brogdon como anda o progresso da guarda a pé.

– Sr. Morgan! Sr. Morgan!

O grito ofegante fez Grant levantar os olhos em alerta. Um guarda bastante jovem se aproximava do prédio da ópera correndo, vindo das ruas ao norte do mercado

– Sr. Morgan... me mandaram para lhe dizer...

Grant o alcançou em três passadas, quase derrubando-o.

– O que houve?

– A casa de apostas na ruela que sai da Russell... algo que o senhor precisa ouvir...

Arquejando freneticamente, o homem fez uma pausa e baixou a cabeça para tentar recuperar um pouco do fôlego.

– Diga logo, maldição! – berrou Grant, nervoso. – Pode respirar depois.

– Sim, senhor – assentiu o guarda, e se forçou a continuar. – O agente de apostas e alguns clientes disseram que... – falou, mas teve que parar para respirar de novo – ... uma moça entrou no estabelecimento pedindo que alguém a ajudasse a chegar à Bow Street. Contaram que um patrulheiro entrou no lugar e forçou a moça a ir embora com ele.

– Santo Deus! – exclamou Flagstad, que se demorara um pouco mais para ouvir o relato e pareceu aliviado. – São Keyes e a Srta. Duvall, é claro. Ele a encontrou! Está tudo bem agora.

Grant ignorou a empolgação do outro patrulheiro.

– Há quanto tempo isso aconteceu? – perguntou ao guarda, em um tom soturno.

– Parece que há menos de dez minutos, senhor.

Flagstad os interrompeu, ansioso.

– Vou direto para a Bow Street para esperá-los lá. Sem dúvida, logo Keyes chegará lá com ela.

– Faça isso – disse Grant, e saiu em uma corrida desabalada na direção da Russell.

Foi fácil localizar a casa de apostas. Um aglomerado de guardas se formara em frente aos degraus que levavam ao porão enquanto uma figura pequena, robusta e imperiosa se erguia sob a questionável proteção de um guarda-chuva em frangalhos e gritava protestos para todos que estivessem dispostos a ouvir. O agente de apostas usava pesadas bolsas de couro que o tornavam imediatamente reconhecível.

Os guardas endireitaram o corpo e se afastaram um passo quando Grant os alcançou. Eles o fitaram com estranheza – sem dúvida, a aparência do patrulheiro causava estranhamento: os cabelos colados à cabeça, o rosto tenso e pálido sob a chuva, os dentes à mostra como um animal.

O agente de apostas o encarou, desconfiado.

– Que desgraçado grande é você – comentou. – Deve ser Morgan. Ela estava chamando por você, a moça que apareceu e começou toda essa confusão.

– Conte a Morgan o que aconteceu – ordenou um dos guardas.

– O patrulheiro entrou no meu estabelecimento para pegá-la e ela não queria ir com ele. A tonta disse que ele ia matá-la.

– Depois houve uma briga – adiantou o guarda.

– Isso – confirmou o agente de apostas, aborrecido. – Um dos meus clientes tentou ir com a rapariga, então o patrulheiro deu uma surra nele.

Ele cuspiu com desprezo ao se lembrar do patrulheiro que partira.

– Maldito pisco-de-peito-ruivo! Tentando arruinar o negócio de um homem honesto!

Grant se viu dominado por uma mistura lancinante de pânico e dor que pareceu crescer até ele sentir uma pressão quente no centro da cabeça.

– Que direção eles tomaram? – ouviu-se perguntar.

A pergunta fez surgir um sorriso súbito e astuto, de orelha a orelha, no rosto o agente de apostas.

– Talvez eu saiba – disse o homem, a voz falsamente hesitante. – Talvez não.

Um dos guardas se adiantou para cima dele com impaciência e lhe deu uma sacudidela que provocou um grunhido furioso.

– Se encostar em mim de novo, não direi para onde foram! – ameaçou o agente de apostas. – Querem ver a rapariga dormir em uma cova?

– O que você quer, maldição? – perguntou Grant baixinho, encarando o homem com uma intensidade tão selvagem que pareceu abalá-lo.

O agente de apostas piscou algumas vezes, desconfortável.

– Quero que vocês, seus piscos-de-peito-ruivo fedorentos, mantenham seus traseiros longe da minha casa de apostas daqui em diante!

– Feito.

– Mas Sr. Morgan... – protestou o guarda ao ver o acordo ser fechado tão depressa, mas se interrompeu ao sentir o olhar assassino de Grant se voltar para ele por um instante assustador.

O agente de apostas olhou para Grant com desconfiança.

– Como vou saber que vai manter sua palavra?

– Não tem como saber – retrucou Grant, a voz se erguendo a um volume que rivalizava com os trovões da tempestade do lado de fora. – Mas tenha certeza de que vou matá-lo nos próximos dez segundos se não me disser *para onde diabo eles foram!*

– Está bem – concordou o agente de apostas, e começou a chamar por um Willie.

Na mesma hora, um menino pequeno e magro, de 11 ou 12 anos, apareceu, vestindo roupas rasgadas, grandes demais para ele, e com uma boina que engolia quase toda a cabeça pequena de rosto arredondado.

– Meu assistente – apresentou o homem com orgulho. – Eu o mandei seguir o desgraçado quando ele levou a rapariga.

– Eles foram para um prédio antigo, não muito longe daqui – contou o menino, ofegante. – Vou lhe mostrar, Sr. Morgan.

Ele começou a descer a rua na mesma hora, olhando por cima do ombro para ver se Grant o seguia. Grant estava em seus calcanhares.

– Sei onde estão, senhor – falou o menino, apressando o passo e começando a correr.

O prédio, ou o que restava dele, se erguia como uma sentinela em farrapos na esquina. As paredes cheias de rombos no lugar das janelas, o que restava dos vidros projetando-se como dentes afiados.

– Aqui – falou Willie, parando bem na entrada e olhando, desconfiado, para o prédio. – Foi aqui que eles entraram. Mas eu, se fosse o senhor, não entraria. Não tem um único pedaço de madeira firme nesse lugar.

Grant mal o ouviu; já entrava porta adentro. A fábrica gemia e estalava ao redor dele, como se pudesse desabar a qualquer segundo. A chuva entrava pelos buracos nas paredes e no teto, mas seu frescor não era capaz de disfarçar nem um pouco a atmosfera pútrida. Não havia sons de vozes nem sinais de luta, nada que indicasse que Victoria estivesse ali. Por um momento, Grant se perguntou se o menino não teria se enganado ou se não havia sido orientado pelo agente de apostas a pregar uma peça nele. Se aquele fosse o lugar errado, estar ali era desperdiçar um tempo precioso.

No entanto, uma sequência de marcas na poeira do chão chamou a atenção dele, que voltou o olhar na direção da escada. Ele viu que havia rachaduras recentes na madeira, no terceiro e quarto degraus e mais acima. Alguém estivera ali fazia pouco tempo.

Essa constatação foi como um choque visceral. Grant se pegou subindo em disparada, ignorando a madeira que rachava sob seu peso, usando as mãos e os pés para tentar chegar até o alto. Nunca sentira desespero de verdade na vida até aquele momento, nunca sentira a agonia correr por suas veias como óleo quente, até cada centímetro de sua pele arder. Precisava chegar até Victoria antes que fosse tarde demais. E, se fosse... ele sabia que não conseguiria viver em um mundo sem ela.

Meio correndo, meio engatinhando pelos degraus quebrados, Grant alcançou o segundo andar. Através de uma névoa vermelha de fúria, avistou duas figuras no lado oposto do espaço da fábrica... Iluminado pela claridade que entrava por uma rachadura no teto e lançava uma luz implacável sobre a cena, Keyes se debruçava sobre Victoria, afastando a saia dela. A única cor ali era a dos cabelos de Victoria, rica e brilhosa como a de rubis. Victoria estava amordaçada. Seus olhos estavam fechados, o corpo, imóvel sob o do patrulheiro, sem fazer qualquer movimento.

Um som selvagem subiu pela garganta de Grant, um grito maligno que se ergueu do fundo de sua alma. Já sem ter consciência do que fazia, ele se lançou em cima de Keyes, todo o seu ser concentrado na necessidade de atacar e matar. O outro homem teve apenas uma fração de segundo para levantar os olhos antes de Grant estar em cima dele.

Keyes praguejou quando foi jogado longe. Ele rolou na tentativa de pegar a pistola que carregava, mas, no momento em que segurou a arma, Grant agarrou o braço dele e bateu contra o piso com uma força capaz de quebrar ossos. Keyes gritou de dor e atacou com o punho oposto, que atingiu o queixo do outro. Em sua fúria mortal, Grant mal sentiu o golpe.

– Ela não é *nada*, seu animal maldito! – gritou Keyes, olhando com ódio para o rosto febril e impiedoso de Grant. – Não me mataria por uma prostituta.

Grant não respondeu, apenas atacou brutalmente até não saírem mais palavras da boca do outro patrulheiro, que, aos poucos, deixou de lutar e se preocupou apenas em erguer os braços para defender o rosto e a cabeça. Quando Keyes estava encolhido, gemendo no chão, Grant enfiou a mão na bota e pegou a faca que guardava ali.

Deleitou-se com a sensação do metal nas mãos. Só a morte de Keyes poderia aplacá-lo agora. As coisas em que acreditava, os rigores da lei, a justiça, tudo havia desaparecido como poeira ao vento. Quase enlouquecido com a sede de sangue, Grant ergueu a faca no ar.

Contudo um som abafado o fez parar. Ofegante, a respiração saindo em arquejos irregulares, ele se voltou na direção da luz. Victoria estava de lado, fitando-o com os olhos arregalados e engolindo com dificuldade por causa da mordaça. Grant ficou tenso a ponto de começar a tremer. Não conseguia afastar o olhar do rosto dela. Os olhos azuis de Victoria pareciam aprisioná-lo, impedir que se movesse. Um lampejo de sanidade penetrou as camadas de fúria bélica, mas ele resistiu com determinação.

– Vire o rosto para o outro lado – disse Grant em uma voz que não parecia pertencer a ele.

Victoria balançou a cabeça, recusando-se. Compreendera que ele não conseguiria matar um homem diante dela.

– Maldição, vire o rosto! – grunhiu Grant.

Victoria não virou. Os olhares dos dois se encontraram – o dele, demoníaco; o dela, insistente.

No fim, ela venceu a batalha. Ele assentiu com um grunhido baixo e guardou a faca na bota. Então deu um último soco em Keyes, deixando-o inconsciente, e revistou os bolsos dele. Quando encontrou a chave das algemas que prendiam Victoria, foi até ela e se ajoelhou ao seu lado. Ela tremia enquanto ele soltava seus pulsos machucados.

Assim que tirou a mordaça do rosto marcado de lágrimas, Grant puxou Victoria para o colo e a segurou firme. A sensação de tê-la ali – suave, pequena... viva – arrancou dele um gemido de alívio. Grant passou as mãos pelo corpo dela e deixou a boca correr, voraz, pelos cabelos, a pele, as roupas de Victoria, como se fosse devorá-la.

– Grant – chamou ela em um arquejo, encolhendo-se com a força dos beijos dele.

Grant soltou um som animal de prazer e desejo e colou os lábios aos dela com intensidade. Victoria passou os braços ao redor do seu pescoço.

– Achei que morreria aqui – falou ela, o hálito morno contra a orelha de Grant. – Achei que... o rosto dele seria a última coisa que eu veria na vida.

– Quando você morrer, vai ser o *meu* rosto que vai estar ao seu lado – disse ele, sentido.

– Eu me lembrei de tudo... aquele homem, Keyes... ele tentou me matar antes.

Grant sabia que a estava abraçando com muita força, mas não conseguia afrouxar os braços.

– Desculpe – conseguiu dizer. – Eu sinto tanto. A culpa é minha...

– Não, não. Por favor, não diga isso.

As mãos dela envolveram o pescoço dele com força.

– Como me encontrou? Como soube?

– Descobri sobre Keyes junto a lorde Lane. Passei a última meia hora quase louco, achando que não a encontraria a tempo.

Ele enterrou o rosto no vestido de Victoria, com um gemido.

– Meu Deus...

Grant sentiu os dedos de Victoria deslizarem por seus cabelos enquanto ela murmurava sons baixos e indistinguíveis.

– Nunca mais vou deixá-la longe da minha vista – falou ele, a voz abafada contra o seio dela.

Victoria soltou uma risadinha trêmula.

– Ó-ótimo. Por mim, está ótimo.

Conforme a tempestade continuava furiosa do lado de fora, a fábrica estalava e estremecia. Os sons fizeram Grant se colocar em ação. Mesmo com relutância, tirou Victoria do colo e se levantou junto dela.

– Tenho que tirá-la daqui – murmurou.

– Sim.

Victoria lançou um olhar de repulsa ao redor do lugar arrasado. Seus olhos se demoraram na figura prostrada de Keyes.

– E quanto a ele?

– Vamos deixá-lo para os outros – respondeu Grant.

Não se importava nem um pouco com a possibilidade de o prédio todo desabar em cima do desgraçado... desde que eles estivessem fora dali, a salvo, primeiro.

Passou o braço ao redor das costas de Victoria, para lhe dar apoio.

– Consegue andar, Victoria?

Ela assentiu e, para o espanto de Grant, um sorrisinho apareceu nos lábios secos e rachados.

– O que foi? – perguntou ele, imaginando se o terror por que ela passara nos últimos minutos a teria deixado temporariamente desequilibrada.

– Você disse meu nome – explicou ela, a voz áspera saindo com dificuldade, mas o sorriso ainda nos lábios. – Como você...

– Explicarei mais tarde.

Incapaz de se conter, Grant se inclinou e capturou a boca delicada dela em um beijo firme e apaixonado.

– Vamos.

Eles desceram com cuidado a escada quebrada, Grant na frente. Ele testava cada degrau e pisava antes de permitir que Victoria descesse. Ela ficou surpresa com a fraqueza das próprias pernas. Embora soubesse que estava a salvo, não conseguia parar de tremer. Sua pele se arrepiava com tremores e calafrios e o corpo se enrijecia.

– Está ferida? – perguntou Grant em determinado momento.

Embora a voz dele soasse calma, Victoria percebeu a preocupação subjacente.

– Não – respondeu ela, cerrando os dentes em uma tentativa de fazê-los pararem de bater. – Ele não... isto é... você chegou antes que ele...

Ela ficou em silêncio quando Grant a ergueu com gentileza para pular um degrau quebrado.

– Estou perfeitamente bem – garantiu, firmando a voz em um esforço para tranquilizá-lo.

No entanto, ele não pareceu nada convencido. Victoria estremeceu ao notar a rigidez do perfil dele; sabia que Grant se culpava pelo que acontecera.

Ela teve a sensação de haver se passado uma eternidade até eles finalmente chegarem ao térreo e saírem do prédio. Assim que se viram em terreno firme, Grant a pegou nos braços, segurando-a contra o peito. Victoria empurrou o ombro dele quando se deu conta de que estavam no meio de uma aglomeração de guardas, patrulheiros e curiosos.

– Eu consigo andar – murmurou ela.

Elogios e murmúrios de alívio vinham do grupo.

Grant ignorou as palavras de Victoria e continuou a carregá-la no colo. Um dos capitães da guarda montada desceu do cavalo e cumprimentou Grant com um aceno de cabeça.

– Senhor – disse ele –, fico feliz por ver que a Srta. Duvall foi resgatada em segurança.

Ele fez uma pausa e olhou de relance para a fábrica que se desintegrava.

– O Sr. Keyes ainda está lá? Isto é, o que devemos...

– Ele está vivo – respondeu Grant, não parecendo nada satisfeito com o fato. – Mas vai precisar de ajuda para descer do segundo andar.

O capitão franziu o cenho, preocupado.

– O lugar é uma armadilha mortal, senhor. Eu não poderia garantir a segurança de nenhum homem que se aventurasse a entrar lá.

– Então derrube o lugar e desenterre Keyes dos escombros – retrucou Grant sem rodeios. – Não dou a mínima para como vão tirá-lo de lá.

O capitão pareceu desconfortável diante da frieza de Grant em relação ao antigo colega.

– Senhor, posso lhe oferecer minha montaria?

Ele fez sinal para um guarda, que levou o grande cavalo baio até eles.

Grant colocou Victoria na sela e montou atrás dela. Então lançou um olhar duro na direção do prédio dilapidado.

– Quando o Sr. Keyes for trazido para o térreo, prenda-o e mande levá-lo para a sala de detenção da Bow Street – disse ao capitão. – Tenho negócios inacabados com o desgraçado. Depois que Cannon falar com ele, o infeliz será meu.

– Sim, Sr. Morgan – assentiu o capitão.

O homem olhava para o patrulheiro com um misto de reverência e temor. Grant não era um homem que se desejasse irritar.

Exausta demais para se preocupar com o pudor, Victoria montou com uma perna de cada lado, o que fez a saia subir até os joelhos. Ela se recostou em Grant, que passou um braço por sua cintura para firmá-la. Os dedos longos se curvaram ao redor dela, pressionando-a junto ao corpo, e ele logo colocou o cavalo a meio-galope. Foi difícil para Victoria no início, já que seu corpo estava rígido e cansado demais para acompanhar o ritmo dos solavancos do cavalo. Mas ela logo sentiu prazer na chuva fria que atingia seu rosto e na rigidez dos membros, que eram provas físicas de que continuava viva.

Grant fora resgatá-la, pensou, encantada. Ele havia impedido que Keyes a matasse. Era um milagre quase grande demais para ela compreender. Sentiu-se inundada por uma imensa gratidão e, mais do que isso, por uma sensação de intimidade que ia além de qualquer sentimento anterior por Grant. Victoria sabia agora que ele arriscaria tudo, que faria qualquer coisa por ela, que ele se importava mais com ela do que qualquer pessoa já se importara. Ela também sabia que ele teria matado Keyes, mas o deixara vivo por causa dela. Esse pensamento provocou um arrepio de prazer em Victoria. Grant era um homem magnífico e dono da própria vontade... mas ela agora sabia que tinha o poder de influenciá-lo. Porque ele a amava. Ainda saboreando essa sensação, Victoria apoiou mais o peso do corpo no dele, sem se importar com o frio e o desconforto da cavalgada.

Quando chegaram ao número quatro da Bow Street, o lampião pendurado no poste mal vencia a escuridão provocada pela chuva. Grant desmontou primeiro, estendeu a mão para pegar Victoria e a colocou no chão com todo o cuidado, mantendo as mãos em sua cintura para firmá-la. Ela percebeu a preocupação por trás daquele rosto inexpressivo e sorriu para ele.

– Está tudo bem – assegurou Victoria.

Ele cerrou o maxilar.

– Não consigo parar de pensar em você deitada no chão daquela fábrica. E em Keyes em cima de você...

– Mas você o deteve.

Ela acariciou o rosto dele, a pele áspera do queixo surpreendentemente quente sob seus dedos frios. Um tremor de pura emoção percorreu Grant, e Victoria sentiu a vibração dele na palma da mão.

– E se eu tivesse chegado tarde demais? – perguntou ele, a voz rouca, os olhos tão escuros que pareciam negros em vez de verdes.

Victoria o encarou com carinho. Grant precisava tanto de conforto quando ela, talvez até mais. Desde a morte do irmão, ele nunca mais encarara a possibilidade de perder alguém de quem gostava. Nunca voltara a amar alguém, porque não quisera se arriscar a sentir tamanha dor de novo.

– Não teria sido por culpa sua – disse ela, com cautela. – Algumas coisas estão além do seu controle.

Mas não era isso que ele queria ouvir, percebeu Victoria, achando aquilo subitamente divertido. Grant não era o tipo de homem que admitiria que havia coisas fora de seu controle.

– Que grande conforto... – resmungou ele, erguendo uma sobrancelha escura em uma expressão sardônica. – Não consegue fazer melhor do que isso?

Ela conseguiu dar um sorriso ao ver que ele aos poucos voltava ao normal.

– Ora, você não chegou tarde demais – lembrou Victoria. – Chegou a tempo de me salvar. Por que se preocupar com o que poderia ter acontecido?

– Porque eu... – começou ele a dizer, mas se deteve, carrancudo. – Porque não é todo dia que um homem descobre que uma mulher pequena, frágil e dada a acidentes é o centro da existência dele.

– Dada a acidentes? – repetiu Victoria, fingindo um toque de indignação enquanto seu coração dava pulos de alegria por causa do restante das palavras dele.

O mensageiro de sir Ross, Ernest, saiu do prédio para pegar o cavalo e levá-lo para o estábulo, nos fundos. Para a surpresa de Victoria, Grant não a levou para a entrada do escritório no pequeno pátio que dava para o sul, mas entrou direto na casa. O prédio principal se ligava aos escritórios nos fundos, que, por sua vez, levavam ao tribunal onde os inquéritos eram conduzidos, e os casos, ouvidos.

– Quem são todas essas pessoas? – perguntou Victoria.

Por mero instinto, ela se aproximou mais de Grant ao ver a aglomeração de gente em todos os cantos imagináveis do prédio.

– Informantes, criminosos, possíveis jurados, advogados... Pode escolher.

– É sempre tão cheio assim?

– Isto não é nada. Já vi este lugar tão cheio que as paredes pareciam prestes a arrebentar.

Ele olhou para as pessoas ao redor e cumprimentou com um aceno a governanta rechonchuda e de cabelos grisalhos que tentava orientar o fluxo humano para as salas apropriadas. Assim que o viu, ela foi até eles e parou de repente, com uma expressão assustada.

– Santo Deus! – murmurou ela.

Seu olhar passou de Grant – desalinhado, sujo e molhado – para a jovem que o acompanhava e estava nas mesmas condições.

– Vocês dois são uma visão e tanto, Sr. Morgan.

Grant deu um sorrisinho, mas ficou claro que não estava disposto a conversar.

– Preciso ver Cannon agora – disse sem rodeios. – Temos apenas alguns minutos. A Srta. Duvall... isto é... a Srta. Devane passou por momentos difíceis e precisa descansar.

– Sim, é claro – concordou a governanta, e olhou para Victoria com uma expressão que era um misto de preocupação e gentileza. – Venham logo por aqui, por favor.

Ela os guiou através da aglomeração até chegarem ao escritório de sir Ross, uma sala pequena com janelas retangulares que davam para a rua. O escritório era mobiliado com peças de carvalho, estantes cheias de livros e um globo terrestre decorativo.

Sir Ross, que estava falando com dois homens que pareciam ser escreventes ou alguma espécie de assistentes, parou no meio de uma frase quando Grant entrou na sala com Victoria.

– Morgan – disse ele, os olhos cintilando enquanto fitava os dois. – Onde está Keyes?

– Logo será trazido para cá – falou Grant, sem se alongar.

De algum modo, só de olhar para o rosto de Grant, Cannon pareceu compreender o que havia acontecido. Ele fechou os olhos e seus ombros se curvaram um pouco para a frente. Então esfregou as têmporas com o polegar e o indicador como se uma dor de cabeça repentina o atingisse.

– Sra. Dobson – disse ele para a governanta –, traga bebidas quentes e mantas.

– Sim, senhor.

Ela desapareceu na mesma hora.

Com toda a eficiência, Cannon despachou os dois outros homens da sala e fechou a porta com firmeza. O barulho e a comoção do lado de fora do escritório foram abafados, mas ainda se ouviam. Ele se virou para Grant e Victoria e fez um gesto indicando que sentassem.

Victoria estremeceu de leve e ficou grata pelo braço protetor que Grant passou por suas costas quando ela se acomodou na cadeira de carvalho. As roupas dela estavam úmidas e se colavam ao corpo. Além disso, saber que a capa e os cabelos estavam muito sujos a constrangiam. Nunca desejara tão desesperadamente um banho como naquele momento. Ansiava por estar limpa e seca e por uma cama quente para dormir.

– Não vai demorar – murmurou Grant, reparando na exaustão dela.

Cannon ouviu o comentário.

– Não, não vai – confirmou ao sentar em uma cadeira diante de Victoria.

Ele a surpreendeu ao pegar sua mão na dele, muito grande e fria, fitando-a com intensidade. Victoria correspondeu ao olhar com os olhos arregalados.

– Srta... – começou ele, mas parou.

– Devane – completou ela com um sorriso trêmulo.

– Devane – repetiu ele baixinho. – Deve estar com a sensação de que entrou no mar em uma peneira em vez de um bote.

Apesar da exaustão, Victoria riu.

– Algo desse tipo.

– O fato de essa provação ter sido causada por um de meus patrulheiros me tortura mais do que eu seria capaz de lhe dizer. Não tenho como oferecer reparação suficiente por tudo o que sofreu... mas lhe dou minha palavra de que, se algum dia puder lhe servir, usarei qualquer meio que tenha à disposição. Só precisa pedir.

– Obrigada – respondeu Victoria, baixinho, um pouco nervosa por ter um dos homens mais poderosos de Londres lhe pedindo desculpas.

Parecendo satisfeito, Cannon soltou a mão de Victoria e esperou que a Sra. Dobson voltasse com as mantas. Quando Victoria já estava aconchegada sob uma camada de lã e com uma xícara fumegante de chá entre os dedos gelados, o olhar implacável do magistrado retornou a ela.

– Srta. Devane, por favor, conte-me o melhor que puder o que aconteceu esta noite.

Às vezes tropeçando nas palavras, Victoria descreveu tudo o que se passara depois que Grant saíra naquela manhã. De vez em quando Grant intercedia para completar o relato com as explicações necessárias. A única interrupção aconteceu quando da porta do escritório veio um barulho curioso de arranhões. Victoria parou e olhou ao redor, curiosa com o som estranho.

Cannon revirou os olhos, se levantou e abriu a porta. Uma enorme gata malhada e sem rabo entrou sem pressa na sala e observou os visitantes com um olhar curioso.

– Talhada! – disse Cannon em um tom que teria feito qualquer outra criatura correr para se esconder no canto mais próximo.

Em vez disso Talhada lhe lançou um olhar rebelde e pulou direto no colo de Victoria. Na mesma hora, Victoria entregou a xícara pela metade a Grant e deixou a gata peluda se acomodar sobre suas coxas.

Cannon murmurou um pedido de desculpas e se adiantou para tirar a bichana dali, mas Victoria o deteve com um sorriso.

– Está tudo bem – falou. – Gosto de animais.

Os olhos do magistrado cintilaram com um sorriso.

– Bem, agora a senhorita conhece quem manda de verdade na Bow Street – comentou ele, indicando a gata cheia de si, e voltou para a cadeira que ocupava.

Com Talhada ronronando baixinho no colo, Victoria terminou o relato do que acontecera e piscou várias vezes, cansada. O calor ameno do escritório e a noção de que estava finalmente em segurança fizeram com que ela se sentisse em paz pela primeira vez em semanas. Além disso, o toque gentil da mão de Grant em sua nuca, sob os cabelos molhados e sujos, a acalmava.

Seguiu-se um silêncio longo e reflexivo enquanto Cannon fitava distraidamente o quadro na parede. Em cores vivas, a pintura mostrava um pequeno riacho correndo por entre penhascos e rochas, tendo ao fundo colinas cobertas por florestas. Victoria desconfiou que, em momentos como aquele, o magistrado desejasse estar em um lugar tão sereno quanto o da paisagem.

– Keyes – falou Cannon baixinho, como se recordasse algo.

Uma luzinha fria ardia nos olhos, revelando fúria e um toque de tristeza. O ocorrido era uma tragédia pessoal e profissional para Cannon.

– Sinto muito pelo que aconteceu – disse Victoria com sinceridade, e se voltou com um olhar de preocupação para Grant. – Isso vai tornar as coisas mais difíceis para você e os outros patrulheiros?

Os olhos verdes de Grant a fitaram com uma expressão carinhosa e um leve sorriso.

– Não precisa se preocupar, menina. A Bow Street já superou problemas piores.

Em um movimento hábil, ele tirou a gata do colo de Victoria, ignorando o miado de protesto de Talhada, e ajudou a jovem se levantar.

– Está na hora de a Srta. Devane ir para casa – falou para Cannon. – Trataremos das questões oficiais amanhã.

– Minha carruagem irá levá-los à King Street.

Cannon abriu a porta, chamou o mensageiro e lhe deu instruções. Ao mesmo tempo, a governanta retornou para perguntar se poderia oferecer algo mais a Victoria.

– Terminamos por ora – falou Cannon. – Obrigado, Srta. Devane. Espero que não sofra qualquer efeito mais duradouro deste dia desastroso.

– Ficarei perfeitamente bem depois de um bom descanso – garantiu ela.

O comentário de Cannon fez Grant franzir o cenho de preocupação.

– Acho melhor mandar chamar Linley – falou Grant. – Ele precisa examiná-la depois de tudo pelo que passou.

– De novo? – falou Victoria e fez que não com a cabeça. – Com certeza não preciso ver um médico duas vezes no mesmo dia. *Você* pode ir ver o Dr. Linley, se estiver tão ansioso pela companhia dele. Quero ir para casa.

– Para casa, então – concordou ele com tranquilidade e a guiou para fora do escritório.

A Sra. Dobson foi até o corredor e ficou observando o casal que se afastava. Quando voltou a olhar para Ross, a expressão da governanta era de prazer, embora um pouco surpresa.

– Ora, parece que o nosso Sr. Morgan finalmente se apaixonou – comentou ela.

– E se apaixonou com vontade – acrescentou Ross, irônico. – Pobre infeliz.

Um sorriso afetuoso surgiu no rosto redondo da Sra. Dobson.

– Algum dia, senhor, um pequeno deslize pode acabar reduzindo-o ao estado do nosso pobre Sr. Morgan.

– Prefiro cortar minha garganta primeiro – respondeu o magistrado com calma. – Nesse meio-tempo, quero um bule de café.

A governanta pareceu afrontada.

– A esta hora? Nem quero ouvir falar disso. O senhor precisa é de descanso, e muito, não de uma bebida que vai deixar seus nervos em frangalhos...

Cannon suspirou, voltou para a escrivaninha e suportou o sermão que se seguiu.

CAPÍTULO 17

Quando voltou à King Street, Victoria foi recebida por uma Sra. Buttons preocupada e por uma Mary chorosa, ambas perplexas diante da notícia de que Keyes quisera lhe fazer mal.

– A senhorita deveria ter me dito! – exclamou a governanta. – Se tivesse, eu faria o que fosse necessário para ajudá-la.

– Desculpe – falou Victoria com um sorriso cansado. – Com o choque da súbita volta da memória e meu medo do Sr. Keyes, acabei perdendo a cabeça.

Ela não queria ferir os sentimentos de ninguém admitindo que não tivera certeza de que os criados ficariam do seu lado contra um patrulheiro da Bow Street.

– De qualquer modo – acrescentou –, tudo terminou bem, graças ao Sr. Morgan.

– Acho que teremos outro romance popular contando essa história – disse a Sra. Buttons. – Mais aventuras empolgantes da lenda da Bow Street, o Sr. Morgan.

– Está mais para o palerma da Bow Street – resmungou Grant. – Essa situação toda foi culpa minha. A princípio, eu queria que Flagstad tomasse conta de Victoria... jamais deveria ter concordado que fosse Keyes a fazer isso.

– Você não tinha como saber – protestou Victoria. – Ninguém suspeitava dele... nem mesmo sir Ross.

Grant permaneceu carrancudo, obviamente não aceitando a defesa que ela fazia. Ele levou a mão à testa da jovem e afastou uma mecha de cabelo.

– Sra. Buttons – falou, ainda olhando para Victoria –, acredito que a Srta. Devane deseje um banho. E talvez um pouco de leite quente com conhaque.

– Ah, sim – concordou Victoria, estremecendo de prazer ao pensar em mergulhar o corpo na água quente e perfumada.

– Vamos cuidar muito bem dela, Sr. Morgan – assegurou a governanta, e fez sinal para a criada que estava perto. – Mary, você e as moças, encham a banheira para a Srta. Devane. Depois encham a do quarto de hóspedes para o Sr. Morgan.

– Sim, madame – apressou-se em responder Mary, e se afastou logo.

O tom de Grant era suave quando se dirigiu a Victoria:

– Quer que eu a carregue pela escada?

Ela sorriu e balançou a cabeça, recusando a oferta. Estava tão hipnotizada pelo calor terno do olhar dele que mal reparou que a governanta os deixara a sós.

– Vai me ver depois que eu tomar banho? – perguntou ela.

O rosto de Grant não demonstrou nenhuma emoção, mas seus lábios se curvaram em um sorriso e ele se aproximou para dar um beijo na testa dela.

– Não – murmurou tão baixinho que ela mal conseguiu ouvi-lo.

Surpresa, Victoria recuou um passo.

– Não?

– Você passou por muita coisa para um único dia... não precisa de um brutamontes grandalhão no cio em sua cama esta noite.

Incapaz de se conter, ela se adiantou e apertou o corpo contra o peito firme dele.

– E se eu quiser o brutamontes na minha cama?

– Você precisa dormir – insistiu ele.

– Dormir é perda de tempo.

Uma risada relutante escapou pela garganta de Grant e ele passou os braços ao redor dela. Victoria sentiu o hálito dele nos cachos acima de sua orelha.

– Isso prova que está exausta. Não sabe nem o que diz.

– Sei, sim – foi a vez de ela insistir.

Victoria não permitiu que ele a afastasse.

– Menina... – alertou Grant, um pouco tenso. – Foi um dia muito difícil para mim também. Tenho medo de visitá-la esta noite e...

Ele parou, em busca das palavras apropriadas.

– Acho que eu não teria...

– Forças? – completou ela.

– Autocontrole.

– Ah.

Victoria engoliu em seco e encarou o rosto insondável dele.

– Mas se você...

– Vá – murmurou Grant, desvencilhando-se dela com facilidade e virando-a na direção da escada. – Passei por muita coisa hoje, Victoria. Não confio em mim com você esta noite.

Ele deu um empurrãozinho nela para que subisse a escada.

– Descanse um pouco. Eu a verei pela manhã.

Victoria franziu o cenho e subiu a escada, parando de vez em quando para olhar para ele. Grant esperou que ela chegasse ao topo antes de dar as costas e entrar na biblioteca, em busca do conhaque de que muito necessitava.

Com a ajuda das criadas, Victoria ensaboou e lavou os cabelos duas vezes, suspirando de prazer conforme a água quente limpava todos os traços de sujeira. O banho aliviou os músculos tensos e aplacou o frio que até então parecia penetrar seus ossos. Isso e um copo de leite com conhaque foram a combinação perfeita para relaxá-la. Ela vestiu uma camisola de musselina limpa que tinha ainda uma capa fechada na frente por uma fileira de minúsculos botões de pérola. Zonza de sono, ficou sentada diante da lareira enquanto as criadas penteavam com todo o cuidado os cabelos molhados, deixando o calor do fogo secar os cachos ruivos.

– Mais leite? – ofereceu a Sra. Buttons. – Ou algo para comer? Um prato de torradas ou uma tigela de sopa... um ovo, talvez...

– Não, obrigada.

Victoria esfregou os olhos e bocejou.

A governanta percebeu o cansaço dela e a necessidade de privacidade. Fez um sinal para Mary e as duas se prepararam para sair do quarto.

– Puxe a sineta para me chamar se precisar, Srta. Devane – disse a Sra. Buttons baixinho.

Com os olhos já quase fechados, Victoria estendeu os pés descalços na direção do fogo e observou a luz amarelada brincar em seus dedos. Ela se perguntou se Grant já teria terminado de se banhar, se já teria até adormecido no quarto de hóspedes. Sabia que ele se manteria firme na decisão de não visitá-la naquela noite, já que resolvera que ela precisava dormir. Sem dúvida, estava certo. Mas Victoria queria estar com ele, queria ser abraçada e confortada e queria confortá-lo também.

Ela chegara muito perto da morte naquela noite, pouco mais de um mês depois da primeira tentativa de assassinato que sofrera, e isso a fazia ansiar por aproveitar cada momento do resto dos seus dias. Dormir era realmente uma perda de tempo... ainda mais quando seu amado estava num quarto tão próximo.

Antes que tivesse consciência de ter tomado uma decisão, Victoria já estava à porta do quarto de hóspedes. Com os dedos um pouco trêmulos, ela girou a fechadura e entrou na pequena antessala que levava ao aposento em si. Assim como no quarto principal, um fogo baixo na lareira iluminava suavemente o cômodo, fazendo as sombras dançarem no canto.

E, na cama... O que ela viu a fez estacar, afogueada, o coração disparado e pesado no peito. Grant estava deitado com um pé para fora e um joelho erguido. Segurava um livro que lia com o cenho franzido e a boca levemente torcida. Não havia uma única peça de roupa à vista.

A luz do fogo emprestava um tom âmbar à pele dele e espalhava pontos dourados pelos cabelos negros muito brilhantes. Todos os detalhes do corpo longo e musculoso estavam visíveis, da depressão na base do pescoço até os pelos negros que cobriam suas pernas. Em meio à onda de desejo e confusão que a dominou, Victoria se perguntou por que ele parecia ainda maior sem roupas. Nunca vira uma extensão tão impressionante de pele nua.

Percebeu que fizera algum barulho ao entrar, porque Grant voltou os olhos semicerrados em sua direção e, na mesma hora, cobriu o colo com o livro aberto. Victoria achou divertido o gesto defensivo, e o olhar severo dele só aumentou o efeito cômico. Ela contraiu os lábios para conter uma súbita vontade de rir e se aventurou mais para dentro do quarto.

– Não deveria ler com tão pouca luz – disse, a voz um pouco hesitante.

Estava mais nervosa do que tinha se dado conta.

– Vai forçar a vista.

Ele franziu mais o cenho.

– Não é a única coisa que vou forçar se não voltar para seu quarto.

Victoria ignorou a ordem, fechou a porta e se aproximou da cama com passos cautelosos.

– Não estou com sono.

Grant se sentou e passou as pernas pela lateral da cama, os músculos do abdômen saltando, o livro ainda sobre o ventre.

– Você apagaria em menos de um minuto se fosse para a cama e fechasse os olhos.

Contudo o olhar dele percorreu a capa branca dela, demorando-se na fileira de botõezinhos na frente, e Victoria reparou na mudança do ritmo da respiração de Grant. Sentindo-se encorajada, ela se adiantou um passo.

– Estou falando sério, Victoria – avisou ele. – Esta noite não.

– Não quer ficar comigo?

– Quero o que é melhor para você.

– *Você* é o melhor para mim.

Ela encarou com intensidade os olhos verdes e levou a mão ao primeiro botãozinho de pérola. O nervosismo a deixou desajeitada e ela teve dificuldade para soltá-lo. Grant ficou em silêncio e continuou a observá-la sem piscar. Victoria enrubesceu, subitamente constrangida, e puxou o botão com mais força, fazendo com que saltasse da capa e saísse quicando pelo tapete. Cada vez mais frustrada, ela se deu conta de que ainda havia mais de uma dúzia de botões a abrir. Naquele ritmo, levaria a noite toda só para tirar a capa. Abandonou a tarefa que parecia impossível e olhou para Grant com uma expressão zombeteira.

– Não sou uma sedutora muito talentosa, não é mesmo?

Na mesma hora, o livro saiu voando para o meio do quarto e aterrissou no chão com um baque surdo. Victoria arquejou ao ser erguida e posta na cama. Grant se inclinou por cima da jovem, os ombros largos bloqueando a visão dela da lareira.

– Considerando o fato de eu estar rígido como uma lança de ferro – falou, a voz rouca –, eu diria que você fez alguma coisa certa.

Ela estava presa por mais de 1,80 metro de um homem musculoso e excitado, o membro protuberante dele pressionando seu abdômen, uma das coxas rijas entre as pernas dela. Hesitante, Victoria passou os braços ao redor do corpo dele, as mãos chegando às costas firmes. Estava impressionada com o calor do corpo de Grant, que ardia com uma intensidade quase febril.

– Sua pele está tão quente! – sussurrou ela, deixando os dedos frios correrem pelas costas dele.

A respiração de Grant passou a sair entre dentes, como se ele estivesse com dor, e Victoria parou na mesma hora.

– Fiz algo errado?

– Não, não...

Grant enterrou o rosto nos cachos soltos dela e esfregou a pele nos fios sedosos.

– Quando você me toca, não tenho certeza se estou no céu ou no inferno.

– Isso é bom?

– É muito bom – confirmou ele, a voz abafada pelos cabelos dela.

Victoria sorriu contra a orelha dele e passou os braços novamente por suas costas, enlaçando-o com toda a força. Grant murmurou palavras de amor no pescoço dela, no rosto, espalhando beijos preguiçosos pela pele suave enquanto seus dedos cuidavam dos botões da capa. Ele abriu um a um, sem pressa para soltá-los das casas.

– Beije-me – pediu Victoria, ofegante, querendo algo além do roçar leve e provocante da boca dele.

Grant deixou seus lábios pairarem sobre os dela, provocando-a com seu autocontrole, e Victoria o puxou mais para junto de si pelo pescoço. Ela não conseguiu conter um gemido quando ele finalmente lhe deu o beijo que ela queria, a língua explorando-a em movimentos sedutores e estudados.

Ao se dar conta de que a capa estava aberta, Victoria se esforçou para se livrar da peça. Grant a acalmou com mais beijos e passou o braço forte por baixo do pescoço dela, ajudando-a a se despir. Só o que separava a pele dele da dela era a camada diáfana da camisola. Grant deslizou a mão pelo tecido fino, encontrando os seios e envolvendo-os com a mão quente, apertando delicadamente até o mamilo dela se enrijecer contra sua palma.

Trêmula de desejo, Victoria o tocou com uma ousadia cada vez maior, os dedos correndo até o vale na base da coluna dele, a curva firme coberta por músculos rígidos de ambos os lados. Desceu mais, para a carne densa do traseiro, onde as mãos dela se deliciaram com a forma sólida e tão máscula. O corpo de Grant reagiu quando ela o tocou ali e ele arremeteu o quadril contra o dela, o membro firme empurrando a musselina entre as coxas de Victoria. Ela se sobressaltou com a arremetida involuntária, lembrando-se da primeira vez que ele a possuíra, a invasão íntima de seu corpo, a dor que isso causara.

Ao perceber a inquietude de Victoria, Grant ficou imóvel, o peso apoiado sobre os cotovelos, pra não esmagá-la.

– Não tenha medo – disse com a voz rouca.

– Não estou com medo – mentiu Victoria.

Ela se forçou a relaxar os punhos cerrados e espalmou as mãos no alto das costas dele.

– Você disse que não doeria se eu estivesse preparada.

– É verdade.

Grant colou os lábios absurdamente deliciosos aos dela e a beijou. Victoria se entregou por completo àquele beijo, o corpo dócil e confiante sob o dele. Ela não voltou a ficar tensa, nem mesmo quando ele parou para despi-la. Grant envolveu os seios dela com as mãos e os ergueu, beijando um bico rosado e depois o outro. Os lábios dele se abriram sobre o mamilo sensível e Victoria sentiu a carícia da língua úmida. O toque delicado e excitante fez com que ela arqueasse o corpo mais alto ao encontro da boca dele. Grant pousou a mão no joelho dela e a deixou subir até alcançar os pelos que protegiam a carne tenra do sexo dela. Os dedos dele brincaram entre os cachos ruivos, acariciando e provocando até Victoria gemer e empurrar o pequeno monte contra a mão dele.

Grant estremecia com o esforço para não possuí-la. Sabia que Victoria estava pronta para ele, sentia a umidade nos pelos sedosos... mas ainda não. Não até que ela implorasse a ele. Enquanto continuava a sussurrar sobre o amor que sentia por ela, Grant a acariciava, a ponta do dedo indo cada vez mais além até encontrar a entrada do corpo dela.

Ele se deleitou ao vê-la prender a respiração e com o tremor súbito que percorreu o corpo feminino ao sentir o dedo dele avançar, acariciando a carne quente. Victoria o segurou pelos ombros como se não conseguisse decidir se o puxava ou o empurrava. Ele a observou fechar os olhos quando colocou o dedo o mais fundo possível. Então se inclinou por cima do peito dela, capturou um dos mamilos com a boca e passou a chupá-lo ritmicamente.

– Por favor – pediu Victoria em um arquejo, levantando os joelhos e afastando as coxas. – Por favor... é demais... eu...

– Você me quer agora? – perguntou Grant.

– Por favor – implorou ela de novo, o rosto ruborizado e úmido.

O desejo fazia o coração dele bater com força quando se colocou em cima dela, se posicionou e começou a pressionar o membro com firmeza na abertura vulnerável. De repente, ela abriu os olhos, levou as mãos ao peito de Grant e empurrou os músculos firmes enquanto se contorcia e se esforçava para se acomodar ao tamanho dele.

– Ah, não consigo – falou ela, tensa.

– Vai conseguir, por mim – sussurrou Grant. – Vai conseguir, Victoria. Deixe-me entrar.

Ele aumentou a pressão e sentiu o corpo dela relaxar e tornar-se escorregadio para recebê-lo. Grant soltou um gemido de alívio e a penetrou em movimentos vagarosos, sem parar até estar bem no fundo do calor suculento. Victoria gemeu, passou os braços ao redor dele e o puxou para um abraço apertado. As sensações físicas e a emoção se misturavam dentro de Grant, inundando-o como uma bênção.

Uma parte do cérebro dele ficou escura e quieta, todos os pensamentos extintos, a suprema consciência física assumindo o controle. Ele se moveu em arremetidas fundas, inclinando o corpo para roçar no ponto mais sensível do sexo dela. Victoria se movia desajeitadamente para cima cada vez que o sentia penetrá-la, ansiosa pela proximidade máxima. Grant grunhiu de satisfação e passou as mãos grandes por baixo das nádegas dela, guiando-a para combinar o ritmo dos dois.

Victoria deixou os braços deslizarem pelas costas dele enquanto empurrava o quadril para cima com uma força que quase conseguiu erguer o peso considerável de Grant. Parecia que toda a existência dela estava concentrada naquela busca desesperada de prazer.

Victoria encarou o rosto acima do dela, as feições tensas e úmidas de suor, então tudo ficou turvo quando ela sentiu uma deliciosa contração no ventre. Grant arquejou e a penetrou com mais força enquanto cravava os dentes na delicada curva do pescoço dela. Victoria ofegou ao chegar ao clímax, as ondas de prazer espalhando-se, vibrando, até seu corpo inteiro estremecer. Em algum momento em meio ao cataclismo que a dominava, ela sentiu o clímax de Grant chegar – ele perdeu o controle do ritmo em que arremetia e deixou escapar um gemido violento.

Grant permaneceu dentro dela por um minuto ou dois, então a aliviou de seu peso e relaxou ao lado dela. Victoria se aconchegou no braço quente dele, exausta e saciada, e sentiu a boca de Grant tocar sua têmpora e encostar em seu ouvido.

– Eu te amo – sussurrou ela, e o ouviu dizer o mesmo junto dela.

Victoria abriu um sorriso sonolento e só então se deixou dominar pelo cansaço. Caiu em um sono sem sonhos, cercada pelo cheiro e pela sensação do corpo de Grant.

CAPÍTULO 18

Victoria acordou quando sentiu Grant deixar a cama. Reclamou, sonolenta. Então ouviu uma risadinha baixa e ele voltou para os braços dela, só por um instante, para lhe dar um beijo carinhoso no pescoço. O queixo com a barba áspera do começo do dia arranhou a pele dela, deixando-a deliciosamente arrepiada.

– Volte a dormir – murmurou Grant, baixinho. – Tenho que ir para a Bow Street.

Victoria passou os braços ao redor do pescoço dele.

– Já é de manhã?

– Temo que sim.

Grant afundou o nariz na cascata revolta dos cabelos de Victoria e ela acariciou as costas poderosas dele. Era uma delícia sentir aquela masculinidade intensa, o peso do corpo, a aspereza da barba por fazer... e a perna longa e peluda entre as dela.

– Fique comigo – pediu Victoria, contorcendo-se de prazer quando a mão quente envolveu seu seio.

Ele respondeu com um gemido e uma risada, achando difícil resistir à tentação.

– Não posso, menina. Cannon está esperando por mim, e há muito a ser feito hoje. Mas voltarei assim que puder.

Grant beijou a pele clara e macia do seio dela.

– Planejo nunca mais passar mais do que algumas horas longe dos seus braços.

Victoria acariciou os cabelos negros e curtos e encarou o rosto dele com uma melancolia indisfarçada.

– Queria que isso pudesse ser verdade.

Os olhos verdes de Grant a fitaram com atenção, a mão acariciando-a lentamente e fazendo-a estremecer.

– Por que não é possível, meu amor?

– Acho que porque...

Victoria achou difícil pensar com clareza quando a mão dele chegou ao abdômen dela, o polegar roçando a borda do umbigo.

– Ora, há sonhos – conseguiu dizer. – E há a realidade.

– Já tive realidade suficiente para umas dez vidas até agora – informou Grant. – Gostaria de tentar um sonho ou dois.

– Tais como...?

– Para começar, me casar com você.

A declaração tão direta deixou Victoria zonza. De tudo o que imaginara que pudesse acontecer depois de acordar naquela manhã, receber um pedido de casamento nem sequer fora uma possibilidade. Ela fez um esforço para se recompor.

– Eu... eu sei que qualquer mulher no mundo se sentiria honrada com esse pedido – falou ela, hesitante.

– E você? – perguntou ele, tranquilo.

– Tenho medo que você...

Victoria se interrompeu para encará-lo, insegura, e se afastou do corpo quente dele. Ela se enrolou no lençol e olhou para Grant com uma súplica muda que o fez franzir o cenho.

Ele levou a mão aos cabelos dela, que cintilavam por cima do ombro como um rio vermelho. Tocou-a com extremo carinho, as pontas dos dedos mal encostando na pele suave.

– Eu não deveria ter começado esta conversa agora. Você ainda está exausta, e não tenho muito tempo. Mas não há a menor possibilidade de eu sair daqui antes que me diga de que tem medo.

Victoria manteve os olhos fixos na colcha de seda azul quando respondeu.

– Acho que talvez só me deseje porque sou uma cópia da minha irmã.

Grant não emitiu um único som. Depois de alguns segundos de silêncio, ela se forçou a voltar a falar, tensa.

– Foi Vivien quem você quis primeiro... e não poderia culpá-lo por isso. Ela é sofisticada e sedutora, e todos os homens a desejam. Eu nunca poderia competir com ela nesse quesito. E não suportaria ver sua decepção quando acordasse ao meu lado todas as manhãs.

Perplexo, Grant se perguntou de onde viera aquele poço de insegurança. Como Victoria poderia se sentir tão à sombra da irmã? Santo Deus, os poucos truques de alcova que Vivien conhecia jamais poderiam fazê-lo sentir uma fração da atração sexual que tinha por Victoria. Que qualquer homem teria. Victoria era calorosa, inteligente, generosa... uma companheira ideal na cama e fora dela.

– Minha doce... linda... *lunática* – Grant se ouviu murmurar. – Como pode imaginar que eu poderia preferi-la a você? Como pode duvidar de meus sentimentos? Acredite em mim, percebo muito bem as diferenças entre vocês e sou mais do que capaz de decidir o que quero.

Aborrecido com as dúvidas de Victoria sobre o próprio valor, Grant arrancou as roupas de cama da frente do corpo dela, ignorando a exclamação de surpresa que a jovem deixou escapar. Ele a segurou pelo pulso com facilidade e pousou as mãos dela entre as coxas dele. Ao toque da mãozinha fria, o corpo de Grant reagiu com um pulsar de desejo e seu membro na mesma hora se ergueu.

– Sinta isto – disse ele, a voz rouca, e se ergueu acima dela olhando com firmeza para o rosto ruborizado. – *Sinta-me*, olhe bem dentro dos meus olhos e diga-me se vê alguma decepção.

– Você me pediu em casamento porque eu era virgem – falou Victoria. – Está tentando ser um cavalheiro e fazer o que é certo...

Grant capturou a boca de Victoria em um beijo ardente e só parou ao ouvir um gemido de desejo preso na garganta dela.

– Não sou *tão* cavalheiro assim – falou ele, a voz carregada de paixão.

O olhar desconfiado de Victoria encontrou o dele.

– Uma vez você me disse que não era do tipo que se casa.

– Sou, no que se refere a você.

– Não precisa – apressou-se ela em dizer, afastando a mão e mantendo-a junto ao corpo. – Quero que entenda... você não tem nenhuma obrigação por causa do que aconteceu. Podemos nos separar como amigos, amigos muito queridos...

– Não quero uma amiga. Quero *você*. Todo dia e toda noite. Cada minuto do resto da minha vida.

Grant a abraçou com força e encarou o rostinho ruborizado.

– Não é o que você quer? – perguntou, preocupado, ao ver a expressão dela.

O rosto de Victoria ficou ainda mais vermelho e ela conseguiu apenas assentir e dizer um *sim* sem som.

– Graças a Deus! – exclamou ele, afastando os cabelos do rosto dela. – Porque eu não conseguiria viver sem você. Agora, há mais alguma coisa em nosso caminho?

– Seu trabalho... – mencionou Victoria, e sua voz saiu carregada de um sofrimento genuíno. – Seria difícil para mim saber que está em perigo o tempo todo... que, a cada manhã que me deixasse, poderia não voltar. Talvez, se eu o amasse menos, conseguisse suportar... mas acho que não seria capaz de viver com isso.

Ele a abraçou com força.

– Já decidi deixar a Bow Street – falou. – Passei muitos anos da minha vida nas ruas. Há outras possibilidades abertas para mim agora... Encontrarei algo com que me ocupar.

– É isso que você quer? – perguntou Victoria, muito séria.

Ele assentiu e lhe deu um beijo na testa.

– Seja minha esposa, Victoria.

Ela não conseguiu responder enquanto encarava os olhos verdes muito firmes. Amava Grant mais do que já imaginara ser capaz de amar. Mas havia algo dentro dela, uma inquietude que precisava ser resolvida. Ela tentou desencavar a sensação, expô-la e examiná-la para encontrar as respostas de que precisava. No entanto, não conseguiria fazer isso naquele momento. Precisava de privacidade e de tempo para pensar.

– Por favor, me dê alguns dias – pediu. – Não posso tomar uma decisão dessas apressadamente. Quero ir para casa, ver a minha irmã e... me redescobrir.

Grant franziu o cenho e balançou a cabeça devagar.

– Se redescobrir? Você disse que havia recuperado a memória por completo...

– Sim, mas ainda não me sinto de volta ao meu eu cotidiano. E não estou pronta para começar a fazer mudanças na minha vida antes de ter passado alguns dias na paz e privacidade da minha antiga casa.

– É uma pergunta simples, Victoria – falou Grant, tenso. – Você me ama ou não?

– Sim, amo – asseverou ela e tocou o rosto de Grant com gentileza, os olhos subitamente úmidos de emoção. – Amo você de verdade – repetiu, em voz baixa e ardente.

– Então aceite meu pedido.

– Ainda não – insistiu Victoria, tão obstinada quanto ele.

Grant deixou escapar uma risada de frustração e pareceu ter vontade de sacudi-la.

– Maldição, por que não aceita e pronto? Está adiando o inevitável.

– Eu lhe darei minha resposta assim que puder – prometeu Victoria. – Mas ainda é cedo. Se tiver paciência...

– Não consigo ter paciência. Quero você demais.

A boca de Grant cobriu a de Victoria e ele a beijou de um modo que a fez esquecer qualquer outra coisa além da mais pura sensação física. A língua dele brincou dentro da boca macia, a acariciou, e o prazer daquela pequena invasão fez com que ela colasse ao corpo dele, querendo mais.

Parte das cobertas ainda estava entre eles. Victoria as afastou, agoniada, precisando sentir a pele de Grant na dela. Ele atendeu na mesma hora. Colou o corpo de Victoria ao dele, muito maior, e roçou nela seus músculos poderosos e o sexo pulsante que se insinuava entre as coxas dela. Victoria deixou escapar um som de prazer e anseio e se abriu para ele, e Grant sorriu diante do desejo tão óbvio.

– Victoria – murmurou Grant, e levou a mão ao monte de pelos ruivos, os dedos hábeis a provocar e acariciar. – Sabe que pertence a mim, não sabe?

Ele espalhou um pouco da umidade pela maciez pulsante, preparando-a para ser possuída. Então colou a boca à garganta dela e parou para inspirar a fragrância de baunilha que permanecera na pele de Victoria depois do banho da véspera. A ponta sedosa e ardente do sexo dele a encontrou.

Victoria o sentiu penetrá-la com uma gentileza enlouquecedora.

– Mais – pediu em um arquejo, querendo que ele arremetesse fundo, com força.

Contudo Grant possuía um autocontrole impressionante e continuou a se mover em um ritmo preguiçoso que a fez se contorcer de sofreguidão.

Grant sussurrou que ela tivesse paciência, que relaxasse, mas Victoria ainda não tinha experiência bastante para controlar as próprias reações. Tremia e suava, arqueava o corpo repetidamente e o puxava, agarrando-se a ele até Grant por fim ceder com uma risada ofegante. Ele obedeceu à exigência silenciosa dela e colou os quadris de ambos em um movimento delicioso que fez o prazer disparar pelo corpo dela como um relâmpago. Victoria se contorceu ao redor dele e ronronou quando foi dominada por um doce prazer que se espalhou por todo o corpo dela, fazendo-a sentir que cintilava.

– Bem – disse Grant, alguns minutos depois, a voz abafada entre os seios macios –, isso deve lhe dar algo em que pensar.

Incapaz de conter um sorriso, Victoria passou os braços ao redor da cabeça dele e deu um beijo nos cabelos cheios e negros.

– Apresse-se – murmurou. – Vai se atrasar para o trabalho... e eu odiaria que tivesse que explicar o motivo.

– Eles não precisarão perguntar – retrucou Grant, sem se mover. – A mulher mais linda da Inglaterra está na minha cama... Haveria algo de errado se eu *não* me atrasasse.

~

No fim, Grant chegou ao escritório de Cannon apenas alguns minutos mais tarde do que o habitual. Ele tomou cuidado para disfarçar qualquer sinal de bom humor ao ver o brilho sombrio nos olhos do chefe. Como sempre, a expressão do magistrado estava composta, mas Grant sentiu o tumulto de pensamentos e preocupações que fervilhavam por trás daquela fachada. Sem dúvida, a Bow Street estava sob o cerco da imprensa, do povo e do governo.

Grant sabia que ele mesmo teria uma aparência quase tão atormentada quanto Cannon se não fosse pela noite de prazer nos braços de Victoria. Sentiu vontade de sugerir que o magistrado encontrasse uma mulher. No entanto, Grant não iria se intrometer na vida de outra pessoa... ainda mais de um homem que resguardava tanto a própria privacidade.

Depois de perguntar se Victoria estava bem, Cannon informou a Grant que Keyes estava preso na sala de detenção e tinha confessado tudo na presença de Cannon e de um escrivão. Grant não ficou surpreso com a notícia, pois sabia que o chefe seria capaz de arrancar uma confissão de uma pedra. Keyes seria acusado e julgado, e tudo o que o magistrado pedia de Victoria Devane era que ela fosse até a sala de audiências, antes da segunda sessão daquele dia, para que um escrivão tomasse seu depoimento. O assunto seria resolvido com toda a eficiência e discrição possíveis, em uma tentativa de não chamar ainda mais atenção do público.

– Victoria não terá que encarar Keyes no tribunal, então – falou Grant.

Ele chegara naquela manhã com o discurso já pronto. Iria ao inferno antes de permitir que Victoria ficasse na mesma sala que Keyes.

– Não, não há necessidade de fazer a Srta. Devane passar por outra provação – retrucou Cannon. – O testemunho dela na audiência, somada à confissão de Keyes, será suficiente para fazê-lo ser indiciado e levado a julgamento no Tribunal do Rei.

– E quanto a lorde Lane? – perguntou Grant. – Ele vai ser preso esta manhã? Se for esse o caso, gostaria de me oferecer com o maior prazer para essa tarefa.

O magistrado parou com a xícara de café a caminho dos lábios e o encarou com certa surpresa.

– Você não soube, então. Lorde Lane morreu.

Grant balançou a cabeça sem saber se tinha ouvido direito.

– O que disse?

– Parece que sofreu uma apoplexia na noite passada, logo depois que você partiu do Boodle's.

Grant ficou passando a mão pelo queixo barbeado por um momento, debatendo uma mistura de emoções. Por um lado, estava feliz por o velho desgraçado ter ido encontrar o Criador. Por outro, lamentava profundamente que lorde Lane tivesse conseguido escapar do desconforto e da humilhação de ser indiciado, julgado e punido.

– Ótimo – disse por fim, a expressão severa. – Só queria ter podido ficar mais tempo no Boodle's para aproveitar o espetáculo.

O magistrado franziu o cenho diante do comentário insensível.

– Esse sentimento é inferior a você, Morgan, embora eu seja capaz de compreender sua posição.

Grant não respondeu à leve repreensão. Não se arrependia nem um pouco do que dissera. Em sua opinião, a morte de lorde Lane fora piedosa demais, muito melhor do que ele teria merecido. No entanto, algo mais o perturbava, e ele teria que falar a respeito antes de poder discutir qualquer plano para o próprio futuro.

– Não tenho sua natureza imparcial, senhor... embora Deus saiba que gostaria de ter.

– Ora, imparcial ou não, tenho uma oferta para você. E espero que a considere com todo o cuidado.

– Que tipo de oferta?

– Bem... tem relação com o fato de eu haver acabado de aceitar a incumbência de atuar como juiz de Essex, Kent, Hertfordshire e Surrey, além dos outros lugares que já são responsabilidade minha.

Grant o encarou com uma expressão de surpresa e deixou escapar um assovio de admiração. As novas responsabilidades estenderiam consideravelmente o alcance de Cannon. Ele já fazia o trabalho de dois homens. Passaria a fazer o trabalho de seis. Até onde Grant sabia, nenhum outro magistrado já tivera tanta autoridade.

— O clamor do povo está apenas começando — continuou Cannon, com ironia. — O consenso geral será que estou com sede de poder e indo além da minha jurisdição de direito. E talvez esteja mesmo. A questão é que não consigo ver outra forma de lidar com o crime a não ser encará-lo como uma guerra que precisa ser travada dentro *e* fora de Londres.

— Então seus críticos que se enforquem — comentou Grant.

— Se ao menos isso fosse possível — concordou Cannon.

Grant sorriu e estendeu a mão para apertar a do magistrado.

— Parabéns — disse, satisfeito. — Terá um trabalho infernal pela frente. Não gostaria de estar no seu lugar, mas não tenho dúvida de que terá sucesso.

— Obrigado — murmurou Cannon, impassível a não ser por um súbito brilho bem-humorado nos olhos. — Na verdade, isso leva à pergunta que quero lhe fazer. Pretendo indicá-lo para o cargo de magistrado adjunto, para trabalhar comigo.

Grant o encarou com perplexidade. A ideia o agradou na mesma hora. O posto permitiria que ele fizesse algo relacionado ao trabalho que o fascinava e, ao mesmo tempo, o tiraria do perigo das ruas. Ele teria que aprender muito sobre a lei — o que seria um desafio agradável — e ainda seria chamado a investigar casos difíceis. No entanto, Grant não pôde deixar de comparar a própria vida ao que sabia sobre a rotina celibatária, organizada e diligente de um magistrado.

Seus lábios se curvaram em um sorriso desconfiado.

— O cargo também lhe confere o título de cavaleiro — lembrou Cannon. — Caso isso lhe interesse.

— Sir Grant — disse ele com uma risadinha e balançou a cabeça, achando aquilo estranho. — Nossa! Eu deveria aceitar de pronto, mas... acho que não sou adequado para o cargo.

Cannon o encarou com atenção.

— Por que não?

Grant hesitou e baixou os olhos para as próprias mãos. A pele dos nós dos dedos e das palmas estava arranhada e machucada depois dos eventos do dia anterior.

— Viu o que fiz com Keyes — murmurou.

– Sim – falou Cannon depois de um momento. – Foi bastante violento com ele. No entanto, foi provocado.

– Eu quase o matei. Saquei minha faca e... o teria matado se Victoria não estivesse olhando.

– No calor da batalha...

– Não, não havia calor – apressou-se Grant em interrompê-lo, desnudando a alma. – Por um instante, meus pensamentos ficaram muito frios e muito claros. Eu me tornei juiz, júri e executor. Dei a mim mesmo o poder de terminar com a vida dele e teria feito isso com prazer. Só que eu não queria que *ela* me visse fazer isso e carregasse a cena para sempre na lembrança.

Ele deu um sorriso sem graça para Cannon.

– Ainda quer que eu atue como magistrado, sabendo que sou capaz de um lapso desses?

O magistrado o encarou, pensativo, considerando a resposta.

– Veja bem, Morgan... Não sou impassível por natureza, não importa o que as aparências o levem a acreditar. Se eu visse a mulher que amo sendo atacada daquela maneira, talvez tivesse feito o mesmo ou pior. Todos nós temos lapsos de que nos arrependemos. Como lhe disse, não sou perfeito. E dificilmente esperaria mais de você do que cobro de mim mesmo.

Grant sorriu, aliviado por o magistrado não considerar suas ações imperdoáveis.

– Muito bem, então. Aceito o cargo. Um pouco de respeitabilidade não me faria mal. Estou cansado de passar meus dias perseguindo ladrões e degoladores. Além do mais, com um pouco de sorte, logo terei uma esposa e uma família em que pensar.

– Ah. Então deseja se casar com a Srta. Devane.

Ao imaginar Victoria esperando por ele em casa, Grant sentiu um sorriso cálido e genuíno se abrir em seus lábios.

– Sempre pensei em casamento como uma corda ao redor do meu pescoço – disse. – Poderia jurar que nunca me casaria. E agora a ideia não me parece nada ruim.

As palavras superficiais disfarçavam um súbito anseio. Precisava de Victoria... A vida dele não seria completa sem ela. Grant sentiu uma urgência de voltar para perto da amada e se empenhar em convencê-la a aceitar o pedido de casamento.

Ele poderia ter jurado que Cannon quase sorriu ao ouvir seu comentário.

– Não é nada ruim – garantiu o magistrado. – Com a mulher certa, pode ser até...

Cannon parou em busca da palavra adequada. De repente, pareceu se perder em alguma lembrança doce havia muito esquecida. Ele se recompôs depois de alguns segundos de silêncio. Os olhos mostravam mais calor do que Grant já vira.

– Boa sorte, Morgan – falou.

～

Victoria passou a maior parte da manhã no jardim. Era um dia frio e úmido, com o céu bastante nublado e um pouco de vento. Ela se sentou diante da mesa de pedra e leu por algum tempo, então passeou pelos caminhos de cascalho que eram cercados por jardineiras de lilases, jasmins e madressilvas. O belo jardim tinha sebes de choupo e paredes cobertas de hera. As trilhas seguiam por entre canteiros de flores e plantas frutíferas que perfumavam o ar.

Naquele mundo pequeno e isolado, parecia que a cidade ficava a centenas de quilômetros. Era difícil não se sentir feliz em um lugar tão lindo.

Contudo ela ansiava por voltar para a White Rose Cottage. Precisava ver a irmã e assegurar-se do bem-estar de Vivien. Mais do que isso, Victoria sentia uma forte necessidade de retornar a um ambiente conhecido e se redescobrir no conforto do próprio lar. Embora tivesse recuperado a memória, ela sabia que não se sentiria dona da própria mente e do próprio coração até ter passado alguns dias na White Rose Cottage.

Ela se sentou diante da mesa de pedra do jardim e descansou a cabeça sobre os braços cruzados.

– O que está fazendo aqui fora? – perguntou uma voz masculina, penetrando o redemoinho de pensamentos dela.

Victoria ergueu a cabeça e sorriu ao ver Grant parado ali. Ele se acomodou em uma cadeira próxima, de frente para ela, e segurou sua mão. Com a outra, Grant acariciou a pele fria do rosto de Victoria, roçando o polegar com suavidade pela olheira que se formara sob a pálpebra dela.

– Você deveria tirar um cochilo – murmurou ele. – Vou levá-la à Bow Street esta tarde, para que dê um depoimento... Quero que esteja bem descansada.

Victoria apoiou a lateral do rosto na mão dele.

– Não consigo dormir. Não consigo parar de pensar.

– Em quê, meu amor?

– Quero ver minha irmã. Quero ir para Forest Crest e dormir na minha cama.

Grant tirou o casaco e o colocou ao redor dos ombros dela, aconchegando-a na lã grossa forrada de seda. A peça guardava o calor e o perfume do corpo dele, e Victoria a puxou mais para junto do corpo.

– Eu a levarei para lá depois que prestar depoimento – prometeu Grant, e sua voz saiu aveludada. – Ficaremos pelo tempo que desejar.

– Obrigada, mas... é melhor que eu vá sozinha. Quero pensar claramente, e não poderei fazer isso com você lá.

Grant ficou em silêncio e Victoria teve certeza de que ele se esforçava para controlar a impaciência. Quando ele voltou a falar, seu tom saiu baixo e frio.

– Em que exatamente planeja pensar?

Victoria deu de ombros.

– Em quem eu sou... no meu passado... no meu futuro...

Grant levou os dedos longos ao queixo dela e a fez encarar seu rosto impassível.

– Está se referindo ao seu futuro comigo – disse Grant.

– Só quero ir para casa e pensar em tudo o que aconteceu comigo. Minha vida mudou rápido demais, entende?

O breve suspiro dele guardava um mundo de frustração. Ele a puxou para si, a colocou no colo e passou a mão por baixo do casaco que a cobria. O calor da palma da mão masculina atravessou o vestido dela, na lateral do seio.

– Entendo – falou Grant com relutância. – Mas não gosto da ideia de você viajar sozinha e ficar em Forest Crest sem minha proteção.

A possessividade na voz dele a fez sorrir.

– Grant... Antes de conhecê-lo, vivi por um longo tempo sem a proteção de ninguém.

– Isso está prestes a mudar – resmungou ele.

– Deixe-me ir para Forest Crest sozinha – insistiu ela, persuasiva, embora ambos soubessem que não estava propriamente pedindo.

Por algum motivo, Grant não conseguiu retribuir o sorriso de Victoria. Tudo em que conseguia pensar era no medo que sentia de que, caso a deixasse fora de sua vista, ela acabasse optando por não se casar com ele. Afinal, ele jamais poderia dar a Victoria a vida tranquila no campo a que ela se acostumara. E ele não era um cavalheiro – Victoria já vira as evidências da rudeza e da violência dele; conhecia seus muitos defeitos. Era o tipo de homem que ela teria temido e de quem teria desdenhado na vida que levava antes.

– Está certo – assentiu ele com dificuldade. – Eu a mandarei para Forest Crest depois do depoimento. Irá na minha carruagem, com um cocheiro e um criado para protegê-la. E irei encontrá-la em uma semana.

– Uma semana? Mas não é suficiente...

Ela parou no meio da frase ao perceber que seu protesto não estava sendo levado em conta. E curvou os lábios em um sorriso irônico.

– Muito bem – concordou ela.

Um novo pensamento ocorreu a Grant e ele ficou muito sério.

– Não vai visitar nenhum antigo pretendente em Forest Crest, vai?

Um brilho travesso surgiu nos olhos dela.

– Não, Sr. Morgan. Nunca fui cortejada por nenhum rapaz do vilarejo.

– Por que não? Em nome de Deus, qual é o problema deles?

– Nunca fui receptiva aos avanços deles – explicou Victoria, acomodando-se de um jeito mais confortável no colo de Grant. – Estava sempre ocupada, cuidando do meu pai, lendo e...

Ela pousou a cabeça com carinho no ombro dele.

– Acho que estava esperando por você – disse, e sentiu os braços de Grant a apertarem de um modo que quase a esmagou.

CAPÍTULO 19

Depois de pedir ao cocheiro que a deixasse no final da rua não pavimentada, Victoria caminhou até a White Rose Cottage. Avistar o conhecido chalé de teto de palha a acalmou e seu olhar absorveu com voracidade a cena tranquila. Seu pequeno mundo particular não estava tão bem-cuidado como quando ela o deixara. As roseiras em tons de creme e marfim precisavam ser podadas e os canteiros de armérias, cravos e ervilhas-de-cheiro estavam sufocados por ervas daninhas. Porém, ainda era o lar dela. Victoria apressou o passo ao se aproximar da pequena porta em arco com a sensação de que estivera fora por um ano em vez de um mês.

Só uma coisa atrapalhava sua felicidade – a imagem de Grant quando o deixara em Londres. Ele se recusara a lhe dar um beijo de despedida e ficara parado, fitando-a com uma expressão carrancuda enquanto ela acenava da janela da carruagem. Ela achara isso engraçado mas também tocante e quase fora levada por seu desejo a pedir ao cocheiro que desse meia-volta. Era óbvio que o fato de ter se mantido firme em não aceitar o pedido de casamento de Grant o frustrara.

Ela queria muito se casar com Grant Morgan, mas uma união entre eles seria aconselhável... ou poderia acabar em ruína? Victoria temia que ele se cansasse dela algum dia, que se arrependesse de ter se casado com ela... e isso era algo que ela não conseguiria suportar.

Victoria queria muito conversar com a irmã, a única pessoa da família que lhe restava. Apesar de Vivien às vezes ter um comportamento volátil, era uma mulher experiente e prática que conhecia muito sobre os homens. E Victoria sabia que, a seu modo, a irmã a amava o bastante para escutá-la e lhe dar o melhor conselho possível.

Com o coração disparado de prazer por estar em casa, Victoria bateu à porta e entrou sem esperar por resposta.

– Jane? – perguntou alguém lá dentro. – Não achei que voltaria do vilarejo tão...

Assim que Vivien apareceu na sala e encarou a recém-chegada, perdeu a voz.

Victoria fitou a irmã com um sorriso alegre. E ficou impressionada como sempre com a sensação de Vivien ser ao mesmo tempo tão familiar e tão exótica. Como era possível amar alguém e, ainda assim, nunca compreender essa pessoa? Vivien pertencia a um mundo tão distante do de Victoria que não parecia possível que as duas viessem da mesma família e, menos ainda, que fossem gêmeas.

Vivien foi a primeira a quebrar o silêncio.

– No fim, você estava certa ao recusar todos os meus convites para ir à cidade. Londres definitivamente não é para você, minha querida ratinha do campo.

Victoria riu e se aproximou de braços abertos.

– Vivien... Não consigo acreditar nos meus olhos!

Sua irmã gêmea estava obviamente grávida, o ventre redondo, a pele clara cintilando com um brilho que vinha de dentro. O estado de Vivien lhe emprestara um inesperado ar de vulnerabilidade que a tornara ainda mais adorável.

– Estou gorda – declarou Vivien.

– Não, você está linda. De verdade.

Victoria abraçou a irmã com todo o cuidado e sentiu Vivien relaxar e suspirar de alívio.

– Victoria, querida – murmurou, retribuindo o abraço. – Achei que me desprezaria pelos problemas que lhe causei. Estava com tanto medo de encará-la...

– Eu jamais poderia desprezar minha irmã. Você é tudo o que me resta.

Victoria afrouxou os braços, recuou e sorriu.

– Mas, nossa, Vivien... como eu detestei ser você!

Vivien pareceu achar divertido, mas ao mesmo tempo ficou na defensiva... então riu.

– Imagino que não tenha se sentido nem um pouco à vontade ao se passar por uma mulher decaída. Mas juro que é muito melhor do que ficar enterrada viva aqui em Forest Crest.

– Eu não estava *enterrada* de forma alguma – retrucou Victoria.

Vivien assentiu, arrependida.

– Perdão, querida. Sabe que eu jamais lhe causaria nenhum mal intencionalmente. Se ao menos você tivesse ficado aqui em vez de ir para Londres...

– Eu estava preocupada com você.

– No futuro, lembre-se de que sou muito melhor em tomar conta de mim do que, aparentemente, é o seu caso.

Vivien levou a mão às costas e foi até o sofá de veludo já gasto.

– Preciso me sentar... meus pés estão doendo.

– O que eu posso fazer por você? – ofereceu Victoria, preocupada.

Vivien deu uma palmadinha no lugar ao lado dela.

– Sentar-se comigo e conversar. Posso supor, pela sua presença aqui, que está tudo terminado?

– Sim. O homem que tentou me matar foi preso. No fim, descobriu-se que lorde Lane contratou um dos patrulheiros da Bow Street para me matar... ou a você, como ele pensou.

– Meu Deus! Qual foi o patrulheiro?

A história toda foi contada de uma vez, provocando algumas exclamações abafadas de Vivien, de tempos em tempos. Para o alívio de Victoria, a irmã teve a delicadeza de não parecer satisfeita com a notícia da morte de lorde Lane.

– Imagino que ele esteja com o filho, Harry, agora – comentou Vivien, alisando a saia do vestido com cuidado excessivo. – Que descansem em paz.

Ela levantou os olhos com uma expressão perturbada.

– Ambos eram homens extremamente infelizes, sendo o caso de Harry pior. Por isso eu tive o *affair* com ele... achei que alguns dias de prazer talvez fossem tudo de que Harry precisasse. Mas ele se recusou a aceitar que não poderíamos ficar juntos para sempre. Pode ser que lorde Lane tivesse razão: se eu não houvesse dormido com Harry, ele talvez continuasse vivo.

– Mas também poderia não estar – comentou Victoria.

Ela ficou surpresa e até feliz por Vivien ter um momento consciente. Foi bom descobrir que a irmã ainda era capaz de sentir remorso.

– Não se perturbe com o que poderia ter acontecido, Vivien. Apenas me prometa que nunca mais irá atrás do filho de Harry... o pobre rapaz já sofreu muito.

– Não irei – respondeu Vivien de pronto. – Se eu fizesse isso, acho que lorde Lane me assombraria do túmulo. No entanto, gosto daquele rapaz, Victoria. Ele é tão doce, terno, e fica tão feliz por me agradar. Duvido que outro homem tão honrado quanto ele já tenha me amado um dia.

Porém agora sei que foi errado da minha parte, tolo até, sequer considerar o pedido de casamento dele. Só não consegui evitar me envolver por algum tempo...

Victoria estendeu a mão e apertou a da irmã.

– E o que vai fazer agora? Espero que fique comigo e me deixe tomar conta de você até o bebê nascer.

Vivien respondeu balançando com veemência a cabeça.

– Acho que irei para a Itália. Tenho muitos amigos por lá. E, depois do último mês, preciso de um pouco de diversão. Além do mais, há um cavalheiro em particular... um conde, na verdade... que está atrás de mim há anos. E ele é rico como o rei Creso.

Sem mais nenhum traço de melancolia, ela sorriu diante da expectativa do prazer que a aguardava.

– Talvez seja hora de deixar que ele me alcance.

– Mas não pode continuar a viver dessa forma – murmurou Victoria, abalada. – Não depois que o bebê chegar.

– É claro que posso. Não se preocupe, não permitirei que o bebê sofra. Ele ou ela terá tudo do bom e do melhor, pode ficar tranquila quanto a isso. Assim que eu der à luz e recuperar meu corpo de antes, encontrarei um novo protetor e arrumarei um jeito de criar bem a criança. Deus sabe que não me faltarão criados para me ajudar com isso.

Victoria sentiu uma enorme decepção com as palavras da irmã.

– Mas não está cansada de viver como amante? Eu farei o que puder para ajudá-la a encontrar um novo modo de vida, e sei que o mesmo vale para o Sr. Morgan.

– Não quero um novo modo de vida – declarou Vivien sem rodeios. – Gosto de ser cortesã. É fácil, agradável e rentável. Por que eu não deveria continuar em uma profissão para a qual tenho tanto talento? E, por favor, poupe-me de comentários sobre decência e honra... acredito que há certo tipo de honradez em se fazer algo do melhor jeito possível.

Victoria balançou a cabeça, lamentando.

– Ah, Vivien...

– Chega disso – disse a irmã, brusca. – Não quero discutir. Vou para a Itália e pronto.

– Precisa me prometer uma coisa – insistiu Victoria. – Se um dia chegar à conclusão de que não quer a criança, não a entregue a criados ou estranhos.

Por favor. Não consigo suportar a ideia de que alguém de nossa família possa... Bem, apenas mande-a para mim.

Vivien a encarou com o cenho franzido, cética.

– Que estranho. Por que desejaria ter algo a ver com o bastardo de lorde Gerard?

– Porque seria seu bebê também... e meu sobrinho ou sobrinha. Prometa-me, Vivien.

Como a irmã continuou a hesitar, Victoria acrescentou:

– Você me deve isso.

– Ah, está certo... eu prometo.

Vivien esticou os pés calçados em sapatilhas e fez um gesto solicitando que Victoria pegasse uma banqueta acolchoada coberta com uma estampa de flores. Enquanto Victoria tirava os sapatos da irmã e ajeitava os pés dela sobre o banco, estava consciente do olhar especulativo de Vivien.

– Não disse uma palavra sobre seu relacionamento com o Sr. Morgan – comentou Vivien, fingindo distração.

Victoria levantou os olhos para encontrar os da irmã, também muito azuis.

– O que ele lhe disse quando veio até aqui?

Vivien riu e enrolou uma mecha ruiva ao redor do dedo.

– O pouco que ele não me disse eu adivinhei. Agora fale, Victoria: ele já chegou ao assunto que interessa?

Victoria ruborizou e assentiu ligeiramente

– Sim, ele me pediu em casamento.

– E você aceitou?

Victoria balançou a cabeça com relutância.

– Tenho algumas dúvidas sobre a compatibilidade dessa união.

– Ah, meu bom Deus – murmurou Vivien, olhando para a irmã com exasperação e carinho. – Você está pensando demais de novo. Vamos, conte-me sobre suas preocupações.

Foi um prazer para Victoria desabafar com a única pessoa no mundo que compreendia de verdade o modo como a vida dela fora até então.

– Não sei se era isso que papai teria desejado para mim – falou. – Não sei se uma mulher como eu foi feita para esse tipo de vida. Ah, Vivien, o Sr. Morgan é um homem tão admirável... não consigo deixar de temer que ele precise de mais do que posso dar. Somos diferentes em temperamento, criação e personalidade. Acho que ninguém nos consideraria um casal compatível...

– Então por que não recusou o pedido de casamento?

– Porque o amo. Só tenho medo de não sermos certos um para o outro.

Vivien deixou escapar um som de deboche.

– Vamos parar com essa bobagem, Victoria. Não se trata de uma questão de compatibilidade, sua ou dele. Você é perfeitamente capaz de se acostumar a novas circunstâncias. E casar-se com um homem de grande fortuna, mesmo que sem título, não é o que se chamaria de provação.

Vivien revirou os olhos e suspirou.

– É tão típico seu analisar uma situação até transformá-la em algo dez vezes mais complicado do que é! Exatamente como papai costumava fazer.

– Papai era um homem maravilhoso – retrucou Victoria.

– Sim... um mártir maravilhoso, virtuoso e solitário. Depois que mamãe o deixou, ele se retraiu na própria concha e se escondeu do mundo. E você ficou com ele e tentou reparar tudo o que acontecera, e se tornou um retrato dele. Viveu neste mesmo maldito chalé, debruçada sobre os mesmos malditos livros. Isso é mórbido, preciso lhe dizer.

– Você não compreende... – começou Victoria, inflamada.

– Não? – interrompeu Vivien. – Compreendo seus medos melhor do que você. Sempre foi mais seguro esconder-se aqui, sozinha, do que se arriscar a amar alguém e ser abandonada. *Essa* é sua verdadeira preocupação. Mamãe a abandonou, agora você tem medo de amar outra pessoa e acontecer o mesmo.

A verdade contida nas palavras da irmã impressionou Victoria. Ela encarou Vivien com os olhos marejados.

– Acho... – começou, mas o súbito aperto na garganta tornou difícil continuar.

Vivien estava certa: ela nunca mais fora a mesma depois que a mãe a abandonara. A capacidade de se sentir confortável com o amor, de confiar o coração a alguém, lhe fora arrancada, forçando-a a construir camadas de autoproteção que ninguém jamais conseguira penetrar. Não antes de Grant.

Entretanto ele merecia a confiança dela. Merecia ser amado sem reservas nem medo, sem obstáculos. Tudo o que Victoria precisava fazer era descobrir dentro de si a força necessária para amá-lo assim.

– Era tão mais fácil quando papai ainda estava vivo – comentou Victoria. – Eu me convenci de que ele era tudo de que eu precisava. O fato de termos a companhia um do outro não permitia que nos sentíssemos sozinhos. Agora que ele se foi...

Ela parou e mordeu o lábio. As lágrimas escorriam.

Vivien suspirou, se levantou com dificuldade e foi até a pequena gaveta de uma mesinha lateral para procurar um lenço, que deixou no colo de Victoria.

– Isso foi há dois anos – comentou. – Já está na hora de seguir com sua vida.

Victoria secou o rosto com o tecido macio e assentiu com vigor.

– Sim, eu sei – disse em uma voz abafada. – Estou cansada desse luto. Estou cansada de ficar só. E amo tanto Grant Morgan que não consigo suportar a ideia de perdê-lo.

– Graças a Deus – falou Vivien em um tom comovido. – Ouso dizer que até mesmo papai acharia que sua penitência já durou muito tempo. E, já que tocamos nesse assunto, vou lhe dizer algo que sempre quis: amar um homem não a torna uma "mulher ruim", como você sempre acreditou que mamãe e eu éramos.

– Não, eu nunca...

– Sim, pensou. Tenho uma boa noção das coisas que papai falou sobre mim e mamãe pelas nossas costas. E algumas delas provavelmente foram merecidas. Admito que posso ser um tanto liberal demais com meus favores. Mas de uma coisa tenho certeza: entregar-se a um homem quando o ama, como você fez com Morgan, não é errado. Por outro lado, mofar aqui em Forest Crest é um crime. Portanto, vou embora deste vilarejo esquecido por Deus assim que conseguir organizar tudo, e a aconselho a fazer o mesmo. Case-se com Grant Morgan... eu diria que você poderia se sair muito pior.

– Por algum motivo, tive a impressão de que vocês dois não gostavam um do outro – disse Victoria, irônica. – O que fez isso mudar?

– Ah, ainda não gosto dele – garantiu Vivien com uma breve risada. – Não exatamente. É só que... bem, é óbvio que aquele homem a ama, caso contrário não teria feito o pedido de desculpas absurdo que você exigiu que ele fizesse.

– Ele fez? – perguntou Victoria, encantada. – Disse mesmo que estava arrependido?

– Sim, Morgan confessou tudo e pediu meu perdão.

Um sorriso felino surgiu no rosto da grávida.

– Admito que foi bastante agradável vê-lo gaguejar ao fazer aquele pedido de desculpas só para deixá-la feliz. Então, se eu fosse você e não quisesse partir o coração daquele homem, me casaria com ele. Ou...

Ela fez uma pausa quando outra ideia pareceu surgir.

– Ou poderia ir comigo! Poderíamos ir para Veneza ou Paris... Tem ideia de quanta atenção duas irmãs com a nossa aparência despertariam? Eu lhe ensinarei tudo o que sei sobre os homens e... Santo Deus, ficaríamos podres de ricas!

Victoria levantou os olhos para o rosto animado da irmã e balançou a cabeça, decidida.

– Arg!

– É uma boa ideia! – retrucou Vivien, na defensiva. – Pena que você não tenha um pouco mais de imaginação e um pouco menos de escrúpulos.

~

Um ensopado de batata, feijão, verduras e cebola picadas fervia no pequeno fogão de ferro fundido. O aroma apetitoso enchia o chalé e escapava pelas janelas abertas. Victoria se lembrou das inúmeras vezes que preparara aquele prato para o pai e sorriu, saudosa. O pai nunca fora um grande amante de comida, que encarava apenas como uma necessidade do corpo, não algo a ser apreciado. Nas raras ocasiões em que Victoria preparara um doce de ameixa ou comprara pãezinhos de fruta na padaria, ele os provara, mas logo perdera o interesse. As únicas vezes que o vira comer com vontade e com óbvio prazer tinham sido motivadas pela sopa de legumes.

– Ah, papai... – murmurou com ternura, parando de dobrar as roupas que guardava em um velho baú de couro. – Espero que não se importe por eu querer me casar com alguém tão diferente do senhor.

Grant era um homem cheio de vigor e com um intenso apetite pela vida. Ele se envolvia com problemas perigosos, complexos, sórdidos. Jamais escolheria se esconder do mundo como Victoria e o pai tinham feito. Grant via o pior da humanidade, enquanto os Devanes haviam preferido contemplar apenas o melhor dela. Ainda assim, Victoria achava que o pai teria gostado de Grant, nem que fosse apenas por admirar seu absoluto destemor no que se referia a lidar com as durezas da vida.

Cantarolando sozinha, Victoria foi mexer o ensopado e acrescentou uma pitada de sal à panela. Depois voltou para a arrumação da bagagem. Tinha começado a dobrar um velho xale de lã quando ouviu uma batida à porta que pareceu fazer o chalé inteiro vibrar.

Perplexa e um pouco preocupada, ela foi atender a porta. E recuou um passo, deixando escapar um breve arquejo, ao ver Grant parado ali. Estava lindo, de tirar o fôlego, usando um belo casaco preto, gravata larga preta, colete prata e calça grafite. As roupas eram simples, mas caíam com perfeição nos ombros largos e no torso delgado. A força da personalidade dele a atingiu com o impacto de uma primeira vez: Grant parecia grande, perigoso e até mesmo um pouco irado. No entanto, quando Victoria encarou os olhos verdes ardentes, não sentiu medo, apenas um desejo instintivo de beijar aquela boca rígida e suavizá-la na dela.

– Olá – disse ela, correndo a mão pelos cabelos, constrangida, pois eles caíam por suas costas em uma trança desalinhada.

A elegância de Grant a fez pensar na roupa que ela usava: um vestido gasto e desbotado de musselina floral que só seria adequado para as tarefas de casa e do jardim. Ela sorriu para aquele rosto sério, prolongando o momento delicioso antes de se atirar em seus braços.

– O que está fazendo aqui?

– Você demorou demais – resmungou ele, carrancudo.

Essa declaração fez Victoria deixar escapar uma risada de surpresa.

– Concordamos que eu passaria uma semana com a minha irmã.

– Já se passou uma semana.

– Passaram-se exatamente dois dias e meio – informou ela.

– Pois me pareceu um ano, maldição!

Victoria estremeceu de prazer ao sentir a mão dele em sua cintura, puxando-a para um abraço.

– Também senti saudade de você – confessou a jovem com um sorriso.

Grant levou a mão ao rosto dela e o segurou com carinho, a palma quente na pele dela.

– Onde está Vivien? – perguntou Grant.

– Partiu para Londres. Já estava farta da vida no campo. E eu também estou.

Ela indicou com um gesto o baú já arrumado até a metade e a pilha de roupas ao lado dele.

– Eu ia voltar mais cedo – admitiu. – Descobri que não tinha tanto em que pensar quanto imaginara.

– E nosso noivado? – indagou ele, tenso. – Você já tem uma resposta para mim?

– Sim – disse Victoria, a voz subitamente embargada pela emoção. – Sim, eu me caso com você... se ainda me quiser.

– Só se for pelo resto da vida – garantiu Grant, emocionado, e encarou o rosto pequeno e radiante dela.

Victoria fechou os olhos quando a boca dele encontrou a dela, não com a urgência que ela imaginara, mas com uma ternura lenta e intensa que arrancou um suspiro de prazer do fundo de seu peito. Os lábios de Grant acariciaram os de Victoria com suavidade, brincalhões, quentes e úmidos, até ela juntar o corpo ao dele em busca de algo mais. E ele lhe deu: colou a boca à dela e usou a língua para ir mais fundo.

Victoria gemeu e respondeu com a mesma intensidade. Nunca se consideraria próxima o bastante daquele corpo masculino e firme, nunca se saciaria de abraçá-lo com toda a força.

Subitamente, Grant afastou a boca e riu, sem fôlego, os olhos verdes cheios de ternura.

– Algum dia terei que ensiná-la a ter paciência – murmurou, as mãos quentes subindo e descendo pela lateral do corpo dela.

– Por quê?

Por algum motivo, a pergunta o fez rir de novo.

– É muito melhor quando não irrompemos a todo o vapor.

– Eu gosto desta maneira – falou ela em tom provocador.

Grant sorriu e a beijou de novo, na boca, no queixo, no pescoço, e murmurou seu amor por ela enquanto suas mãos se ocupavam em abrir o vestido nas costas. Uma das mangas escorregou do ombro, depois a outra, e a boca dele passeou pela pele recém-exposta.

– Se eu soubesse que você viria, teria usado um vestido bonito e fitas nos cabelos...

– Prefiro que não use absolutamente nada.

O que logo seria o caso, percebeu ela quando Grant fez seu vestido descer pelo quadril e cair no chão. A camisa de baixo foi a seguinte – ele abaixou as alças pelos braços e a puxou até que também fosse descartada.

Victoria ficou parada diante dele apenas de calçola, meias e sapatos.

Seus seios tremularam quando ela inteira estremeceu à brisa leve que entrou pela janela. O calor das mãos de Grant foi uma surpresa quando ele envolveu com cuidado os montes pálidos, fazendo os mamilos dela se contraírem. A respiração de Victoria acelerou e ela se apoiou na parede fria às suas costas.

Ele afastou os lábios da amada com beijos profundos e ternos que de algum modo foram capazes de acalmá-la e excitá-la ao mesmo tempo. Victoria gemeu ao senti-lo puxar e beliscar de leve seus mamilos, então Grant passou os dedos por baixo do seio dela e ergueu o monte sedoso e quente, levando-o à boca. Ele cobriu o bico com os lábios e o sugou e lambeu.

Victoria se contorceu ao sentir o corpo latejar mais abaixo.

– Toque-me – pediu ela.

Quando Grant voltou a atenção para o outro seio, ela arremeteu o quadril para a frente sem ao menos pensar.

– Onde? – perguntou ele baixinho.

Victoria sentiu o sorriso dele em seu seio e compreendeu que ele a provocava.

Impaciente, ela tentou soltar o cordão da calçola, ansiando por se livrar da peça. Para sua frustração, descobriu que o laço tinha se transformado em nó, e seus esforços para soltá-lo só o deixaram mais apertado.

Grant afastou as mãos dela e beijou sua barriga.

– Não se mexa – murmurou.

– Por quê? O que você...

Victoria se interrompeu e deu um gritinho de alarme ao ver o brilho de uma faca de lâmina longa. Antes que ela pudesse se mover, a lâmina cortou o cordão e a perna da calçola, e o tecido fino caiu em tiras aos pés dela.

– Grant – disse Victoria, a voz um pouco mais aguda do que o normal. – Essa... coi-coisa me deixa nervosa.

Ele sorriu e guardou a faca na bota.

– Ela já provou ser útil em várias ocasiões.

– Sim, mas eu não...

– Venha, levante o pé.

Ele se ajoelhou e tirou um sapato dela, depois o outro, e levou as mãos às meias. Mas parou e correu as mãos pela lateral do quadril dela.

– Acho que vou deixar você com elas – murmurou. – Gosto do modo como emolduram sua...

– Grant – protestou Victoria e enrubesceu enquanto ele continuava a fitá-la.

Seminua e parada diante dele, que continuava vestido, nunca se sentira tão vulnerável.

Grant passou as pontas dos dedos com gentileza pela pele delicada e quase transparente no alto das coxas, onde era visível um leve traçado de veias.

– Vou lhe comprar meias de seda e renda – disse ele baixinho. – Pretas. E cintas-liga com fitas, incrustadas de pedras.

Victoria mal conseguia falar.

– Vamos para o quarto – pediu ela, a voz fraca.

– Ainda não.

Ele deslizou os dedos ao longo dos pelos ruivos, afastando os fios brilhantes.

– Como você é linda...

Victoria estremeceu, grata por ter o apoio da parede atrás de si enquanto estava de pé entre os joelhos afastados de Grant. Ele se inclinou para a frente e beijou a barriga dela, explorando a borda delicada do umbigo com a ponta da língua. A respiração do próprio Grant estava acelerada e superficial e seu hálito aquecia a pele de Victoria. Ela deixou escapar um som que o fez erguer a cabeça para encará-la, os olhos verdes ardentes.

– Quer que eu a beije, Victoria?

Ela assentiu, o rubor ainda mais intenso.

Embora o rosto dele estivesse tenso de desejo, Victoria viu a sombra de um sorriso se insinuar em seus lábios.

– Onde?

Não consigo, pensou ela, mortificada mas excitada, e cerrou os punhos junto ao corpo.

Grant permaneceu parado, olhando para ela com uma mistura de bom humor e desejo, à espera de que Victoria fizesse o movimento seguinte. A tensão aumentou até quase ser sentida como fagulhas no ar. Victoria ardia. Incapaz de se conter, ela estendeu as mãos trêmulas para o cabelo escuro dele e guiou a cabeça de Grant para o lugar onde ela mais o desejava.

Logo sentiu o calor ardente da boca dele cobrindo-a, a língua buscando através da carne tenra, estocando o ponto sensível onde ficava o centro do prazer dela. Os joelhos de Victoria fraquejaram e ela teria caído se as mãos de Grant não a estivessem sustentando pelas nádegas. Ela gemeu e se contraiu diante do tormento úmido e delicioso da língua dele, até começar a sentir o clímax que se aproximava.

Com uma rapidez que a chocou, Grant afastou a boca e se levantou para encará-la, o olhar cheio de desejo passeando pelo corpo ruborizado dela.

– Por favor, Grant...

Ele respondeu com um murmúrio baixo enquanto abria a própria calça.

Para a surpresa de Victoria, ele não a deitou no chão. Em vez disso ergueu-a nos braços de modo que as pernas dela o envolvessem. Grant sustentava o peso dela com facilidade e a apoiou contra a parede para equilibrá-la, protegendo-a com um dos braços da aspereza do reboco.

Ela arregalou os olhos ao sentir a forma rígida do sexo dele buscando, cutucando, deslizando com facilidade para dentro dela. Victoria foi preenchida, o corpo aberto e indefeso. Ela arquejou de prazer e o segurou com força pelos ombros, cravando os dedos na lã macia do casaco dele. Parecia estranhamente erótico estar colada ao corpo dele ainda vestido, a pele nua dela vibrando com a abrasão do tecido. Ansiosa por saborear a pele de Grant, Victoria afastou o tecido e enfiou a boca no pescoço dele.

– Você me ama? – murmurou Grant, soltando de propósito o peso dela para que se encaixasse mais na ereção rígida.

– Sim... ah, Grant...

Victoria arqueou o corpo e gritou de prazer quando o gozo cresceu dentro dela e vibrou por todo o corpo em ondas profundas.

– Então diga – falou ele.

Grant arremeteu mais fundo, mais devagar, e a atingiu no ponto exato. Victoria se contorceu e flexionou as pernas enquanto outro clímax chegava.

– Eu amo você – arquejou ela. – Amo você... amo você...

Essas palavras o levaram ao ápice. Ele mergulhou nela com um gemido e todos os seus sentidos se dissolveram em um alívio abençoado. Ele travou as pernas e ficou parado, segurando-a com força, relutante em soltar a mulher deliciosa aconchegada em seus braços.

– Victoria – sussurrou, beijando-a com ardor enquanto tentava recuperar o fôlego.

– Agora, vamos tirar as *suas* roupas – decretou Victoria, já ocupada em soltar a gravata preta do pescoço dele.

Grant riu e afrouxou os braços para deixar os pés dela tocarem o chão.

– E depois?

Victoria deixou a gravata cair no chão e afundou o rosto no pescoço de Grant para inspirar aquele aroma masculino salgado.

– Depois eu lhe mostrarei de novo quanto amo você.

Ela recuou e levantou os olhos para ele com um sorriso esperançoso.

– Se você conseguir.

Grant sorriu e esmagou os lábios dela em um beijo cálido.

– Não sou o tipo de homem que fuja de um desafio.

– Sim, eu sei.

Ela riu, exultante, quando ele a ergueu nos braços e a carregou para o quarto.

EPÍLOGO

Embora achasse que conhecia bem o marido, Victoria acabou fazendo várias descobertas sobre ele nos primeiros seis meses de casamento. Como concordava com a opinião geral de que Grant não era o tipo de homem que aceitaria com facilidade a vida doméstica, ela prometera lhe dar quanta liberdade ele quisesse. Decidira nunca opinar sobre as companhias dele. Se Grant resolvesse passar a noite toda socializando, bebendo e indo de um lugar a outro, que fosse. E se ele se permitisse ser arrastado para situações perigosas, ela evitaria criticá-lo. Afinal, ele fora um homem independente até conhecê-la, e poderia se ressentir caso ela tentasse domá-lo. Victoria não tinha a menor intenção de se tornar uma pedra no sapato dele.

Contudo, para a surpresa dela e de todos que conheciam Grant, ele assumiu a vida de casado como se nunca tivesse conhecido outro modo de existência. Incorporou o papel de marido com tranquilidade e prazer, demonstrando o tipo de devoção com que a maior parte das esposas sonhava. Em vez de ficar pulando de taverna em taverna em Londres com os amigos, Grant preferia passar as noites em casa, com Victoria, compartilhando livros e taças de vinho, conversando e fazendo amor a noite toda.

Grant a levava a toda parte – bailes, jantares, concertos e também para assistir a lutas, corridas e até a casas de apostas. Ele a protegia, mas não a limitava. Permitia que ela visse a sordidez de Londres, bem como a beleza da cidade. Grant tratava a esposa como uma parceira, uma companheira que amava, uma amante. Por causa dele, a vida de Victoria ganhou um vigor e uma vivacidade com que ela nunca sonhara em Forest Crest.

Nas noites em que ficavam em casa, Victoria ajudava Grant a estudar e analisar pilhas de livros sobre leis e teorias, todos emprestados por sir Ross. Grant descobrira que o trabalho de um magistrado era exigente e fascinante, além de muito mais desafiador do que o cargo de patrulheiro. Ele usava o poder maior que conquistara para resolver disputas legais e conduzir inquéritos, e começara a ter certa influência política. Isso e o título de cavalheiro o haviam colocado em uma posição social que excedia muito a fama de antes.

Victoria, por sua vez, fazia o melhor que podia para encontrar o próprio lugar na sociedade londrina, selecionando e aceitando criteriosamente os muitos convites que chegavam toda semana. Ela se reunia com arquitetos e projetistas para tomar decisões sobre a mansão que Grant planejava construir em Mayfair e pedia conselhos às novas amigas que fizera em Londres. Não demorou muito para também se juntar a comitês de damas que cuidavam de obras de caridade em benefício de ex-prostitutas e crianças carentes, embora parecesse que os esforços desses grupos fossem insignificantes em comparação com o tamanho do problema de que tratavam.

– O número de mulheres e crianças que precisam de ajuda é aterrador – disse Victoria a Grant uma noite, mais desencorajada do que esperançosa em relação a um evento de caridade que estava sendo organizado. – Mesmo que os esforços do comitê tenham sucesso, vamos beneficiar apenas uma fração dos que precisam de ajuda. Isso me faz indagar se vale a pena tentar.

Grant a abraçou, afastou um cacho de cabelo e beijou a testa dela.

– É sempre melhor tentar – murmurou ele, sorrindo para o rosto preocupado da esposa. – Já me senti da mesma forma, já me perguntei por que arriscar o pescoço para pegar um ladrão desgraçado quando outros milhares permaneceriam nas ruas.

– Então por que continuou?

Ele deu de ombros.

– Eu acreditava que, ao tirar um criminoso das ruas, talvez estivesse salvando alguém no futuro. E salvar uma única pessoa que fosse valeria o esforço, não é mesmo?

Victoria sorriu e abraçou o marido, sentindo uma enorme onda de amor dominá-la.

– Eu sabia – disse ela, a voz abafada pelo ombro dele. – No fundo, você é um idealista.

Ela sentiu o sorriso dele em sua orelha.

– Vou lhe ensinar a não me xingar, milady.

Então Grant afastou a cabeça e a beijou até fazê-la perder o fôlego.

~

Grant estava tão envolvido nas anotações de um inquérito que conduzia que mal percebeu a batida na porta de seu escritório na Bow Street.

– Sim? – perguntou, brusco, ressentido pela interrupção em um momento em que estava tão concentrado.

Uma fresta se abriu e o rosto da Sra. Dobson surgiu.

– Sir Grant, o senhor tem visita.

– Já disse que não receberei visitas até o fim das sessões desta tarde – respondeu ele, aborrecido.

– Sim, senhor, mas... é lady Morgan.

Na mesma hora a expressão dele mudou. Victoria raramente ia ao escritório da Bow Street, o que era bom, levando-se em consideração que o lugar com frequência estava cheio de patifes e criminosos. No entanto, qualquer chance de vê-la no meio do dia era mais que bem-vinda.

– Pelo amor de Deus, não a deixe esperando – disse ele. – Mande-a entrar de uma vez.

A governanta sorriu, abriu mais a porta e Victoria entrou. Ela era uma visão adorável, principalmente contra o pano de fundo do escritório: o corpo delicado em um vestido de musselina rosa-claro, a gola alta e as mangas longas enfeitadas com fitas. O corpete da peça era franzido e tinha cordões de seda que destacavam as curvas provocantes dos seios. Grant se ergueu da cadeira, esperou que a Sra. Dobson fechasse a porta, então arrebatou a esposa nos braços e capturou seu sorriso em um beijo ardente.

– Era disso que eu precisava – murmurou ele quando os lábios dos dois se afastaram. – Uma bela mulher para aliviar meu tédio.

– Espero não ter interrompido nenhum trabalho importante – disse ela.

– Nenhum trabalho é tão importante quanto você.

Ele brincou com a fita que fechava a gola do vestido e afundou o nariz para sentir o perfume da esposa, atrás do lóbulo da orelha.

– Diga-me o que a traz à Bow Street, milady. Tem alguma reclamação a registrar, ou talvez um crime a denunciar?

Ela riu, sem fôlego.

– Não exatamente.

– Algum testemunho ou informação a oferecer?

– De certa forma.

Ele voltou a sentar-se e a puxou para o colo, os olhos verdes cintilando com malícia.

– Quero uma confissão completa, milady.

– Grant, não – repreendeu-o ela.

Victoria ria, perplexa, e se contorcia no colo dele olhando com preocupação para a porta.

– Alguém pode entrar... O que pensariam?

Ele deixou a mão deslizar por baixo da saia dela e subir ousadamente até o joelho.

– Que sou um homem recém-casado cheio de desejo pela esposa.

– Grant! – falou Victoria, o rosto muito vermelho.

Ele riu, já com pena dela.

– Bem quando eu achei que já a havia livrado de todo o decoro – falou ele, e apertou o joelho da mulher. – Muito bem, então... vou tentar me conter. Diga-me por que está aqui.

Victoria passou os braços pelo pescoço dele e ficou muito séria.

– Eu não o teria perturbado, mas... pedi que chamassem o Dr. Linley hoje.

– Linley – repetiu Grant, preocupado.

Victoria assentiu.

– Eu não vinha me sentindo muito bem ultimamente e, em vez de preocupá-lo sem necessidade, guardei isso comigo até...

Ela se interrompeu e se encolheu quando a mão do marido apertou sua perna com uma força da qual ele não se deu conta.

– Grant! – exclamou Victoria, aborrecida e surpresa.

O coração de Grant batia de forma estranha e ele arquejava. Em meio ao terror instintivo que sentiu, era difícil falar.

– Victoria – conseguiu dizer. – Você está doente?

– Ah, meu bem, não... não, eu só...

Ela parou enquanto procurava um modo mais afável de contar. Contudo, como também estava ansiosa, não conseguiu pensar em nenhum.

– Estou grávida – disse. – Não há nada com que se preocupar. Vamos ter um bebê.

O alívio começou a penetrar no súbito redemoinho de pânico. Grant a puxou mais para perto e enterrou o rosto nos seios macios dela enquanto tentava acalmar a respiração.

– Por Deus, Victoria!

Ele ouviu a risada trêmula da esposa, sentiu a mão delicada em seus cabelos.

– Como se sente sobre aumentar a família? – perguntou ela.

– Que é um milagre!

Grant pressionou a orelha contra o coração dela, ouvindo-o bater rápido, e se deu conta de que tudo o que lhe importava no mundo estava bem ali, em seus braços.

– Um milagre bastante comum – comentou Victoria com um sorriso na voz. – Acontece em várias famílias, todo dia.

– Na minha não.

Ele a afastou e examinou o corpo delgado. Já imaginava a barriga crescendo com o filho dele.

– Como se sente? – perguntou, preocupado.

Victoria acariciou o rosto do marido.

– Impaciente – respondeu. – Mal posso esperar pelo dia em que segurarei um bebê nos braços.

No fim, um bebê chegou à casa dos Morgans mais cedo do que esperavam. Quase um mês depois da revelação da gravidez de Victoria, ela e Grant jantavam quando a Sra. Buttons os interrompeu. A governanta exibia uma expressão estranha, quase cômica, como se algo a tivesse surpreendido e ela ainda se recuperasse.

– Lady Morgan – disse a governanta, parecendo desconfortável –, uma... uma encomenda chegou para a senhora... da Itália.

– A esta hora da noite?

Victoria trocou um olhar perplexo com o marido, o cenho franzido.

– Deve ser um presente de minha irmã – concluiu. – Que maravilha! Há meses não tenho notícias dela. Há uma carta com a encomenda, Sra. Buttons?

– Sim, mas...

– Por favor, traga logo a carta e peça que deixem a encomenda na sala íntima. Abriremos depois do jantar.

Antes que a governanta pudesse responder, um som estranho fez Victoria ficar paralisada. Foi como um miado alto... ou o choro de um bebê.

Grant se levantou da mesa e limpou a boca com o guardanapo.

– Acho que essa encomenda em particular não quer ser deixada na sala íntima – murmurou ele, e passou depressa pela governanta, já saindo da sala.

– Um bebê? – falou Victoria, zonza, e encontrou o olhar da Sra. Buttons.

A governanta assentiu.

– Sim, milady. Foi mandado da Itália com uma ama de leite que não fala uma palavra do nosso idioma.

– Ai, meu Deus!

Victoria saiu correndo atrás do marido e seguiu o som até o saguão de entrada.

Vários criados haviam se reunido ali e olhavam, encantados, para a jovem de cabelos escuros e expressão ansiosa que usava roupas de camponesa com um avental cinza por cima. A ama de leite carregava no colo o pacotinho uivante e parecia prestes a também cair no choro.

– *Signora* – disse, assim que Victoria apareceu, então começou a falar em um fluxo interminável de sílabas estrangeiras.

Victoria pousou a mão no ombro da moça para acalmá-la.

– Está tudo bem – garantiu, torcendo para que a jovem compreendesse seu tom, mesmo que não entendesse as palavras. – Obrigada por trazer a criança em segurança. Você deve estar cansada e com fome.

Victoria olhou de relance para a Sra. Buttons, que, na mesma hora, orientou uma das criadas a preparar um quarto para a jovem. Victoria indicou com um gesto o bebê que chorava e sorriu para a moça.

– Posso? – perguntou.

A jovem entregou o pacotinho na mesma hora e pareceu aliviada. Meio desajeitada, Victoria pegou a bebê. Encarou o rostinho muito vermelho com um tufo de cabelos ruivos preso em um laço no alto da cabeça. Era impossível não saber que aquela era a filha de Vivien.

– Ah, criaturinha querida – murmurou Victoria, dividida entre o riso de alegria e as lágrimas. – Menina doce e preciosa...

– Passe-a para mim – falou Grant, que parara atrás dela. – A cabeça está sem apoio.

Victoria entregou a criança e pegou a carta que a ama de leite lhe estendeu. Estava endereçada a ela, com a letra inconfundível de Vivien. Victoria franziu o cenho, quebrou o lacre e leu o texto em voz alta.

– "Caríssima Victoria, como prometi, estou lhe mandando a criança, já que estou ocupada demais no momento para cuidar dela. Se desejar, arrume alguém para tomar conta de Isabella e eu a reembolsarei pelas despesas assim que voltar à Inglaterra. Com todo o amor, como sempre, Vivien."

Victoria se virou para o marido e percebeu que a criança se aquietara e observava o rosto sério de Grant com os olhos arregalados, sem piscar. Uma mãozinha em miniatura envolveu o dedo dele e as pontinhas dos dedos ficaram brancas de tanta força que faziam. A neném parecia absurdamente pequena em contraste com o peito largo de Grant e se acalmou na segurança dos braços firmes a seu redor.

— Eu não sabia que você tinha experiência com bebês — comentou Victoria, observando os dois com um sorriso encantado.

Ele ninou a criança em um ritmo tranquilo e repetitivo.

— Não tenho — falou baixinho. — É que levo jeito com ruivas.

— Isso eu posso garantir.

Victoria deu um sorrisinho, o cenho ainda franzido, e acariciou o tufo de cabelos da menina.

— Pobre Isabella — murmurou.

— Vivien virá buscar a filha algum dia? — perguntou Grant, sem afastar os olhos da bebê.

— É impossível ter certeza, mas...

Victoria fez uma pausa, encarou o marido e não conseguiu florir a verdade.

— Não — disse baixinho. — Ela não vai querer uma criança por perto para lembrá-la do passar dos anos... E nunca desejou ser mãe. Não acredito que Vivien volte um dia para buscar a filha.

— Então o que será feito dela?

— Você faria alguma objeção a que aumentássemos a família um pouquinho mais cedo? — perguntou, hesitante.

Por um momento, Grant mal pôde acreditar que considerava a possibilidade de se tornar pai da criança bastarda de Vivien Duvall. Ele não gostava nem um pouco de Vivien, nunca gostaria. Contudo, ao encarar o rostinho acomodado em seu ombro, por algum motivo não conseguia ver nada de Vivien ali. Havia só a vulnerabilidade e a inocência de uma criança, e ele sentia o instinto primitivo de protegê-la.

— Acho que ninguém no mundo tomaria conta dela melhor do que nós — murmurou, mais para si mesmo do que para Victoria.

A esposa chegou mais perto e o abraçou.

— Eu também — concordou ela, dando um sorriso. — Ah, Grant... eu sabia que você não recusaria.

Ela ficou na ponta dos pés e o beijou.

— Sabe, você nunca me decepciona.

Mais de um comentário irônico passou pela cabeça de Grant, mas, quando olhou nos olhos azuis da esposa, sentiu-se tomado de tanto amor que não conseguiu verbalizar nenhum.

– Nunca – repetiu Victoria, sustentando o olhar dele. – Eu não mudaria absolutamente nada em você.

– Ora, milady – respondeu ele, a voz suave –, por isso me casei com você.

CONHEÇA OUTROS TÍTULOS DA AUTORA

Um sedutor sem coração

Os Ravenels

Devon Ravenel, o libertino mais maliciosamente charmoso de Londres, acabou de herdar um condado. Só que a nova posição de poder traz muitas responsabilidades indesejadas – e algumas surpresas.

A propriedade está afundada em dívidas e as três inocentes irmãs mais novas do antigo conde ainda estão ocupando a casa. Junto com elas vive Kathleen, a bela e jovem viúva, dona de uma inteligência e uma determinação que só se comparam às do próprio Devon.

Assim que o conhece, Kathleen percebe que não deve confiar em um cafajeste como ele. Mas a ardente atração que logo nasce entre os dois é impossível de negar.

Ao perceber que está sucumbindo à sedução habilmente orquestrada por Devon, ela se vê diante de um dilema: será que deve entregar o coração ao homem mais perigoso que já conheceu?

Um sedutor sem coração inaugura a coleção Os Ravenels com uma narrativa elegante, romântica e voluptuosa que fará você prender o fôlego até o final.

Uma noiva para Winterborne

Os Ravenels

Rhys Winterborne conquistou uma fortuna incalculável graças a sua ambição ferrenha. Filho de comerciante, ele se acostumou a conseguir exatamente o que quer – nos negócios e em tudo mais.

No momento em que conhece a tímida aristocrata lady Helen Ravenel, decide que ela será sua. Se for preciso macular a honra dela para garantir que se case com ele, melhor ainda.

Apesar de sua inocência, a sedução perseverante de Rhys desperta em Helen uma intensa e mútua paixão.

Só que Rhys tem muitos inimigos que conspiram contra os dois. Além disso, Helen guarda um segredo sombrio que poderá separá-los para sempre. Os riscos ao amor deles são inimagináveis, mas a recompensa é uma vida inteira de felicidade.

Com uma trama recheada de diálogos bem-humorados e cenas sensuais e românticas, *Uma noiva para Winterborne* é o segundo volume da coleção Os Ravenels.

Um acordo pecaminoso

Os Ravenels

Lady Pandora Ravenel é muito diferente das debutantes de sua idade. Enquanto a maioria delas não perde uma festa da temporada londrina e sonha encontrar um marido, Pandora prefere ficar em casa idealizando jogos de tabuleiro e planejando se tornar uma mulher independente.

Mas certa noite, num baile deslumbrante, ela é flagrada numa situação muito comprometedora com um malicioso e lindo estranho.

Gabriel, o lorde St. Vincent, passou anos conseguindo evitar o casamento, até ser conquistado por uma garota rebelde que não quer nada com ele. Só que ele acha Pandora irresistível e fará o que for preciso para possuí-la.

Para alcançar seus objetivos, os dois fazem um acordo curioso, e entram em uma batalha de vontades divertida e sensual, como só Lisa Kleypas é capaz de criar.

CONHEÇA OS LIVROS DE LISA KLEYPAS

De repente uma noite de paixão

Os Hathaways
Desejo à meia-noite
Sedução ao amanhecer
Tentação ao pôr do sol
Manhã de núpcias
Paixão ao entardecer
Casamento Hathaway (e-book)

As Quatro Estações do Amor
Segredos de uma noite de verão
Era uma vez no outono
Pecados no inverno
Escândalos na primavera
Uma noite inesquecível

Os Ravenels
Um sedutor sem coração
Uma noiva para Winterborne
Um acordo pecaminoso
Um estranho irresistível
Uma herdeira apaixonada
Pelo amor de Cassandra

Os mistérios de Bow Street
Cortesã por uma noite

editoraarqueiro.com.br